Guia Completo de Pilates

*Um curso estruturado para alcançar
a excelência profissional*

Alan Herdman
com Gill Paul

Tradução:
CLAUDIA GERPE DUARTE
EDUARDO GERPE DUARTE

Editora Pensamento
SÃO PAULO

Título original:
The Complete Pilates Tutor.

Copyright © 2014 Octopus Publishing.

Copyright do texto © 2014 Alan Herdman.

Publicado pela primeira vez na Grã-Bretanha em 2014 por Gaia, uma divisão do Octopus Publishing Group Ltd
Endeavour House, 189 Shaftesbury Avenue
Londres WC2H 8JY
www.octopusbooks.co.uk
www.octopusbooksusa.com

Copyright da edição brasileira © 2015 Editora Pensamento-Cultrix Ltda.

Texto de acordo com as novas regras ortográficas da língua portuguesa.

1ª edição 2015.

Todos os direitos reservados. Nenhuma parte deste livro pode ser reproduzida ou usada de qualquer forma ou por qualquer meio, eletrônico ou mecânico, inclusive fotocópias, gravações ou sistema de armazenamento em banco de dados, sem permissão por escrito, exceto nos casos de trechos curtos citados em resenhas críticas ou artigos de revista.

A Editora Pensamento não se responsabiliza por eventuais mudanças ocorridas nos endereços convencionais ou eletrônicos citados neste livro.

Alan Herdman declara o direito de ser identificado como o autor desta obra.

Todo o cuidado razoável foi tomado na preparação deste livro, mas as informações que ele contém não se destinam a substituir os cuidados médicos sob a direta supervisão de um médico. Antes de fazer quaisquer mudanças no seu regime de saúde, consulte sempre um médico. Embora todas as práticas detalhadas neste livro sejam completamente seguras se executadas corretamente, você precisa procurar orientação profissional se estiver em dúvida com relação a qualquer problema médico. Qualquer aplicação das ideias e informações contidas neste livro é feita exclusivamente de acordo com o critério e risco do leitor.

Fotógrafo: Russell Sadur
Pesquisadora de imagens: Giulia Hetherington

Editor: Adilson Silva Ramachandra
Editora de texto: Denise de C. Rocha Delela
Coordenação editorial: Roseli de S. Ferraz
Produção editorial: Indiara Faria Kayo
Editoração eletrônica: Join Bureau
Revisão: Bárbara C. Parente e Vivian Miwa Matsushita

**Dados Internacionais de Catalogação na Publicação (CIP)
(Câmara Brasileira do Livro, SP, Brasil)**

Herdman, Alan
   Guia completo de pilates : um curso estruturado para alcançar a excelência profissional / Alan Herman com Gill Paul ; tradução Claudia Gerpe Duarte, Eduardo Gerpe Duarte. – 1. ed. – São Paulo : Pensamento, 2014.

   Título original: The complete pilates tutor.
   IBSN: 978-85-315-1885-0

   1. Exercícios físicos – Manuais, guias, etc. 2. Pilates (Método de exercícios físicos) I. Paul, Gill. II. Título.

14.08259   CDD-613.71

Índices para catálogo sistemático:

   1. Pilates : Exercícios físicos : Produção da saúde   613.71

Direitos de tradução para o Brasil adquiridos com exclusividade pela
EDITORA PENSAMENTO-CULTRIX LTDA.,
que se reserva a propriedade literária desta tradução.
Rua Dr. Mário Vicente, 368 – 04270-000 – São Paulo – SP
Fone: (11) 2066-9000 – Fax: (11) 2066-9008
http://www.editorapensamento.com.br
E-mail: atendimento@editorapensamento.com.br
Foi feito o depósito legal.

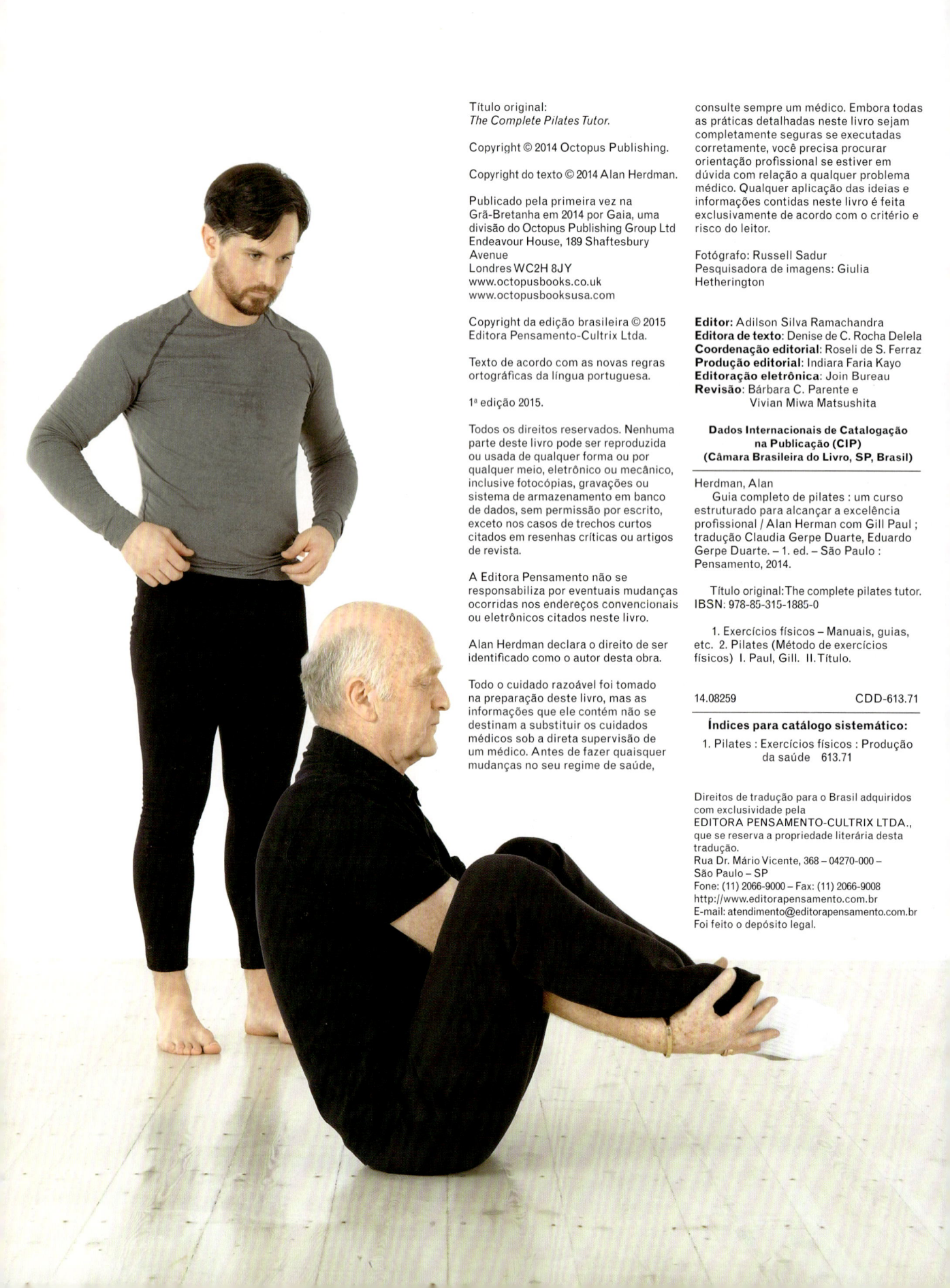

Sumário

Prefácio	4
Os conceitos básicos do Pilates	6
Exercícios Pré-Pilates	54
Os 34 exercícios originais	150
Como gerenciar um estúdio de Pilates	220
Leitura complementar	254
Índice remissivo	254
Agradecimentos	256

4 PREFÁCIO

Prefácio

Mais de cem anos transcorreram desde que Joseph Pilates começou a desenvolver o seu sistema exclusivo para fortalecer e tonificar o corpo, no entanto a popularidade do método Pilates continua a aumentar a cada ano. Estúdios que ensinam Pilates de muitas maneiras diferentes não param de pipocar no mundo inteiro, mas todos se baseiam nos mesmos princípios fundamentais que o tornaram um sucesso fenomenal.

Este livro está voltado para aqueles que desejam adquirir conhecimentos profundos a respeito do método Pilates, possivelmente com a intenção de um dia vir a ensiná-lo. Ele começa com um breve exame dos principais princípios do método Pilates. Em seguida, oferece informações sobre anatomia, o que é crucial para que possamos entender como o sistema funciona. Mas o foco principal deste livro está nos exercícios, porque existe uma grande diferença entre ser capaz de identificar um músculo num diagrama no papel e efetivamente mostrar a alguém como exercitar corretamente esse músculo.

O meu estilo de Pilates é uma versão moderna, oferecendo uma introdução gradual que pode ser adaptada para se adequar a cada tipo de corpo. Os exercícios Pré-Pilates se baseiam nos princípios originais do Pilates, mas estão adaptados para lidar com problemas contemporâneos e levam em conta o conhecimento atual a respeito de como o corpo funciona. Incluí também os 34 exercícios originais de Joseph Pilates, junto com algumas modificações que uso nos meus estúdios para torná-los mais seguros e mais adequados ao nosso físico moderno.

Quer você queira ensinar Pilates ou apenas experimentar os benefícios em si mesmo, é fundamental que você seja capaz de executar os exercícios com precisão, entendendo os grupos musculares que estiver usando e como ativá-los. Mesmo que você já esteja familiarizado com parte dessas informações, recomendo que estude o texto sobre anatomia, para que ao executar os exercícios você possa pensar com exatidão a respeito de como e por que cada exercício está atuando fisiologicamente. Com isso, você também será mais capaz de explicar para uma pessoa com uma aptidão física comum, ou para alguém com problemas físicos, como o exercício poderá afetá-la.

O livro inclui dicas que o ajudarão a visualizar os movimentos corretos, bem como informações a respeito de contraindicações e sobre modificações que você poderá fazer nos casos de fraqueza ou lesões musculares. Além disso, as fotografias passo a passo mostram claramente as posições corretas. Examinaremos também no livro maneiras de planejar lições para pessoas com diferentes estados de saúde, e farei recomendações sobre como instalar e administrar uma prática de Pilates bem-sucedida.

Finalmente, devo dizer que você não pode aprender tudo a respeito do método Pilates num livro; não existe substituto para o trabalho no estúdio, onde um professor pode corrigir os seus movimentos e posições, e onde você pode aprender a motivar e inspirar outras pessoas. Não obstante, espero que você considere este livro um ponto de partida proveitoso, e que você continue a consultá-lo novamente ao longo do caminho.

Alan Herdman.

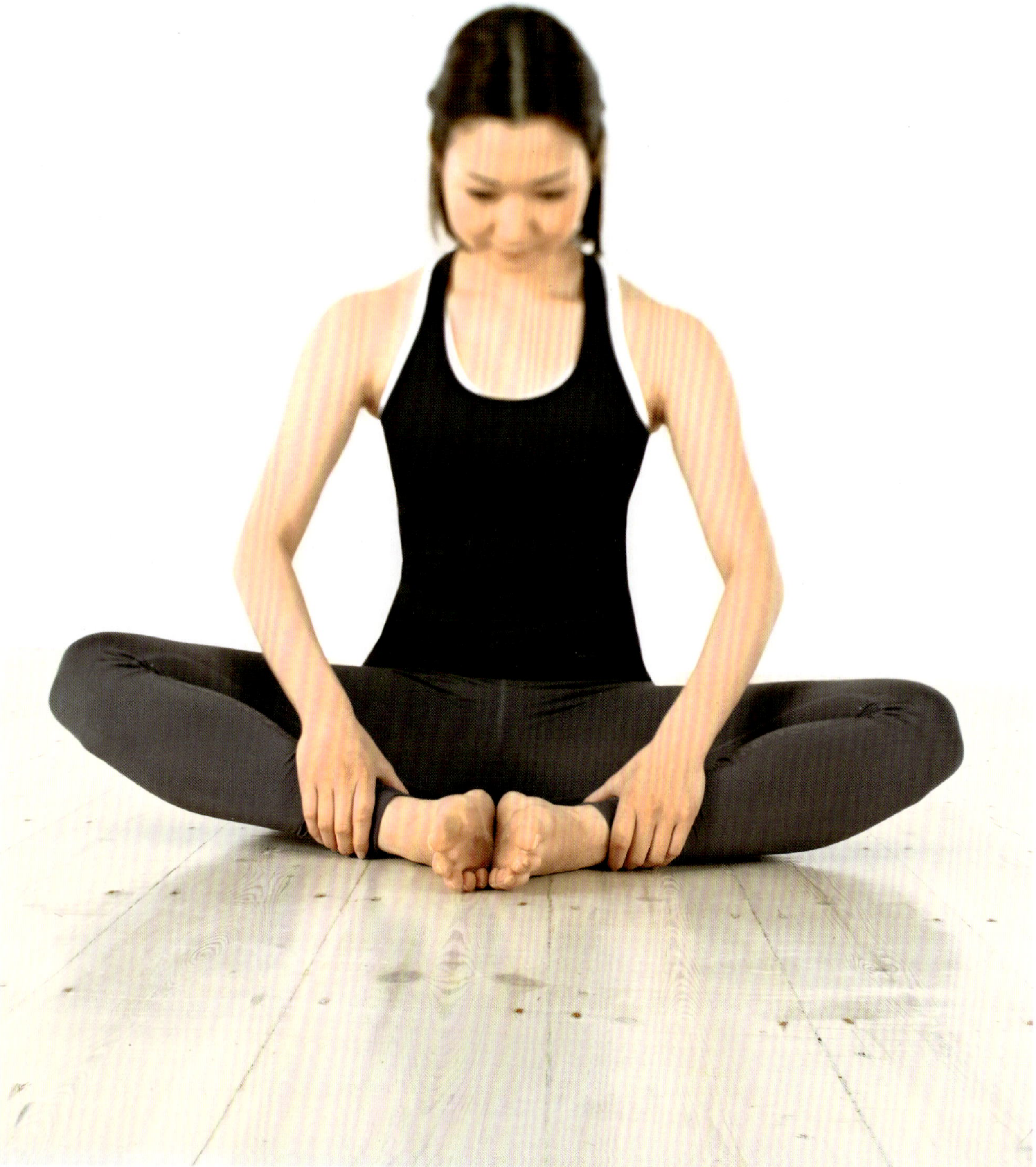

Os conceitos básicos do Pilates

O sistema de exercícios que Joseph Pilates desenvolveu no século XX se baseou num completo entendimento do funcionamento do corpo humano. Por meio desse conhecimento, ele conseguiu desenvolver uma forma precisa e intuitiva de movimento que possibilita que os músculos trabalhem isoladamente e em perfeita cooperação física sem qualquer estresse ou tensão. Neste capítulo, vamos examinar a vida do homem extraordinário que inventou o método Pilates, os princípios nos quais ele baseou o seu sistema, e o conhecimento anatômico que você precisa dominar a fundo para executar corretamente os exercícios e ensinar os outros a praticá-los.

A história de Pilates	8
Os princípios fundamentais	12
Usando imagens visuais	14
A abordagem da vida integral	16
Quem deve fazer Pilates?	18
Terminologia usada na descrição dos movimentos	20
Os principais tipos de movimento	22
Ossos e articulações	26
Músculos	32
Respiração	42
Postura	46

A história de Pilates

A história de Joseph Pilates é inspiradora. Tendo sofrido graves doenças na infância, ele mais tarde se reinventou como um guru da aptidão física, cruzou o Atlântico para evitar trabalhar para um regime político no qual ele não confiava, e fundou um estúdio em Nova York no qual passou a ensinar o sistema que ele chamou de Contrologia, mas que nós chamamos de Pilates.

Joseph Hubertus Pilates nasceu em Dusseldorf em 1883, um importante porto no Reno que estava rapidamente se tornando o centro industrial do noroeste da Alemanha. Na infância, ele foi acometido por uma série de enfermidades debilitantes que distorceram o seu corpo jovem e retardaram o seu crescimento: consta que ele teve raquitismo, febre reumática e asma, e que tinham medo de que ele pudesse ser vulnerável à tuberculose, doença que apresentava um elevado índice de mortalidade naqueles dias anteriores à descoberta dos antibióticos.

Os *spas* de saúde estavam se tornando cada vez mais populares na Alemanha no final do século XIX, e as pessoas, de um modo geral, acreditavam que o ar puro e muitos exercícios poderiam prevenir e curar as doenças. Já quando Pilates era um jovem colegial, um sistema conhecido como Gymnastik estava sendo promovido como um método de aprendizado para controlar o corpo e melhorar a força, a resistência e a coordenação. O sistema estava sendo ensinado em algumas escolas alemãs.

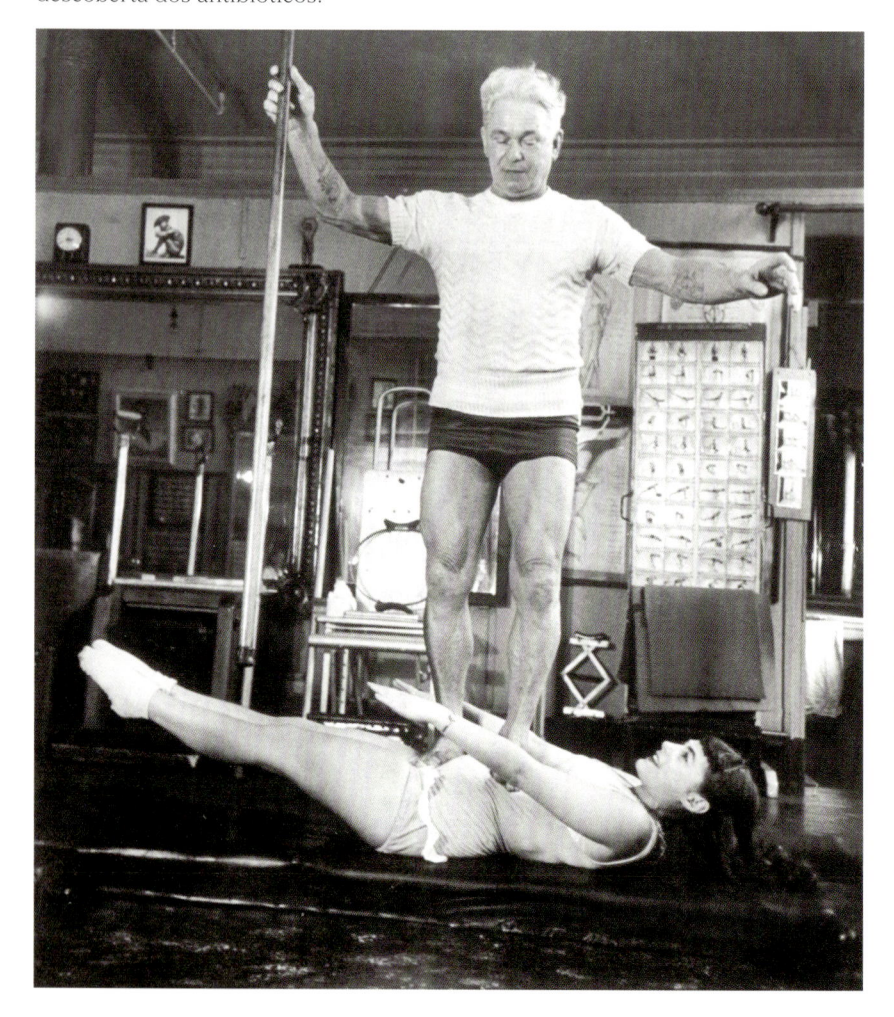

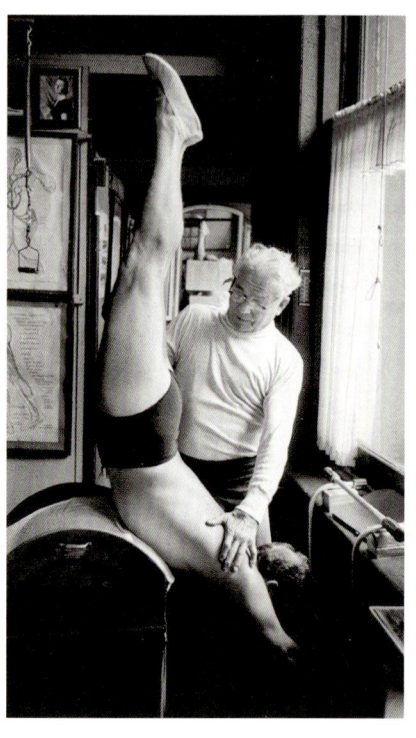

Aprimorando o método Joseph Pilates (na foto com o cabelo branco) trabalhava com dançarinos, atrizes e cantores enquanto aperfeiçoava a sua técnica. Músculos vigorosos eram essenciais!

A ginástica no século XIX

O jovem Joseph Pilates estava provavelmente familiarizado com pelo menos dois sistemas populares de exercícios. No início do século XIX, Friedrich Jahn, um compatriota alemão, desenvolvera um programa de ginástica ao ar livre baseado em antigas práticas gregas. Mais tarde, ele projetou um equipamento de exercícios, com o objetivo de desenvolver a força, a capacidade física e o bem-estar geral. Ele é frequentemente chamado de "o pai da ginástica". Mais ou menos na mesma época, Per Henrik Ling, um sueco, estava criando um sistema que ele chamou de Gymnastik, que enfatizava o ritmo e a fluidez. Mais tarde, esse sistema se popularizou com o nome de calistenia.

Ginástica em grupo
Já no século XIX, força e aptidão física eram importantes para a saúde.

Pilates foi atraído pela ideia de "curar" a si mesmo por meio do exercício e trabalhou arduamente para desenvolver o seu físico, corrigindo a curvatura que tinha nas pernas e na coluna vertebral causada pelas doenças. Ele conseguiu definir tão bem os músculos que, aos 14 anos de idade, foi convidado para posar como modelo para um diagrama de anatomia.

Além de ginástica, Pilates também gostava de praticar mergulho e esqui. Ele começou a aprender boxe no final da adolescência e a treinar defesa pessoal. Na casa dos 20 anos, trabalhou na Alemanha como boxeador profissional e instrutor de defesa pessoal e, quando se mudou para a Inglaterra em 1912, acrescentou artista de circo à sua lista de habilidades. Ele conseguiu uma posição como treinador de defesa pessoal dos detetives da Scotland Yard, bem como de treinador de um boxeador conhecido como Max Schmelling. A sua vida era dedicada à aptidão física; a sua sorte havia sido lançada.

Primeira Guerra Mundial (1914-1918)

Em 1914, quando a Primeira Guerra Mundial começou, Pilates foi encarcerado como estrangeiro inimigo, primeiro em Lancaster e depois, mais para o fim da guerra, na Ilha de Man. Ele desenvolveu as suas ideias a respeito da saúde e da aptidão física enquanto estava nesses campos e incentivou outros prisioneiros de guerra a seguir o seu regime. Na Ilha de Man, trabalhou num hospital para soldados feridos e, lá, inventou um sistema de exercícios que usava molas de cama presas nas extremidades das camas, o que possibilitava que os pacientes recuperassem o tônus muscular sem comprometer as áreas lesadas.

No período de 1918 a 1919, uma pandemia de gripe varreu a Europa, matando quase 20 milhões de pessoas – mais do que o dobro do número que havia morrido na Primeira Guerra Mundial. Curiosamente, nenhum dos pacientes com quem Pilates estivera trabalhando foram acometidos pela infecção, embora estivessem feridos e talvez fossem mais vulneráveis à epidemia. Muitos atribuíram a sua sobrevivência ao regime de aptidão física que estavam seguindo.

Os anos do pós-guerra

Depois da guerra, Pilates voltou para a Alemanha, onde conheceu Rudolph von Laban, que era famoso por ter criado a forma mais amplamente conhecida de notação de dança, chamada Labanotação. Esse foi o primeiro contato mais íntimo de Pilates com o mundo da dança e ele percebeu que isso poderia conduzir a muitas colaborações produtivas – os dançarinos precisavam que o seu corpo operasse com precisão quando submetido a um grande estresse, e eles corriam um risco permanente de sofrer lesões, algo que Pilates os ensinaria a evitar ou curar.

O ambiente era adequado para os métodos de Pilates. Em 1925, foi lançado um filme a respeito da Gymnastik de Per Henrik Ling (ver quadro da p. 9) e dezenas de academias foram fundadas em toda a Alemanha. A reputação de Pilates se espalhou e ele conseguiu um contrato para treinar a força policial. Em 1926, ele foi convidado pelo Kaiser para ser treinador das tropas de elite do exército alemão – mas era uma função que Pilates, por ser um pacifista instintivo, não apreciava. Muitos alemães estavam fugindo do país nessa ocasião, por se sentirem incomodados com a atmosfera militarista. O boxeador Max Schmelling, antigo cliente de Pilates, estava de mudança para Nova York, e o seu treinador disse a Pilates que abriria um estúdio para ele nessa cidade se ele fosse com eles para os Estados Unidos e continuasse a treinar Max. Pilates concordou e, aos 42 anos, preparou-se para começar uma nova vida num novo continente.

A mudança para os Estados Unidos

Em abril de 1926, durante a viagem através do Atlântico, Pilates passou por outra importante mudança na vida. Conheceu uma jovem chamada Clara, que é alternadamente descrita como enfermeira ou professora de jardim de infância. O romance floresceu, eles se casaram e ela se tornou o seu braço direito nos Estados Unidos, trabalhando com ele no estúdio e ajudando-o com a publicidade e a comunicação.

O treinador de Schmelling instalou Pilates num estúdio no número 939 da Oitava Avenida, e Pilates iniciou a difícil tarefa de atrair um número suficiente de clientes para conseguir ganhar a vida durante a Grande Depressão. Negócios estavam indo à falência à sua volta e bancos estavam entrando em colapso, mas, de alguma maneira, Pilates conseguiu resistir aos tempos difíceis e a sua reputação começou a crescer. Ele ficou amigo dos dançarinos Ted Sahun e Ruth St Denis, que tinham uma companhia de dança, e ele ajudou a desenvolver um centro de dança em Jacob's Place, o que consolidou firmemente a sua ligação com o mundo da dança. À medida que as notícias sobre o seu trabalho se espalharam pelo mundo da dança, Pilates atraiu novos entusiastas, entre eles Ron Fletcher, Hanya Holm, Merce Cunningham e Martha Graham.

Em 1934, Pilates publicou um pequeno livro a respeito dos seus métodos, intitulado *Your Health* [Sua Saúde]. O livro não explica nenhum exercícios, mas delineia a teoria de Pilates de viver com "um corpo e uma mente equilibrados". Nele, Pilates também aproveita a oportunidade para se quei-

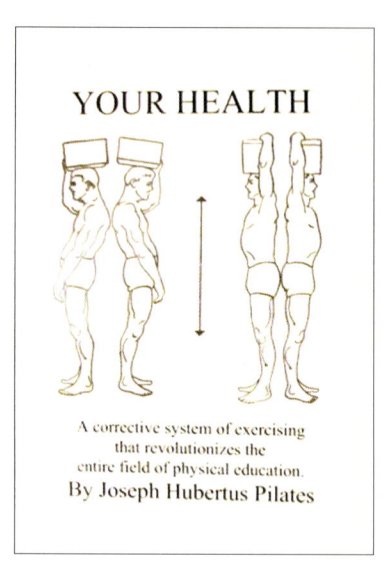

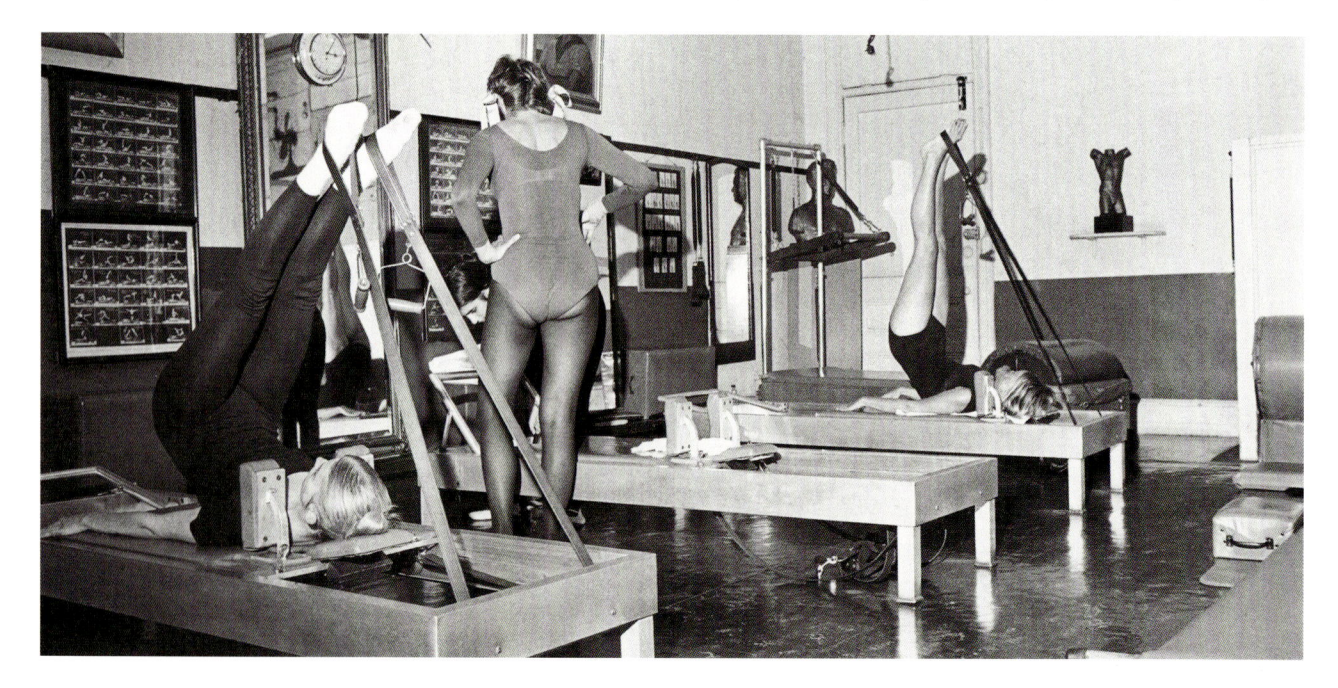

Esquerda: *Your Health* [Sua Saúde]
O primeiro livro que Joseph Pilates escreveu, publicado em 1934, explica a filosofia de um corpo e uma mente equilibrados.

Embaixo: primeiros *reformers*
Pilates criou esses aparelhos para exercitar os músculos contra a resistência dos pesos.

xar daqueles que estavam usando seus métodos e ideias sem o devido reconhecimento, queixa que ele iria repetir pelo resto da vida. A imitação estava se tornando cada vez mais comum à medida que se espalhava a notícia a respeito do método de movimento que ele chamava de Contrologia, dos aparelhos acionados por mola que ele desenvolveu, como o Cadillac e o Universal Reformer (ver quadro na p. 19), e do fato que clientes que o procuravam com fraquezas ou lesões pareciam estar se recuperando em tempo recorde.

A arte da Contrologia

Talvez por recear estar ajudando aqueles que estavam tentando roubar seus métodos, Pilates lançou apenas um livro a respeito do seu sistema de exercícios – *Return to Life Through Contrology*, publicado em 1945. Nele, Pilates oferece mais detalhes sobre os princípios que delineara em *Your Health* e também apresenta uma lista de 34 exercícios praticados no solo (ver pp. 150-219) que os leitores podem executar sozinhos em casa para adquirir controle do próprio corpo. "Na verdade, os nossos músculos deveriam obedecer à nossa vontade", diz ele. "O bom seria que a nossa vontade não fosse dominada pelas ações reflexas dos nossos músculos."

Há alguns filmes de Pilates executando a sequência de exercícios conhecidos, em inglês, como "The 34", que mostram como o sistema era árduo e extremo em comparação com o estilo de Pilates ensinado com mais frequência hoje em dia. Ele acreditava que a coluna deveria ser completamente plana e, quando deitada no chão, deveria ser comprimida contra ele. Na postura clássica de Pilates, os joelhos ficavam travados, as coxas viradas para fora e as nádegas fortemente contraídas.

Ele só ensinou o seu método para cerca de meia dúzia de instrutores – entre eles Ron Fletcher, Carola Trier, Romana Kryznowski e Eve Gentry – antes de sua morte em 1967. Alguns dos trainees e abriram os próprios estúdios, e eu aprendi o método com Fletcher e Trier antes de abrir o meu estúdio em Londres em 1970, o primeiro no Reino Unido. Clara, a mulher de Pilates, continuou a gerenciar o estúdio da Oitava Avenida e a proteger as ideias do marido até a sua morte em 1977.

Em 1980, Eisen e Friedman publicaram o primeiro livro abrangente a respeito do método, intitulado *The Pilates Method of Physical and Mental Conditioning*. A obra expõe os princípios e explica os exercícios básicos no solo, entre eles os 34 exercícios básicos, e apresenta um registro histórico do regime que Joseph Pilates defendia.

Quando Pilates não estava mais presente para defender as suas ideias, alguns de seus seguidores fundiram os métodos dele com os seus para criar novos híbridos. Ao longo dos últimos 40 anos, diferentes sistemas de exercícios entraram e saíram de moda, e nós desenvolvemos um conhecimento muito maior do corpo humano. Em particular, sabemos agora que não é aconselhável forçar a coluna para que fique completamente plana e também que as nossas articulações ficam mais seguras quando estão "flexíveis" em vez de "travadas". Além disso, os estilos de vida mudaram depois dos dias de Pilates, tornando-se mais sedentários. No Ocidente, mais pessoas trabalham no computador sentadas, dirigem automóveis mais do que caminham, e passam horas sentadas diariamente assistindo à televisão. Todas essas mudanças significam que os problemas nas costas são hoje a principal causa das faltas ao trabalho por motivo de doença, já que os músculos se juntam, endurecem e se aglomeram, e encurtam devido à má postura e à falta de uso.

Se Joe Pilates estivesse vivo hoje, provavelmente ele teria continuado a adaptar e modificar os seus exercícios de maneira a assimilar o conhecimento moderno e lidar com os problemas contemporâneos, ao mesmo tempo que insistiria para que qualquer pessoa que estivesse lecionando em seu nome tivesse um treinamento completo dos seus métodos atualizados.

Alinhamento correto Instrutores de Pilates corrigem as posições dos clientes para que os movimentos atinjam os músculos apropriados.

Estilos de Pilates nos dias atuais

Há vários estilos de Pilates – alguns mais árduos, outros mais delicados – e existem muitas variações dos exercícios originais, bem como um sem-número de novos exercícios. Até a década de 1980, havia três estilos distintos: o da Costa Oeste Americana, o da Costa Leste Americana e o Britânico. Na década de 1990, esses nomes mudaram para "hard", "soft" e "de reabilitação". Os estilos atuais podem ser simplificados para a "abordagem do repertório", que segue os exercícios originais de Pilates, e o "Pilates moderno", que trabalha de uma maneira mais individualizada.

Os princípios fundamentais

Pilates não é apenas um conjunto de exercícios: é uma conscientização da maneira como usamos o nosso corpo. Fornecerei mais detalhes e demonstrarei os princípios básicos ao longo do livro, mas você encontrará aqui um rápido resumo dos mais comuns.

Quando você aprende Pilates pela primeira vez, pode parecer opressivo que lhe peçam para que verifique a sua postura e alinhamento, que trabalhe certos grupos musculares fundamentais, se concentre na forma correta de respirar, execute os movimentos e conte o número de repetições, tudo ao mesmo tempo! No entanto, esse nível de foco variado é um perfeito antídoto para os estresses da vida moderna, porque você não pode estar presente numa aula de Pilates enquanto redige mentalmente uma carta para o seu banco ou decide o que vai servir para a sua família na hora do jantar. Não há espaço para pensar em qualquer coisa que não seja no que o seu corpo está fazendo.

Os iniciantes tipicamente têm problemas para assimilar tudo ao mesmo tempo. Se eles estiverem tendo dificuldade, poderão tentar fazer alguns dos exercícios mais simples sem incorporar inicialmente o padrão respiratório, mas não deixe de introduzi-lo depois de algumas sessões. Como professor, você sempre pode contar as repetições para os seus alunos se estiver com a impressão de que eles estão tendo que lidar com coisas demais. Quando um aluno entende o ritmo dos exercícios, todas essas ações se tornam quase instintivas.

Os professores de Pilates diferem na maneira como ensinam os princípios fundamentais de Pilates e nos termos que usam, mas as mensagens são semelhantes: Pilates se ocupa tanto da mente quanto do corpo, e precisamos de ambos para concluir corretamente os exercícios. Seguem-se os preceitos básicos da prática.

Concentração
É fundamental que, quando estiver fazendo um exercício de Pilates, você se concentre completamente nele. É a sua mente que determina que os seus músculos se mexam corretamente. Se você prestar atenção aos músculos que está usando, criará uma "memória muscular" que fará com que seja mais fácil repetir a ação na próxima vez.

Controle
Não existem movimentos desleixados ou casuais no Pilates, pois eles poderiam causar lesões. Você nunca deve fazer rapidamente uma sequência com pressa de chegar ao final. Execute cada exercício de uma maneira lenta, deliberada e cuidadosa, com a sua mente controlando os grandes e pequenos movimentos.

O centro
Os músculos entre a base da caixa torácica e os ossos dos quadris são o centro de força ou *powerhouse* do corpo e devem ajudá-lo a manter a postura correta e controlar os seus movimentos. Um centro forte protege a coluna contra lesões e mantém a pelve no alinhamento correto. Os professores

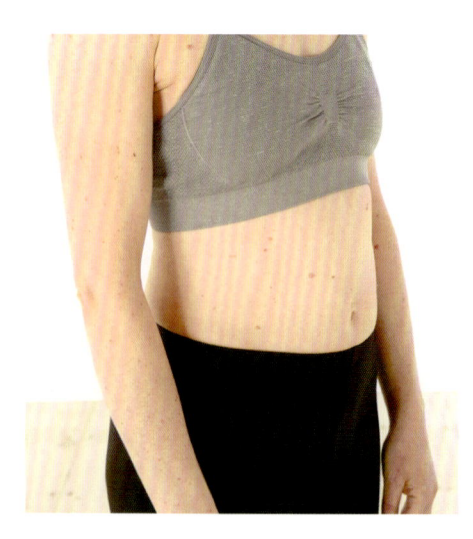

Um centro forte Uma das primeiras coisas que ensinamos é como ativar os músculos abdominais para estabilizar o corpo e proteger a coluna.

OS PRINCÍPIOS FUNDAMENTAIS **13**

Esquerda: Imagem no espelho Exercitar-se na frente de um espelho pode ajudá-lo a alcançar a elegância de um dançarino enquanto você pratica os exercícios de Pilates.

Embaixo: Respiração No início, você precisa se concentrar em coordenar a respiração com o movimento, mas em pouco tempo isso passará a ocorrer naturalmente.

descrevem alternadamente essa área do corpo como o núcleo, o centro de força, *powerhouse* ou o centro, mas todos esses termos significam a mesma coisa.

Movimentos fluentes
Não execute exercícios de Pilates rápido ou devagar demais. Os movimentos nunca devem ser espasmódicos ou isolados. Sequências completas devem transcorrer graciosamente, com cada postura fluindo em direção à seguinte, mais ou menos como uma valsa.

Precisão
Num exercício de Pilates, cada instrução é importante, e deixar de fora qualquer detalhe tornará o exercício muito menos eficaz. Você deve sempre verificar cuidadosamente a sua posição antes de começar, porque se estiver fora do alinhamento do exercício, mesmo que apenas um pouquinho, o exercício não será tão bem-sucedido. Um movimento perfeitamente executado é muito mais proveitoso do que uma dúzia de movimentos desleixados. Lembre-se do mantra "qualidade, não quantidade".

Respiração
Ao usar inalações e exalações completas, você expele o ar viciado dos pulmões e energiza o seu sistema com ar puro. A respiração correta o ajuda a executar os exercícios com precisão e pleno controle, fazendo com que você extraia deles, portanto, o máximo benefício. Você encontrará mais informações sobre a respiração nas pp. 42-5.

Imaginação
Ser capaz de visualizar na sua mente o movimento que você deseja fazer o ajudará a executá-lo. Quando consegue imaginar o movimento, o corpo o seguirá. Usar imagens criativas e metáforas quando estiver ensinando poderá ajudá-lo a explicar a ideia central de um exercício. Você encontrará mais informações sobre a utilização de imagens visuais nas pp. 14-5.

Intuição
Pilates o ensina a ouvir o seu corpo e sentir o que é bom para ele e o que poderia ser prejudicial. Em alguns dias você estará mais apto e, em outros, menos. Você pode ajustar a sua rotina para conviver com isso. Talvez precise passar mais tempo alongando uma área e relaxando os músculos em outra. Quanto mais você treinar a sua intuição, mais eficiente ficará.

Coordenação
Quando estiver mexendo uma parte do corpo, você deverá sempre permanecer consciente do todo. Certifique-se de que a sua postura está correta em todos os momentos e que você está desenvolvendo uniformemente os seus músculos. Você encontrará mais informações sobre a postura nas pp. 46-53.

Usando imagens visuais

Alguns instrutores de Pilates usam uma linguagem floreada e lírica, enquanto outros são mais diretos, mas todos têm o mesmo objetivo – comunicar qual deve ser a sensação de um movimento quando executado corretamente e criar uma imagem que ajudará os clientes a se lembrar dessa sensação na próxima vez.

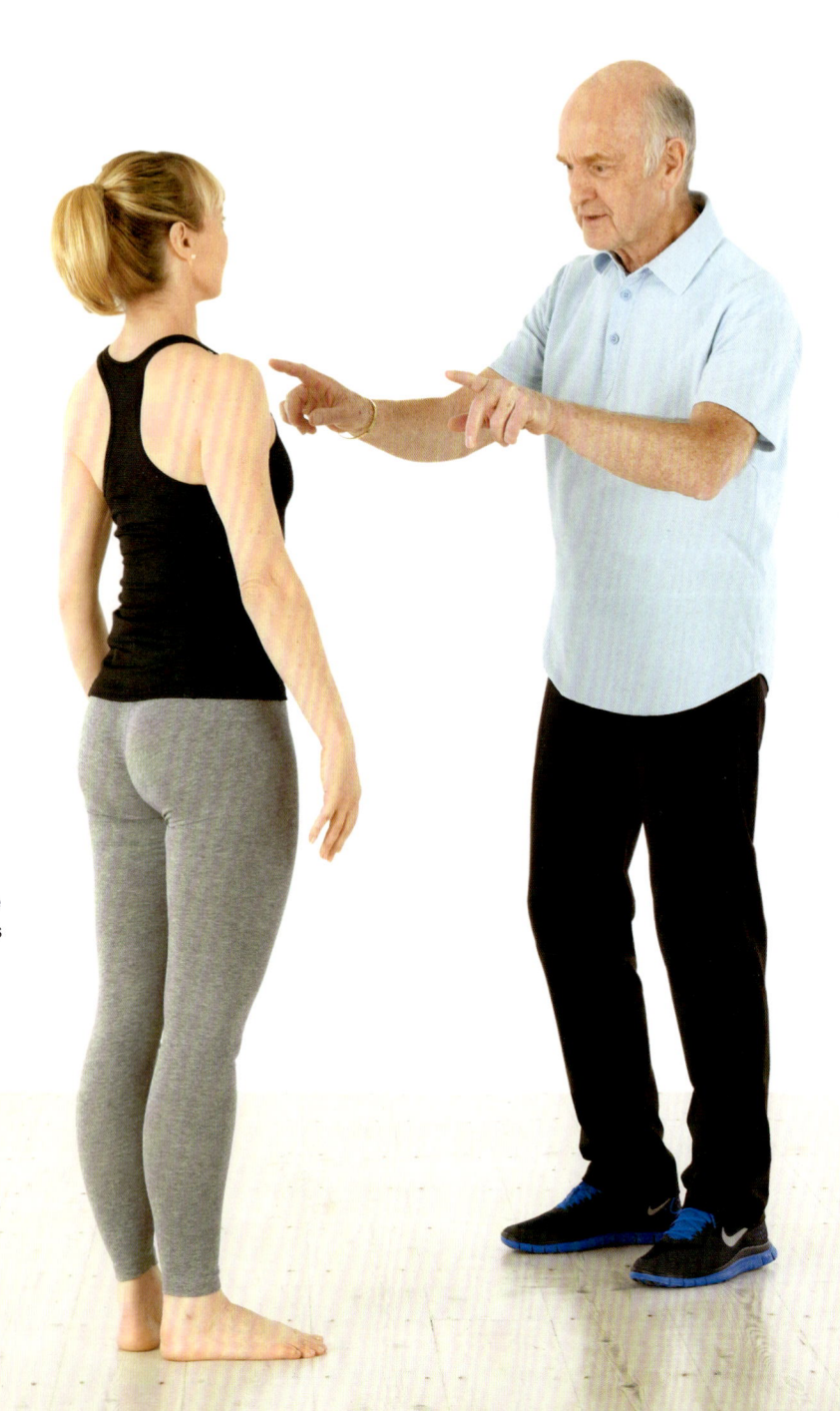

Perfeita simetria
Ser um instrutor de Pilates envolve observar atentamente e explicar aos clientes o que eles precisam fazer de maneira que eles consigam entender.

Se você disser a alguém que está começando a fazer Pilates para ativar os músculos abdominais, poucas pessoas saberão a que você está se referindo. Alguns instrutores dizem "escave o umbigo na direção da coluna" ou concentram-se em levar os clientes a ativar também o assoalho pélvico, criando uma curva "em forma de sorriso" entre os ossos dos quadris e o púbis. A minha abordagem pessoal é muito precisa, e eu uso uma linguagem que qualquer pessoa consegue entender:

> Enquanto você solta o ar pela boca, imagine que os ossos das nádegas, os ossos dos quadris e a "costela flutuante" estão sendo arrastados para a linha central, como se uma grande mão estivesse envolvendo a cintura. Finalmente, leve o umbigo para baixo sem mover a pelve ou a coluna lombar.

Todo mundo tem o seu próprio método de ensino, e não vejo nenhum problema nas imagens vívidas, desde que elas ajudem o cliente. Joseph Pilates escolheu nomes visuais para alguns dos seus 34 exercícios. Os títulos Bumerangue, Tesoura, Canivete e Mergulho do Cisne lembram a forma que o corpo cria quando os executamos.

Nos meus estúdios, todos os membros da equipe têm abordagens individuais. Você poderá ouvir alguém dizer a uma cliente enquanto ela faz Flexões Torácicas Oblíquas (ver p. 82) que imagine que há alguém ao lado dela e que ela está levantando e virando o peito para que o observador possa ler o slogan impresso na sua camiseta. Ou durante o Exercício para os Adutores na Posição Sentada (ver p. 138), alguém poderá dizer a um cliente que imagine que ele está na praia movendo a perna para alisar a areia. Ouvi por acaso um professor pedindo a uma cliente que imaginasse que as suas nádegas estivessem "se beijando" enquanto ela executava o exercício Compressão dos Glúteos (ver p. 72)!

Obviamente, a recomendação deve ser específica para o sexo da pessoa (assim, por exemplo, você não diria a um homem para colocar uma toalha enrolada na altura da alça do sutiã. No entanto, se for para ajudar o cliente a formar uma memória precisa do músculo, considero praticamente qualquer conselho aceitável.

Pensando nos músculos

Às vezes, durante um exercício, sugiro que você pense a respeito de um movimento sem efetivamente executá-lo. Por exemplo, eu poderia dizer "Pense no cóccix se alongando para longe de você" ou "Pense em puxar o lado direito da caixa torácica em direção ao centro". Simplesmente ao imaginar, você ativará os músculos corretos e, ao mesmo tempo, formará uma imagem mental do que está acontecendo debaixo da pele.

Outro método que você pode usar para definir memórias musculares é tocar o músculo em questão. Coloque a ponta dos dedos no abdome enquanto ativa os músculos abdominais para sentir os músculos trabalhando. Coloque-os na parte interna da coxa quando estiver fazendo os Exercícios para os Adutores na Posição Sentada (ver p. 138). Quando você ler a parte sobre músculos (ver pp. 32-41), procure identificar cada um deles no seu corpo e pense a respeito de como você o ativaria. Forme uma imagem mental do local em que cada músculo está fixado, da direção das fibras musculares e dos movimentos que ele cria, e isso o ajudará a evitar lesões ou corrigir maus hábitos de postura.

Se você estiver fazendo um treinamento para ser um instrutor de Pilates, o seu estilo de ensinar será influenciado por quem o está treinando, pela sua própria personalidade e pelo seu jeito natural de se expressar. Se você decidir falar sobre borboletas, abrir livros, veleiros e marionetes, a decisão é sua – desde que o cliente entenda o que você está querendo dizer.

Pensando a respeito do movimento
Nesta flexão torácica (ver p. 81), você precisa manter um espaço entre o queixo e o peito, como se estivesse segurando uma bola entre os dois, e fazendo o levantamento a partir do esterno, não da cabeça.

A abordagem da vida integral

Pilates não envolve apenas uma ida ao estúdio uma ou duas vezes por semana e fazer alguns exercícios para fortalecer os músculos. Envolve tomar consciência do seu corpo físico na vida diária e entender o que você precisa para mantê-lo numa condição ideal.

O livro *Your Health*, de Joseph Pilates, de 1934, contém recomendações sobre respiração, asseio e alimentação, bem como a necessidade da prática regular de exercício. Ele explica como respirar plenamente, expulsando todo o ar viciado dos pulmões antes de enchê-los novamente. Ele aconselha os leitores a vincular a ingestão de alimentos ao seu nível de atividade cotidiana, de modo que as pessoas que trabalham em escritórios devem comer muito menos do que os trabalhadores braçais. Ele apresenta a sua opinião de que devemos nos banhar frequentemente e esfregar a pele com uma escova dura para limpar os poros, deixando a pele respirar. Ele achava que não deveríamos usar um excesso de roupas durante o dia ou de cobertores à noite, acreditando que deveríamos optar pela mínima proteção necessária para o conforto, especialmente quando estivéssemos nos exercitando. Coerente com o seu próprio discurso, ele foi fotografado enquanto se exercitava ao ar livre vestindo calção de banho com o chão coberto de neve. Não precisamos seguir esses extremos para ter uma boa saúde no século XXI, mas muitos dos princípios que Pilates estabeleceu permanecem sensatos até hoje.

O foco no peso

O excesso de peso afeta de uma maneira adversa todos os sistemas do corpo – entre eles o circulatório, o hormonal e o respiratório – e também o funcionamento mecânico das articulações, como os quadris, os joelhos e os tornozelos. O método Pilates não é aeróbico, o que significa que ele não queima as células de gordura, mas pode ajudá-lo a tonificar os músculos enquanto você perde peso, fazendo com que você fique com uma aparência melhor e se sinta mais bem disposto mais rápido – o que o ajuda a permanecer motivado. Quando trabalho com clientes com excesso de peso, eu não sonharia em dar a eles conselhos alimentares, mas faço com que eles trabalhem muito os músculos abdominais para ajudá-los a evitar que um abdome protuberante cause um desvio na coluna. Também trabalhamos os quadris e as pernas para manter um alinhamento correto dos quadris, joelhos e tornozelos, e aliviar a pressão nas articulações.

Quer você esteja ou não acima do peso, todos precisamos fazer algum exercício aeróbico para trabalhar os músculos dos sistemas respiratório e circulatório. Sugiro que você

Otimizando a saúde Assim como num motor, o combustível que você usa para o corpo (o alimento) afeta o desempenho dele.

Aprendendo a respirar

Ensinamos padrões respiratórios específicos para ajudar o movimento durante os exercícios de Pilates e evitar que você prenda a respiração, o que pode causar tensão muscular e elevar a pressão sanguínea. No entanto, respirar adequadamente na vida diária, com inalações e exalações completas, é benéfico para a saúde de um modo geral e pode ajudar a aliviar o estresse. As pp. 42-5 contêm uma explicação sobre a fisiologia da respiração e alguns exercícios que irão ajudá-lo a aprender as técnicas respiratórias de Pilates.

A ABORDAGEM DA VIDA INTEGRAL **17**

Acima: Boa qualidade de sono Surgem novas pesquisas a respeito da importância do sono para a nossa saúde geral.

Esquerda: Em atividade Escolha exercícios que você aprecie, porque assim você permanecerá motivado.

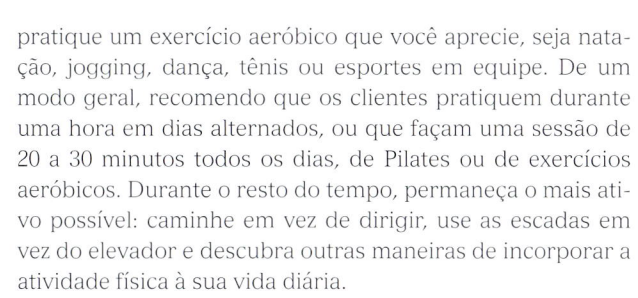

pratique um exercício aeróbico que você aprecie, seja natação, jogging, dança, tênis ou esportes em equipe. De um modo geral, recomendo que os clientes pratiquem durante uma hora em dias alternados, ou que façam uma sessão de 20 a 30 minutos todos os dias, de Pilates ou de exercícios aeróbicos. Durante o resto do tempo, permaneça o mais ativo possível: caminhe em vez de dirigir, use as escadas em vez do elevador e descubra outras maneiras de incorporar a atividade física à sua vida diária.

Repouso e relaxamento

Precisamos tomar medidas para incorporar uma quantidade suficiente de atividades físicas à nossa vida, mas também é importante reservar um tempo para o descanso. Muitos dos meus clientes vêm diretamente do escritório para o estúdio com uma aparência deprimida e preocupada, e consigo enxergar os benefícios físicos na cor da pele mais saudável e na maneira como eles se comportam depois de uma hora de prática focada de Pilates. Cada um de nós precisa encontrar o seu próprio jeito de se desligar quando para de trabalhar, para não levar para casa os problemas do trabalho, e é infinitamente preferível fazer Pilates, do ponto de vista da saúde, do que passar o início da noite num bar.

A sua saúde, de um modo geral, também é afetada pela qualidade do seu sono, de modo que você deve fazer o possível para torná-lo profundo e revigorante. Um colchão e travesseiros de boa qualidade e um quarto fresco e pouco iluminado sem distrações (como luzes piscantes de computador ou celulares que emitem sons estridentes) ajudarão bastante. A dor nas articulações pode afetar o sono de uma maneira adversa, mas, uma vez que você entenda como o Pilates proporciona um bom alinhamento das articulações, poderá adaptar os princípios para ajudá-lo a encontrar uma posição confortável para dormir. Em particular, colocar um travesseiro entre os joelhos quando estiver deitado de lado é uma boa maneira de manter a pelve alinhada e de evitar que ela force a região lombar – e esse também é um jeito confortável de dormir para a maioria das pessoas.

Finalmente, não costumo dar conselhos aos clientes a respeito de como eles devem se lavar; deixarei isso para Joseph Pilates. E se você quiser se exercitar na neve, não serei eu a impedi-lo!

Para alcançar as maiores realizações no âmbito da nossa capacidade em todos os estilos de vida, precisamos nos esforçar constantemente para adquirir um corpo forte e saudável, e desenvolver a nossa mente até o limite das nossas habilidades.

JOSEPH PILATES

Quem deve fazer Pilates?

Em meados do século XX, Pilates era extremamente popular entre os dançarinos, atores e cantores, que reconheciam os benefícios físicos que o método podia proporcionar às suas apresentações. Foi somente nos últimos 25 anos que Pilates tornou-se o sistema de exercícios preferido das pessoas que estão se recuperando de lesões ou doenças, das mulheres grávidas – e basicamente de qualquer pessoa que deseje ficar na melhor forma possível.

Milhões de pessoas no mundo inteiro praticam Pilates hoje em dia, e o número de países aonde ele chegou aumenta a cada ano. Joseph Pilates ficaria encantado – mesmo que nem sempre aprovasse a maneira como o seu sistema está sendo ensinado! As grandes redes de academias frequentemente oferecem aulas de Pilates como um item suplementar popular dos seus outros serviços, enquanto alguns estúdios exclusivos de Pilates têm aulas de trabalho no solo e outros têm muitas fileiras de *reformers*, aparelhos que são comumente usados em Pilates, cujo *design* se baseia nos aparelhos acionados por mola que Pilates usou para tratar dos soldados feridos na Primeira Guerra Mundial (ver p. 9).

Tenho no meu estúdio um vasto leque de clientes com idade a partir de 12 anos. Geralmente não tenho alunos com menos de 12 anos, porque acho que eles não têm a concentração necessária, mas abro exceções quando uma criança tem um problema de postura particular que precisa ser tratado, ou se ela é uma dançarina e precisa fortalecer os músculos para concluir o seu curso. Na extremidade superior da escala, não tenho nenhum limite, e dou aulas para pessoas que estão na casa dos 80 e 90 anos.

Muitos novos clientes que me procuram são encaminhados por profissionais da área de saúde. Sempre insisto com aqueles que estão se recuperando de uma cirurgia, lesão traumática ou doença crônica para que consultem o seu especialista antes de vir ao estúdio, e é recomendável que solicitem uma carta de recomendação e talvez alguns raios X para que eu possa observar as áreas com problemas. Tratei de pessoas que estavam se recuperando de AVC, ataque cardíaco, artroplastia de substituição, cirurgia da coluna vertebral, acidente de carro, anorexia – na verdade, já tratei de praticamente tudo. Existem benefícios para todos. Quanto mais cedo você começar a acompanhar a doença ou a lesão, mais força e flexibilidade você estará propenso a recuperar.

Vista uma roupa larga e confortável, e meias – nada de sapatos. Você precisa sentir as sensações nos pés sem que

Benefícios para todos
Pilates o ajuda a conservar a flexibilidade e a força ao longo da vida, e é seguro (com algumas modificações) praticar o método durante a gravidez (ver p. 248).

QUEM DEVE FAZER PILATES? **19**

Equipamento para o trabalho no solo

Muito poucos acessórios são necessários para os exercícios no solo deste livro. Você precisará de um colchonete ou de um piso bem acolchoado, e também de:

- almofada ou travesseiro
- uma cadeira sem braço, ou um banco, cuja altura permita que você se sente com os joelhos e quadris flexionados em ângulo reto
- toalhas
- uma pequena bola inflável
- uma vara com, mais ou menos, 1 m de comprimento (opcional)
- dois halteres de mão com não mais de 2 kg cada
- caneleiras com não mais de 2 kg cada
- uma bola de ginástica
- travesseiros, almofadas e blocos de diferentes tamanhos

eles estejam reprimidos. Sempre peço aos clientes que comecem com o trabalho no solo e não os levo para trabalhar nos reformers ou em outro tipo de equipamento enquanto não estou seguro de que eles já têm um centro suficientemente forte e um bom entendimento dos princípios e métodos de Pilates que lhes permitam trabalhar em segurança. Na p. 222, dou conselhos sobre o equipamento a ser comprado para aqueles que estão abrindo um estúdio de Pilates ou organizando aulas de trabalho no solo.

O que é ótimo a respeito de aprender a trabalhar no solo é que você pode se exercitar em qualquer lugar, a qualquer hora: no escritório, no tapete da sala de estar da sua casa, ou nos quartos de hotel onde quer que você esteja. As habilidades do trabalho no solo são as habilidades fundamentais que você precisa adquirir para compreender o Pilates, com a finalidade de ensiná-lo ou de apenas usar os exercícios para ajudar a si mesmo. Como você aprende a entender por que está fazendo um exercício, em vez de repeti-los negligentemente, você será capaz de diagnosticar seus próprios incômodos e dores, e se deitar imediatamente no chão para aliviá-los. O Pilates lhe fornece as ferramentas para que você possa cuidar de si mesmo.

Os *reformers* e outros equipamentos

No tradicional Universal Reformer de Pilates, você se deita de costas numa plataforma que está fixada na base do aparelho por uma série de molas de diferentes tensões. Uma barra de pé e algumas alças estão presas à armação do aparelho e possibilitam que você trabalhe áreas específicas do corpo de uma maneira segura e sustentada contra a resistência dos pesos. A Mesa Trapézio (Trapeze Table), ou Cadillac, é como uma cama de quatro colunas que tem como acessórios trapézios em molas de pesos ajustáveis. E o Barril Escada (Ladder Barrel), como o nome indica, é parecido com uma superfície arredondada em cima e uma escada paralela como suporte que você pode usar para fazer vários alongamentos numa posição com apoio. Usei o equipamento da marca Balanced Body durante anos, e você encontrará uma seleção abrangente de equipamentos no catálogo deles (ver p. 254).

Terminologia usada na descrição dos movimentos

A fim de descrever as posições relativas das partes do corpo e as direções em que elas se movem durante um exercício, é útil entender os termos médicos geralmente aceitos.

Para descrever um movimento, você precisa de uma posição inicial a partir da qual o movimento ocorra. A posição inicial é conhecida como posição anatômica – de pé, ereto, com os braços pendentes ao longo do corpo e a palma das mãos voltadas para a frente, os pés afastados na largura dos quadris. Quando os termos "direita" e "esquerda" são usados com referência à posição anatômica, eles dizem respeito à esquerda e à direita da pessoa que está sendo observada, e não do observador.

Os planos do corpo
Existem três planos de referência no corpo humano tridimensional:
- o **plano sagital** ou **medial** desce verticalmente pela linha central do corpo de cima para baixo, dividindo o corpo em esquerda e direita.
- o **plano frontal** ou **coronal** atravessa verticalmente o corpo dividindo-o em parte da frente e parte de trás.
- o **plano transverso** ou **horizontal** divide o corpo nas partes superior e inferior, e é perpendicular aos outros dois planos.

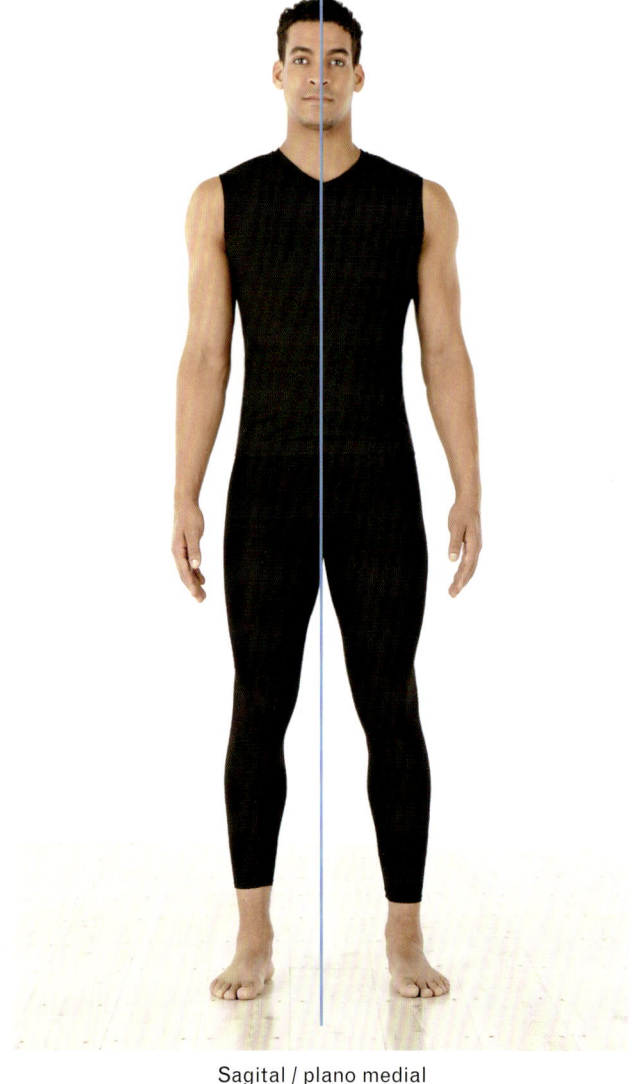

Sagital / plano medial

Direções relativas à posição anatômica

Oito termos são usados para designar as direções relativas à posição anatômica:
- **anterior** significa diante de, ou na frente do corpo
- **posterior** significa atrás de, ou na parte de trás do corpo
- **superior** significa em cima, ou em direção à parte superior do corpo
- **inferior** significa embaixo, ou em direção à parte inferior do corpo
- **medial** significa em direção à linha central do corpo ou o lado interno de um membro (como o lado de dentro do braço)
- **lateral** significa para longe da linha central do corpo ou o lado externo de um membro (o lado de fora do braço)
- **proximal** significa mais perto do centro do corpo, ou mais perto do ponto em que um membro está preso ao tronco
- **distal** significa mais para longe do centro do corpo, ou mais longe do ponto no qual um membro está preso ao tronco

Portanto, a partir do exposto, você entenderá que o umbigo é anterior à coluna, superior à genitália externa, inferior ao queixo e medial ao tronco.

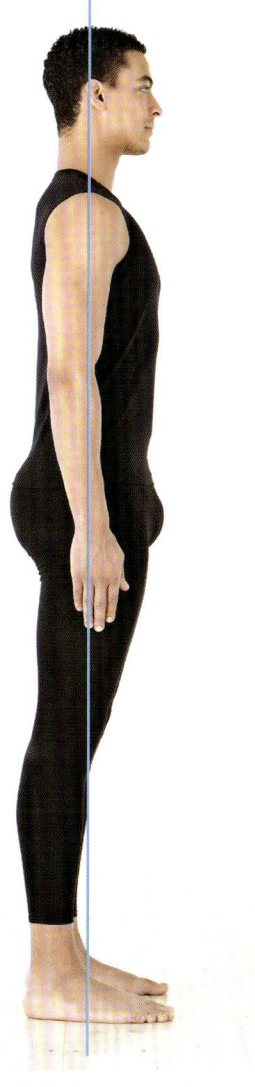

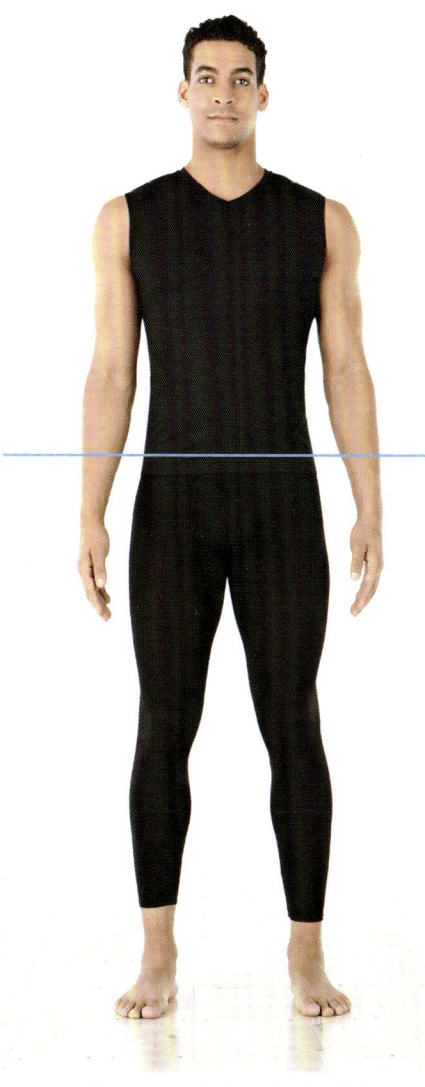

Frontal / plano coronal   Transverso / plano horizontal

Os principais tipos de movimento

Seis tipos principais de movimento estão relacionados com a posição anatômica, com algumas subcategorias dentro deles.

Flexão

Flexão lateral

Extensão

Flexão
Esse movimento ocorre quando a curvatura diminui o ângulo entre os ossos numa articulação. Flexionar o cotovelo ou o joelho significa dobrá-lo. A flexão da coluna ocorre quando você dobra o corpo para a frente, como na posição fetal ou quando você toca os dedos dos pés. A flexão geralmente envolve mover-se para a frente a partir da posição anatômica, exceto no caso do joelho, que se move para trás.

Flexão lateral
Esse movimento ocorre quando você inclina lateralmente a cabeça ou o tronco (em outras palavras, para o lado) no plano frontal ou coronal do corpo. Pode ser uma flexão lateral direita ou flexão lateral esquerda. Os pés são um caso à parte (ver p. 25).

Extensão
A extensão ocorre quando você retifica uma articulação a partir de uma posição flexionada de volta à posição anatômica. Estender o cotovelo ou o joelho significa retificá-lo. Estender a coluna significa deixar uma posição curvada para a frente em direção à posição anatômica ereta e curvar-se para trás. O termo *hiperextensão* é usado quando uma articulação está muito frouxa e é estendida além da sua amplitude normal.

OS PRINCIPAIS TIPOS DE MOVIMENTO **23**

Abdução

Adução

Circundução

Abdução
Abdução significa afastar um membro da linha central do corpo. Balançar a perna para fora e para o lado no plano frontal ou coronal requer a abdução no quadril. Levantar o braço na altura do ombro requer a abdução do ombro.

Adução
É o inverso da abdução, o que significa que um membro é movido em direção à linha central do corpo, de volta à posição anatômica. Balançar a perna de volta ao centro a partir de uma posição lateral para fora requer a adução no quadril. Você estaria aduzindo o braço se o trouxesse de volta da altura do ombro em direção à lateral do corpo no plano frontal ou coronal. No entanto, se você continuasse a levantá-lo além da altura do ombro em direção à cabeça, isso também contaria como uma adução, porque ele estaria voltando em direção à linha central.

Circundução
Esse movimento descreve o movimento circular da cabeça de um osso dentro da articulação. É uma combinação de diferentes ações musculares que significam que a extremidade distal do osso gira enquanto a extremidade proximal permanece estável.

24 OS CONCEITOS BÁSICOS DO PILATES

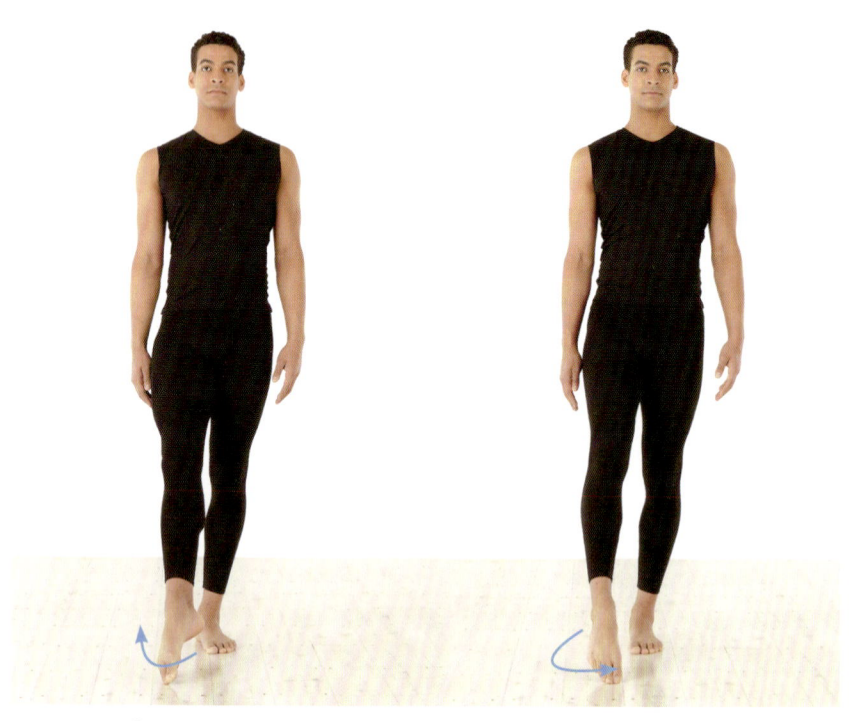

Rotação externa — Rotação interna

Rotação externa e interna

A rotação externa e interna significa girar ao redor do comprimento de um osso – ou da coluna. Na rotação externa (também conhecida como rotação lateral), a parte anterior de um membro se afasta da linha central do corpo, ao passo que na rotação interna (também conhecida como rotação medial) ela avança em direção à linha central. Se lhe pedirem num exercício que você vire as pernas para fora, isso significa uma rotação lateral externa no quadril. A coluna já está na linha central, de modo que a rotação ao redor da coluna é descrita como sendo para a esquerda ou para a direita, com a coluna permanecendo imóvel no centro.

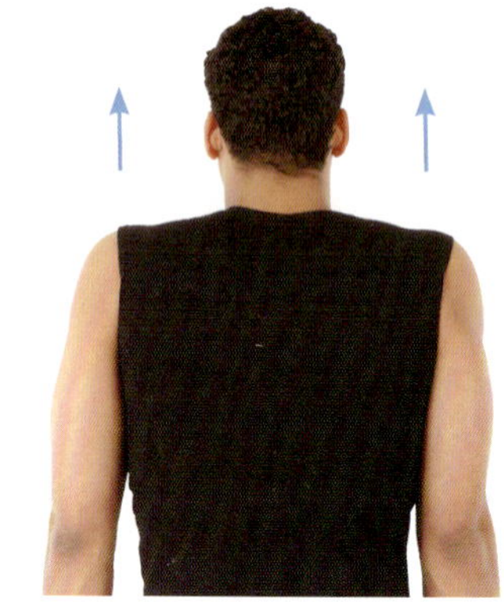

Elevação — Depressão

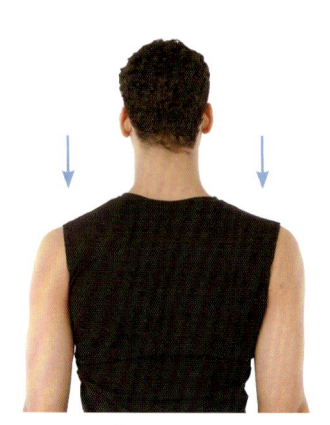

Retração — Protração

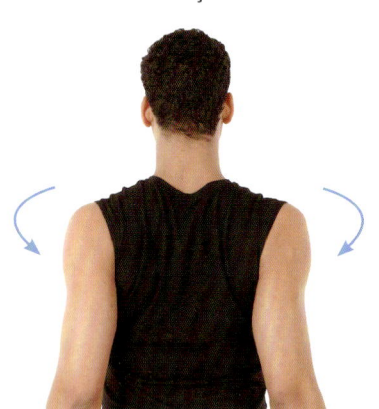

Movimentos dos ombros

A *elevação* é o movimento dos ombros no sentido ascendente no plano frontal, como quando encolhemos os ombros. A *depressão* traz os ombros de volta para a posição anatômica. A *retração* dos ombros envolve trazê-los para a parte posterior do plano transverso puxando-os para trás. A *protração* é um movimento para a parte anterior no plano transverso, como quando curvamos os ombros para a frente. A *abdução* envolve afastar as escápulas da linha central, enquanto a adução as aproxima desta última. Os movimentos mais comuns dos ombros são uma combinação deles. Por exemplo, levantar o braço acima da cabeça envolve a rotação, a abdução e a elevação. A *circundução* do ombro (girar a cabeça do úmero dentro da articulação do ombro) requer a flexão, a abdução, a extensão e a adução.

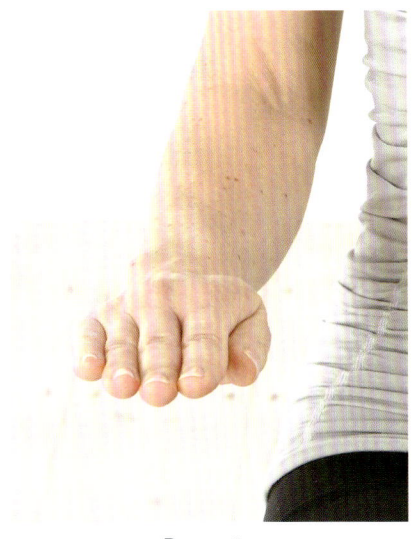

Movimentos das mãos

A *pronação* envolve virar as palmas das mãos para baixo para que fiquem voltadas para o chão, enquanto a *supinação* envolve virá-las para cima para que fiquem voltadas para o teto. Se você estiver de pé com os cotovelos dobrados formando um ângulo reto com as laterais do seu corpo, a pronação e a supinação seriam alcançadas pela rotação medial e lateral do antebraço, respectivamente.

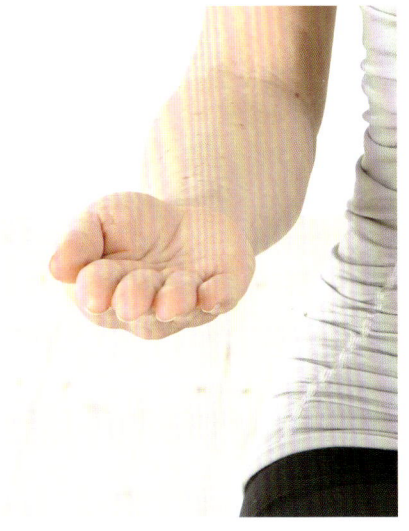

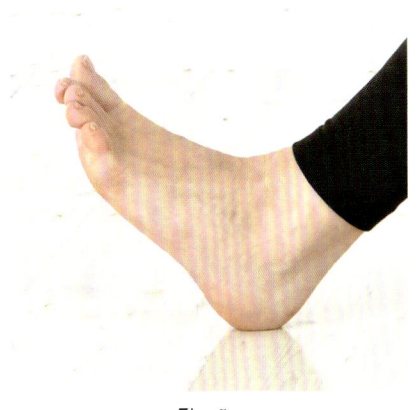

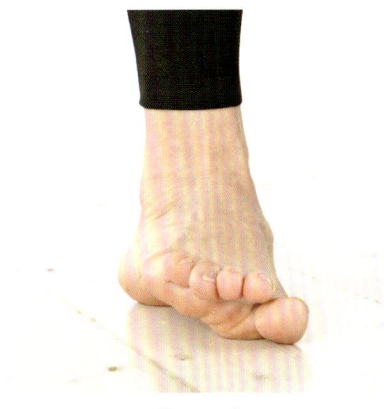

Pronação

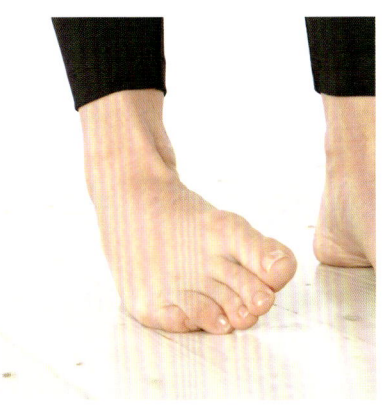

Supinação

Movimentos dos pés

Flexionar o pé significa levá-lo para trás a partir de uma posição em ponta para a posição anatômica, enquanto a *dorsiflexão* envolve levar a parte de cima do pé em direção à canela. *Flexão plantar* é o termo técnico para fazer ponta com o pé enquanto você afasta a superfície inferior (plantar) da canela e a aproxima do chão. *Inversão* significa virar a sola do pé para dentro, enquanto eversão significa virar a sola para fora. A *pronação* dos pés significa jogar o peso sobre a parte interna. É um problema que ocorre com pessoas que têm os joelhos voltados para dentro. A *supinação* dos pés é jogar o peso sobre a parte externa dos pés, o que é algo que acontece naturalmente quando caminhamos, mas pode ser problemática se for pronunciada e se tornar habitual.

Flexão

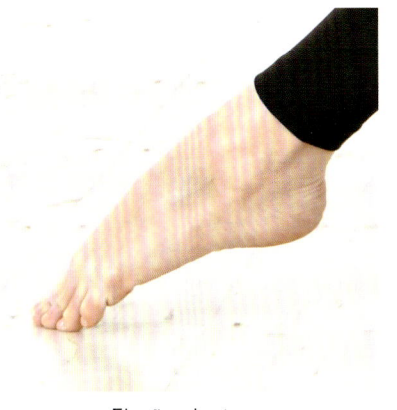

Flexão plantar

Pronação

Supinação

Ossos e articulações

Existem 206 ossos principais no corpo humano, conectados uns com os outros nas articulações com diferentes graus de mobilidade. É a posição deles com relação uns aos outros que nos confere a nossa forma e alinhamento, tanto quando estamos parados ou em movimento.

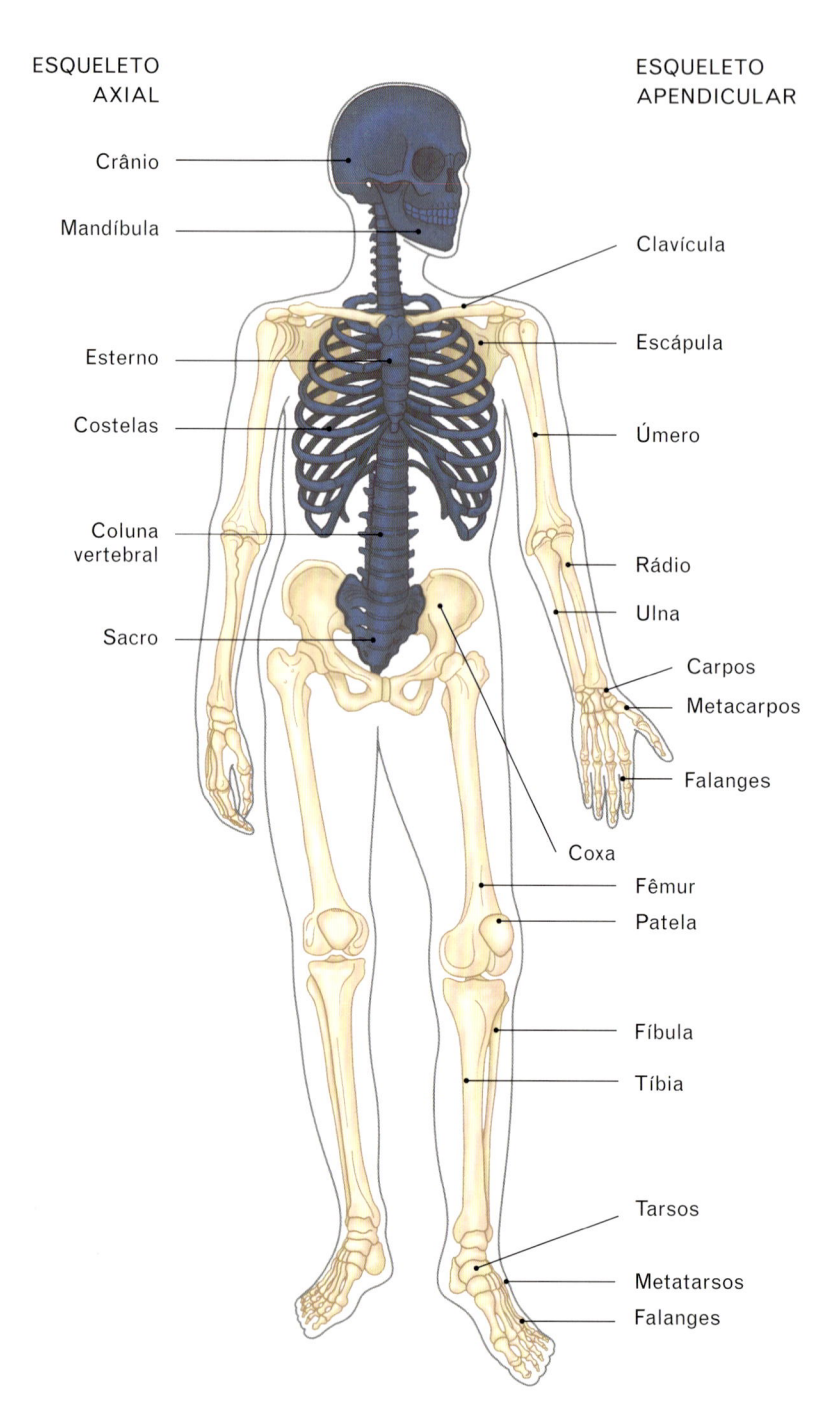

ESQUELETO AXIAL
- Crânio
- Mandíbula
- Esterno
- Costelas
- Coluna vertebral
- Sacro

ESQUELETO APENDICULAR
- Clavícula
- Escápula
- Úmero
- Rádio
- Ulna
- Carpos
- Metacarpos
- Falanges
- Coxa
- Fêmur
- Patela
- Fíbula
- Tíbia
- Tarsos
- Metatarsos
- Falanges

Os ossos são feitos de um tecido conjuntivo calcificado que consiste em osteócitos (células ósseas) dentro de um tecido poroso e fibras de colágeno. Eles formam a estrutura do corpo que protege os órgãos internos e também atuam como alavancas para criar o movimento quando energizados pelos músculos.

Há duas divisões principais no esqueleto humano: o esqueleto axial é formado pelo crânio, coluna vertebral, costelas e esterno; enquanto o esqueleto apendicular consiste em cintura escapular, membros superiores (braços), cintura pélvica e membros inferiores (pernas).

Há cinco tipos de ossos:
- **ossos longos**, que são mais longos do que largos. Eles incluem a clavícula, o úmero, o rádio, a ulna, o fêmur, a tíbia, a fíbula, os metacarpos e as falanges
- **ossos curtos**, que são encontrados no pulso e no tornozelo, e têm comprimento, largura e profundidade semelhantes
- **ossos planos**, que são largos e estão geralmente posicionados em locais onde protegem um órgão interno. Entre eles estão as costelas, o esterno e as escápulas, bem como alguns ossos do crânio
- **ossos sesamoides**, que são ossos pequenos e arredondados dentro dos tendões que protegem estes últimos do desgaste. A patela no joelho é um exemplo
- **ossos irregulares**, que são todos aqueles que não se encaixam em nenhuma das quatro categorizações acima. Entre eles estão as vértebras e alguns ossos do crânio.

Articulações

As articulações, que se formam onde dois ou mais ossos se encontram, são de vários tipos e têm diferentes amplitudes de movimento. Quanto mais protegida a articulação, menos mobilidade ela tem – e vice-versa. Por exemplo, a articulação do ombro tem uma grande amplitude de movimento e pode estar sujeita ao deslocamento e a lesões, ao passo que a articulação do quadril está situada numa cavidade mais profunda e permite um número menor de movimentos, de modo que sofre lesões com menos frequência.

Algumas articulações não se movem. Conhecidas como sinartroses ou articulações fibrosas, elas são mantidas unidas por tecidos conjuntivos fibrosos ou cartilagem. Os ossos do crânio se encaixam nessa categoria.

As anfiartroses ou articulações cartilaginosas têm um pequeno grau de movimento. Elas são mantidas unidas pela cartilagem, como na articulação entre a tíbia e a fíbula no joelho, ou as extremidades dos ossos são cobertas pela cartilagem e há um disco no meio, como nas partes anteriores dos ossos púbicos.

As diartroses ou articulações sinoviais são o tipo encontrado com mais frequência no corpo. As articulações dessa categoria se movem livremente porque o espaço entre os ossos é preenchido com líquido sinovial. Existem seis tipos diferentes de articulações sinoviais, como é relacionado abaixo.

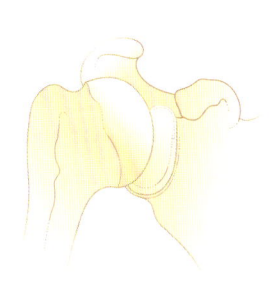

Nas **articulações esferoidais**, como as do quadril e do ombro, um dos ossos tem a forma de uma bola e o outro tem uma cavidade em forma de xícara dentro da qual a bola pode se movimentar. Isso possibilita a flexão, a extensão, a abdução, a adução, a rotação e a circundução na articulação.

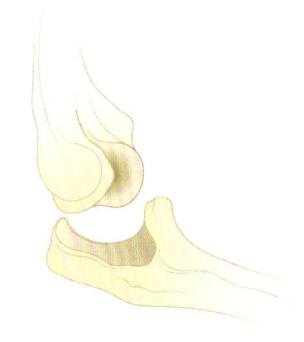

Nas **articulações ginglimoidais, em forma de dobradiça**, como as do cotovelo ou do joelho, uma superfície convexa num dos ossos encontra uma superfície côncava no outro, possibilitando a flexão e a extensão num único plano.

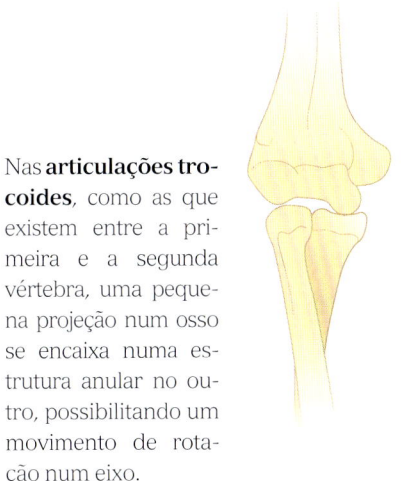

Nas **articulações trocoides**, como as que existem entre a primeira e a segunda vértebra, uma pequena projeção num osso se encaixa numa estrutura anular no outro, possibilitando um movimento de rotação num eixo.

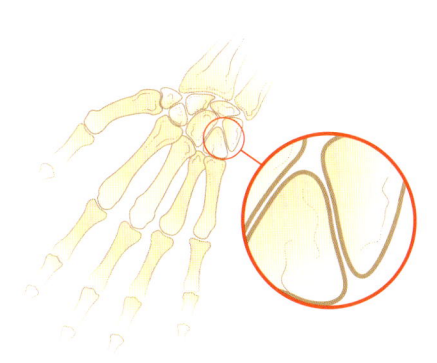

Nas **articulações planas** ou **deslizantes**, as superfícies são planas e deslizam umas sobre as outras, possibilitando um movimento limitado. As articulações entre as costelas e as vértebras, bem como a escápula, a clavícula, as articulações do carpo e do tarso são exemplos.

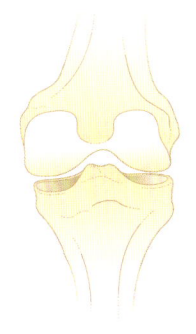

Nas **articulações condiloides** ou **elipsoides**, dois processos num dos ossos se encaixa em duas cavidades elípticas no outro. Isso possibilita um movimento limitado em dois planos: flexão e extensão, abdução e adução. O pulso é um exemplo desse tipo de articulação.

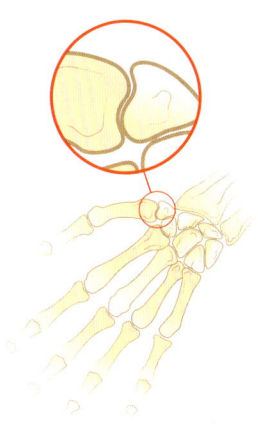

Nas **articulações em sela**, ambas as superfícies têm o formato de uma sela e se encaixam uma na outra, permitindo o movimento em torno de dois eixos: flexão, extensão, abdução, adução, rotação e circundução. O polegar é um exemplo desse tipo de articulação.

ESQUELETO AXIAL

Crânio	29 ossos, dos quais 8 são cranianos (P), 14 faciais (I), 6 ossículos do ouvido (I), 1 hioide (Se)
7 vértebras cervicais, C1–C7 (I)	C1 é conhecida como Atlas, C2 é conhecida como Áxis
12 vértebras torácicas, T1–T12 (I)	Maiores do que as vértebras cervicais; articulam-se com as costelas
5 vértebras lombares, L1–L5 (I)	As maiores vértebras
Sacro (I)	5 ossos fundidos no lado posterior da pelve
Cóccix (I)	3-5 ossos fundidos
Esterno (P)	Onde a caixa torácica se junta com a clavícula
24 costelas (P)	As escápulas estão sobre a parte posterior da caixa torácica

ESQUELETO APENDICULAR

2 clavículas (L)	Liga a escápula ao esterno e mantém o ombro no lugar durante o movimento do braço
2 escápulas (P)	Liga a clavícula no acrômio; o processo coracoide é o local de uma ligação muscular para a articulação do ombro; e a cavidade glenoidal é um espaço lateral oval para a articulação glenoumeral
2 úmeros (L)	Osso longo do braço; a cabeça é a bola da articulação esferoidal do ombro
2 rádios (L)	O osso do antebraço que gira em torno da ulna
2 ulnas (L)	Osso fixo do antebraço
16 ossos do carpo (C)	Formam o pulso (8 para cada pulso)
10 ossos do metacarpo (L)	Formam a palma da mão (5 para cada mão)
28 falanges (L)	2 em cada polegar e 3 em cada dedo
2 ossos dos quadris (ou ossos ilíacos na antiga nomenclatura) (P)	Ísquio, ílio e púbis, fundidos; temos a espinha ilíaca anterossuperior (EIAS) e a espinha ilíaca posterossuperior (EIPS); a crista ilíaca é a borda externa do quadril (o que chamamos de ossos dos quadris); as tuberosidades isquiais são a extremidade da região lombar dos ossos das nádegas
2 fêmures (L)	O osso mais longo do corpo. A cabeça se articula com o acetábulo do osso do quadril para formar a articulação do quadril. O processo lateral superior é chamado de trocanter maior e trocanter menor. A extremidade distal tem côndilos que se articulam com a perna
2 patelas (Se)	Eles se encaixam num sulco entre os côndilos do fêmur e encontram a tíbia na articulação tibiofemoral
2 tíbias (L)	Ossos da perna no lado medial. Articula-se com o fêmur na extremidade proximal
2 fíbulas (L)	Osso fino e um pouco torcido na lateral da perna. Articula-se com a tíbia, mas não com o fêmur. Forma a saliência arredondada que se chama tálus
14 ossos do tarso (C)	Formam o tornozelo (7 para cada tornozelo)
10 ossos do metatarso (L)	1 em cada dedo do pé
28 falanges (L)	2 em cada dedão do pé e 3 em cada um dos outros dedos

Chave – Tipos de ossos
L = longo, C = curto, P = plano, I = irregular, Se = sesamoide

Esqueleto Axial

Esqueleto Apendicular

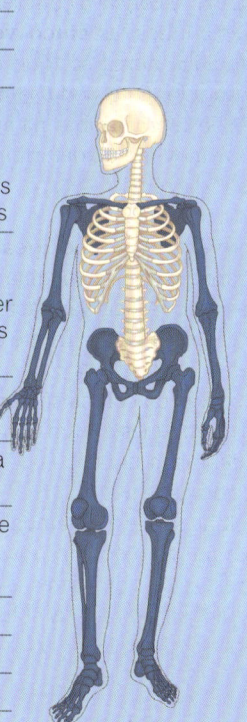

A coluna vertebral

O alinhamento correto da coluna é essencial em Pilates, e muitos exercícios se concentram em protegê-la ou em movê-la em segurança dentro da sua amplitude. Joseph Pilates notoriamente declarou que você é tão jovem quanto a sua coluna vertebral: "Se a sua coluna é rígida e inflexível aos 30 anos, você é velho; se ela é completamente flexível aos 60, você é jovem".

A coluna está dividida nas seguintes seções.

- As **vértebras cervicais** (as sete superiores) são as menores e mais leves, e precisam estar flexíveis para movimentos da cabeça e do pescoço. Essa parte da coluna se curva, de modo que é côncava em relação às costas.
- As **12 vértebras torácicas**, que descem do pescoço até a costela mais baixa, aumentam gradualmente de tamanho, com a mais baixa sendo a maior. Elas se articulam com as costelas e possibilitam movimentos da região torácica posterior. A curvatura da coluna torácica a torna côncava com relação à frente do corpo.
- As **cinco vértebras lombares** são as mais fortes. Elas suportam o peso do corpo e são essenciais para os movimentos da região lombar. A curva lombar é côncava com relação às costas.
- Nos adultos, as **cinco vértebras sacrais** estão fundidas numa só, que é o sacro em forma de triângulo. Este pode se mover em relação à última vértebra lombar na articulação lombossacral. Esse movimento determina o alinhamento da pelve e da região lombar, que é extremamente importante em Pilates (ver p. 31).
- As **vértebras coccígeas** formam um pequeno triângulo que se imagina ser uma vértebra caudal vestigial. As curvas sacral e coccígea são côncavas com relação à frente do corpo.

As curvas da coluna são importantes para a absorção de choques e, num corpo saudável, devem estar equilibradas umas com relação às outras. Se uma das curvas se tornar exagerada com relação a outra, a coluna sai de alinhamento, causando efeitos indiretos no resto do corpo (ver pp. 46-53). Na maioria dos exercícios de Pilates, o seu objetivo será manter as curvas naturais da coluna quando se deitar de costas, e não aplainá-la no chão.

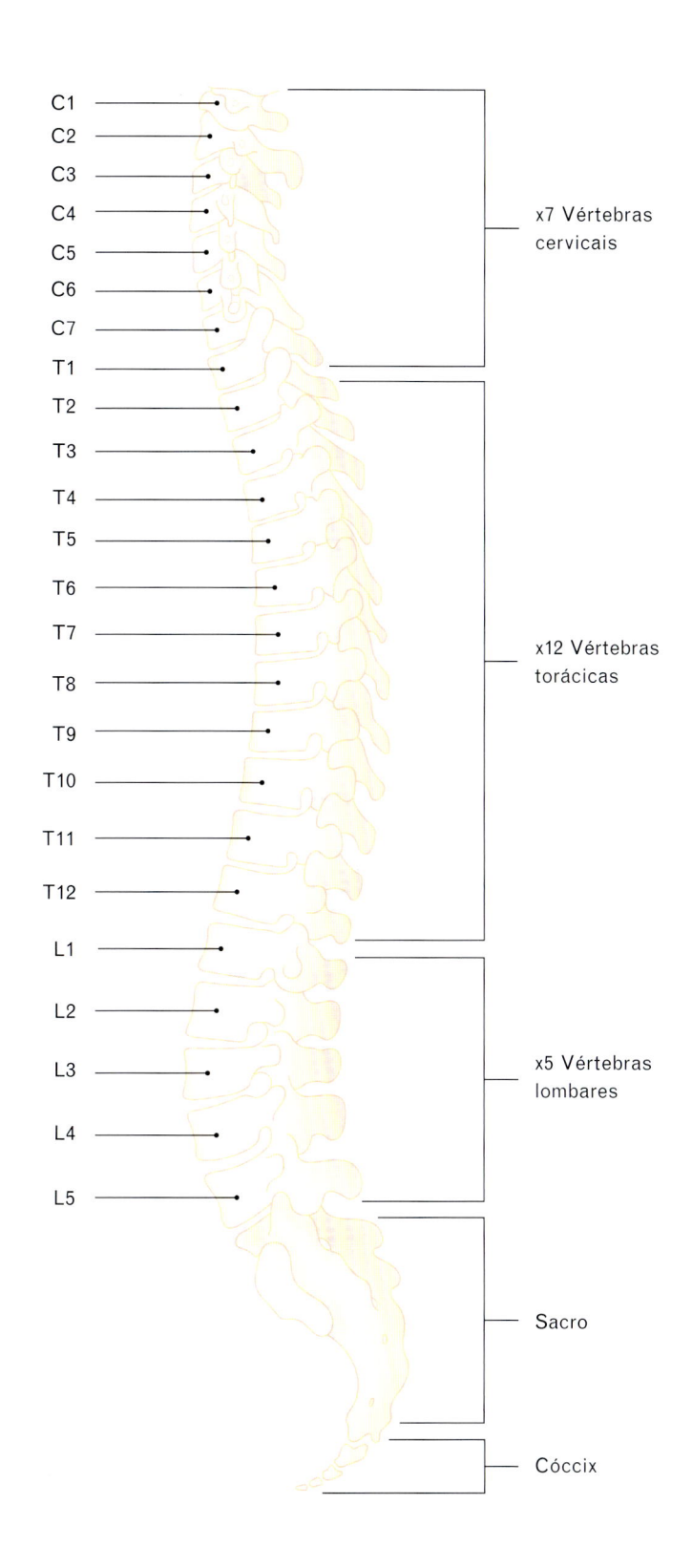

As articulações entre as vértebras

Todas as vértebras, com exceção das sacrais, das coccígeas e das duas vértebras cervicais superiores, estão conectadas às vértebras que estão em cima e embaixo delas. As partes frontais arredondadas são separadas por discos intervertebrais com um forte anel externo de tecido fibroso, o ânulo fibroso. Do lado de dentro, há uma massa gelatinosa chamada núcleo pulposo. Esses discos são como amortecedores usados para a absorção do choque.

As partes posteriores das vértebras – conhecidas como os processos espiniformes terminais – são unidas por facetas articulares que deslizam umas sobre as outras em diferentes graus dependendo da superfície. Uma rotação maior é possível na região lombar do que na torácica, por exemplo.

Há também ligamentos que mantêm as vértebras unidas, controlando quanto elas podem se mover em qualquer direção considerada e ajudando a evitar que os discos inchem (conhecido como prolapso). E os músculos estão ligados a ressaltos dos ossos nas laterais das vértebras conhecidos como processos espiniformes transversos.

Maus hábitos de postura, lesões e assimetria entre um lado do corpo e o outro forçam a coluna e resultam na restrição dos movimentos. O Pilates fortalece os músculos que protegem e movem a coluna, aumentando a estabilidade e a flexibilidade.

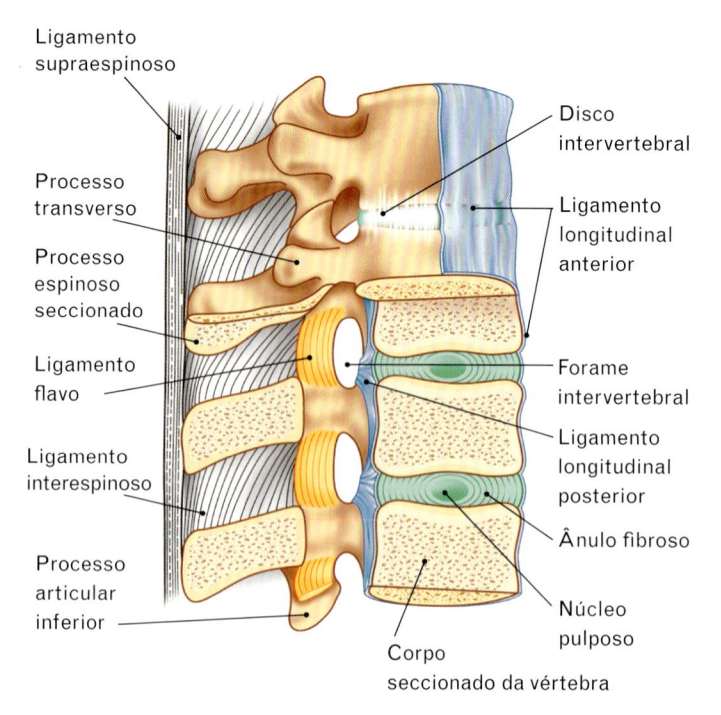

Protegendo a medula espinal Os ossos e ligamentos da coluna evitam danos ao suprimento nervoso do corpo ao mesmo tempo que possibilitam o movimento das costas.

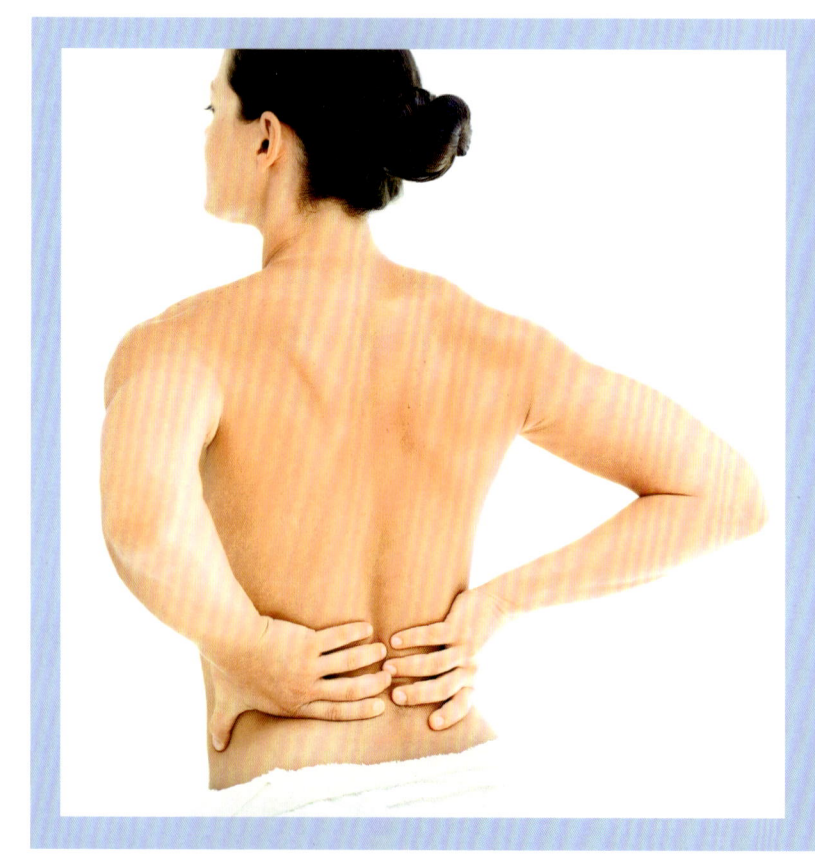

A medula espinal

As vértebras cervicais, torácicas e lombares são formadas de maneira que um canal desce através delas do cérebro até a região lombar. Esse canal contém a medula espinal. Formada por uma substância cinzenta e branca, a medula espinal é responsável por transmitir informações dos nervos periféricos do corpo para o cérebro e vice-versa, e também por controlar reflexos, em trajetos ascendentes e descendentes. As lesões espinais graves afetam a medula espinal e podem, em casos extremos, causar paralisia, quando as mensagens do cérebro deixam de chegar ao resto do corpo. Lesões menos importantes ou um desalinhamento podem produzir pressão nos nervos, causando uma sensação de formigamento na área afetada.

Dor nas costas É a causa mais comum das faltas ao trabalho no mundo ocidental e frequentemente resulta de uma má postura.

A pelve

Na maioria dos exercícios de Pilates, é importante manter o que é conhecido como uma "pelve neutra", enquanto outros requerem uma inclinação anterior ou posterior da pelve. Você terá que identificar diferentes partes da pelve para determinar a sua inclinação.

A crista ilíaca é a grande crista óssea que você sente quando desliza as mãos pela lateral da sua cintura. Mais na frente, ligeiramente mais para baixo, você sentirá a ponta de um osso se projetando para fora, que é a espinha ilíaca anterossuperior (EIAS). Há uma de cada lado. Se você ficar de lado para um espelho, deverá ser capaz de ver a sínfise pubiana, que é onde a parte inferior da pelve se projeta para a frente.

Na posição ereta:
- Quando a pelve está **neutra**, a EIAS e a sínfise pubiana estão verticalmente alinhadas.
- Se a pelve tem uma **inclinação anterior**, a EIAS está na frente da sínfise pubiana. Isso tenderá a aumentar a curva da coluna lombar.
- Se a pelve tem uma **inclinação posterior**, a sínfise pubiana está na frente da EIAS. Isso tenderá a reduzir ou aplainar a curva da coluna lombar.
- Se a EIAS direita estiver mais baixa do que a EIAS esquerda, isso é conhecido como uma inclinação lateral direita da pelve, e se a esquerda estiver mais baixa, trata-se de uma inclinação lateral esquerda.
- Quando a EIAS direita está na frente da esquerda, isso é conhecido como rotação pélvica esquerda, e quando a esquerda está na frente, trata-se de uma rotação pélvica direita.

Embora essas posições sejam geralmente descritas na posição ereta, elas também se aplicam quando você estiver deitado de costas, de bruços, sentado ou na posição "de quatro". Se um exercício pedir que você mantenha a pelve neutra, isso significa que a sua EIAS e a sínfise pubiana deverão estar niveladas e alinhadas no mesmo plano uma da outra.

Alinhamento pélvico As lesões e os problemas de postura podem retirar a pelve do alinhamento correto, com efeitos indiretos na postura do resto do corpo.

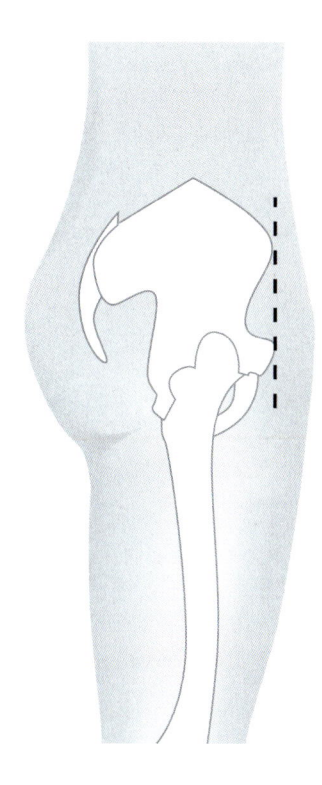

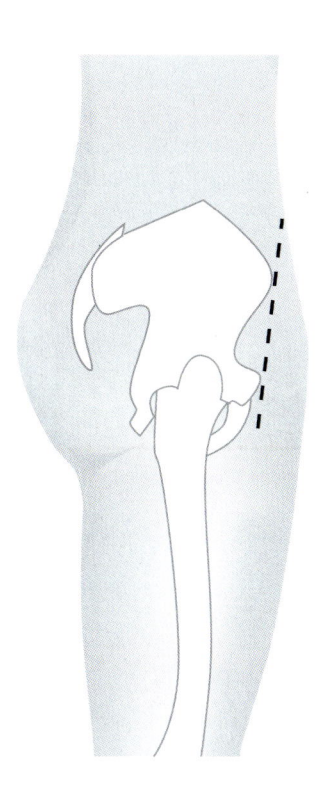

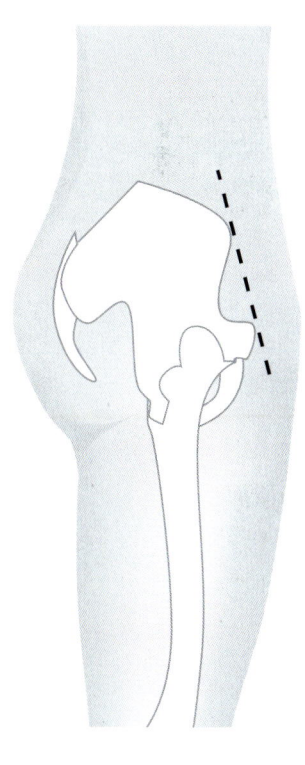

Pelve neutra   Inclinação anterior   Inclinação posterior

Músculos

Aprender a controlar e usar os músculos de uma maneira segura, precisa e eficiente está na essência do Pilates. O corpo tem mais de 600 músculos, e é importante aprender as posições e movimentos de todos os principais músculos esqueléticos para ensinar os exercícios – mas não é tão difícil quanto parece, porque o processo encerra lógica e percepção intuitiva.

As células musculares têm a capacidade de se contrair. Existem alguns músculos que controlamos à vontade para mover partes do corpo e que são conhecidos como músculos voluntários. Os músculos involuntários se movem em resposta a sinais vindos do cérebro e controlam funções como o batimento cardíaco e a circulação do sangue.

Quando um músculo está ligado a um osso ou a uma articulação por meio de um tendão, a sua contração faz com que os ossos se aproximem, a não ser que uma resistência ao movimento o impeça. As contrações que criam o movimento são conhecidas como dinâmicas ou isotônicas, enquanto aquelas que não o criam são conhecidas como estáticas ou isométri-

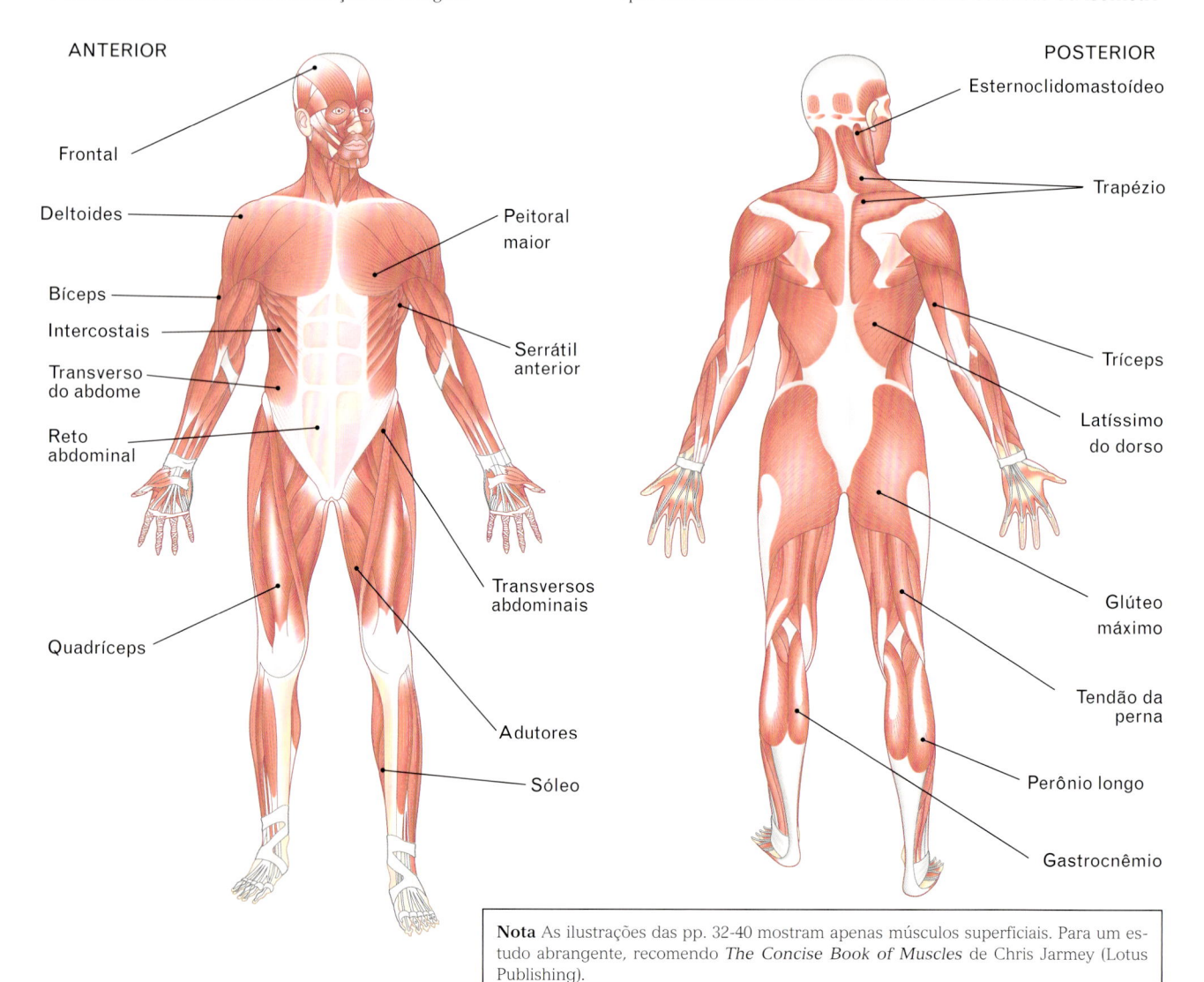

ANTERIOR

- Frontal
- Deltoides
- Bíceps
- Intercostais
- Transverso do abdome
- Reto abdominal
- Quadríceps
- Peitoral maior
- Serrátil anterior
- Transversos abdominais
- Adutores
- Sóleo

POSTERIOR

- Esternoclidomastoídeo
- Trapézio
- Tríceps
- Latíssimo do dorso
- Glúteo máximo
- Tendão da perna
- Perônio longo
- Gastrocnêmio

Nota As ilustrações das pp. 32-40 mostram apenas músculos superficiais. Para um estudo abrangente, recomendo *The Concise Book of Muscles* de Chris Jarmey (Lotus Publishing).

Ligações musculares

O lugar onde um músculo se liga a uma parte relativamente imóvel de um osso (quer diretamente, quer por meio de um tendão) é chamado de sua origem. O lugar onde ele se liga à parte móvel do osso é chamado de inserção. Muitos músculos possuem apenas duas ligações, mas os mais complexos têm várias. O músculo tríceps, por exemplo, tem três inserções – nas cabeças medial e lateral do úmero e na cabeça longa da escápula.

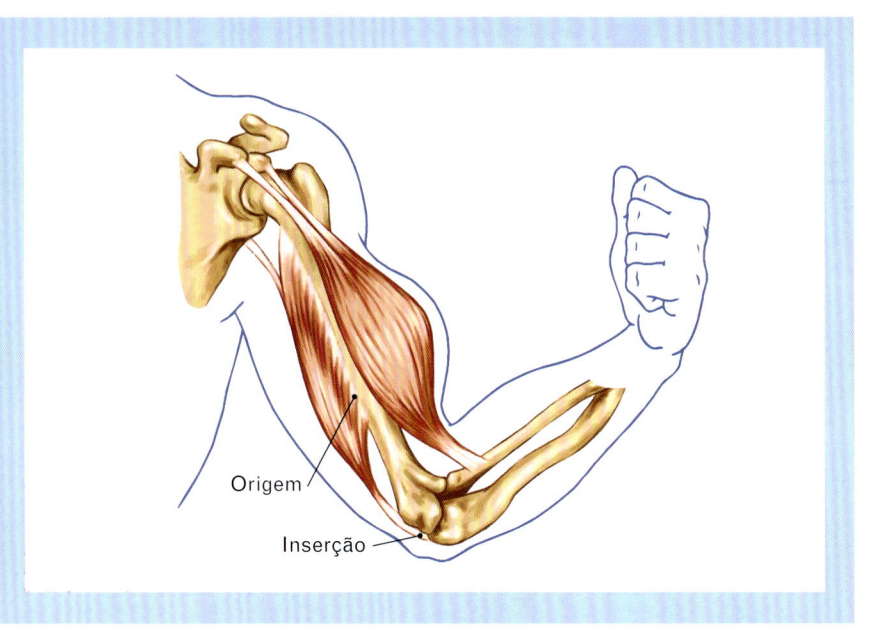

Origem
Inserção

cas. Se você descansar a mão sobre uma escrivaninha ou uma mesa e levantar o dedo indicador, contrações musculares dinâmicas estão fazendo com que ele se levante. No entanto, nos exercícios de Pilates, frequentemente usamos contrações isométricas para evitar que a pelve, os joelhos, os ombros ou a coluna se movam enquanto executamos o exercício.

Por conseguinte, os músculos podem ter uma série de funções diferentes. O propulsor, ou agonista, é o músculo que cria o movimento desejado. Pode haver agonistas primários, secundários e terciários (ou mais), com os primários sendo os mais eficazes para criar o movimento. Um antagonista é um músculo cuja ação é diretamente oposta à do agonista, e ele permite o movimento do agonista ao relaxar. Assim, por exemplo, quando você dobra o cotovelo, o músculo bíceps do braço é o agonista, mas o tríceps, na parte posterior do braço é o antagonista, porque ele relaxa para permitir o movimento de flexão.

Entretanto, isso é uma simplificação, porque poucos músculos se movem em completo isolamento. Quase todos estão organizados em camadas e trabalham em grupos. Os sinérgicos são músculos que agem ao mesmo tempo que o agonista primário a fim de evitar quaisquer efeitos colaterais indesejados do movimento. Os músculos estabilizadores ou fixadores são músculos que se contraem isometricamente para sustentar uma parte do corpo e ajudá-la a resistir a ser puxada para um movimento criado por agonistas. Um movimento complexo como levantar o braço acima da cabeça envolve vários agonistas, antagonistas, sinérgicos e estabilizadores.

Com tantos músculos trabalhando em conjunto, é óbvio que manter em equilíbrio a força relativa deles é importante para conservar o alinhamento do esqueleto. As lesões ocorrem quando um músculo ou grupo de músculos ficam muito mais fortes do que o músculo ou grupos de músculos opostos.

Como os músculos funcionam

Os músculos são feitos de longas fibras supridas por vasos sanguíneos e nervos, e encerradas no tecido conjuntivo. Há fibras musculares lentas, que se contraem lentamente mas são capazes de continuar a se contrair por períodos mais longos, e fibras musculares rápidas, que produzem uma contração rápida mas se cansam em pouco tempo. As contrações são causadas por sinais do cérebro que fazem com que as células deslizem umas pelas outras, fazendo com que a fibra muscular fique mais curta. As fibras podem ser paralelas umas às outras, girar ao redor umas das outras, convergir ou estar organizadas em feixes (conhecidos como penadas), dependendo do tipo e da amplitude de movimento que o músculo produz.

O uso repetitivo de um grupo muscular pode fazer com que os músculos se aglomerem, resultando em rigidez e "nós". Se um cliente estiver muito rígido numa determinada área ao chegar ao estúdio, sugiro alguns exercícios suaves seguidos pelos alongamentos apropriados. Isso alonga a fibra muscular e aumenta o suprimento de sangue para a área, ajudando a prepará-la para o movimento.

Os músculos podem ficar tensos se ocorrer um estiramento repentino e violento em músculos rígidos ou se eles forem forçados demais. Isso pode causar sangramento na área lesada, dor, inchaço e até mesmo laceração das fibras. Durante o processo de cura de uma distensão muscular, o tecido conjuntivo de músculos adjacentes pode se unir, o que talvez cause uma aderência que poderá restringir a amplitude de movimento na área, ou prejudicar o suprimento nervoso ou sanguíneo para o músculo. Não devem ocorrer movimentos repentinos e violentos na prática de Pilates, mas sempre alongamos as áreas depois que as trabalhamos muito para evitar a rigidez e aumentar a flexibilidade de fibras musculares, tendões e ligamentos.

Músculos do quadril, da perna e do pé

Há três articulações principais nos membros inferiores – quadris, joelhos e tornozelos (sem incluir todos os ossos dos pés) – e diferentes grupos musculares respaldam os tipos de movimento que são possíveis em cada articulação. Quase todos trabalham em oposição a outros grupos, e muitos músculos têm mais de uma função.

Os ossos da perna são alavancas que são puxadas pelos músculos ligados a eles. Você pode ajustar os movimentos usando grupos que puxam em ângulos levemente diferentes uns em relação aos outros. Outros grupos são estabilizadores, fazendo com que o movimento não seja exagerado e não force a articulação. É por esse motivo que é importante manter os grupos musculares igualmente fortes. Numa sessão de Pilates que trabalhe os adutores, por exemplo, você também incluiria alguns exercícios de abdução. O tendão da perna é trabalhado na maioria das sessões, porque os quadríceps são muito usados na vida diária e, particularmente, no esporte e na corrida, de modo que eles têm a tendência de ser excessivamente desenvolvidos.

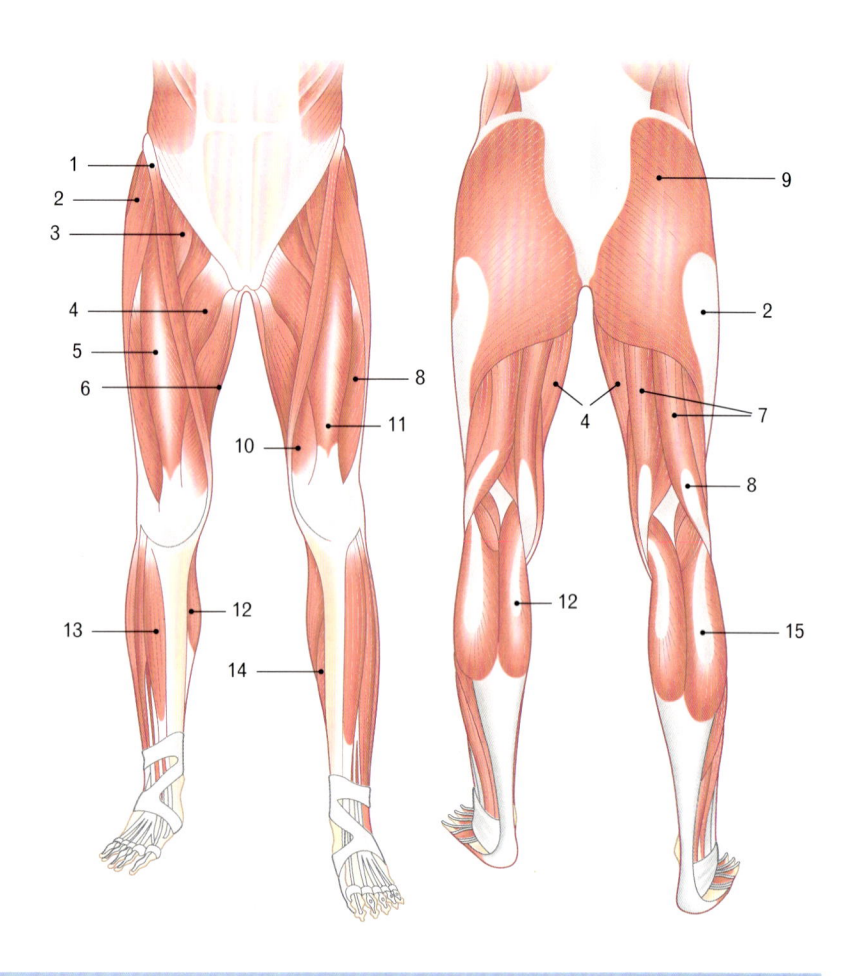

FLEXORES DO QUADRIL	ORIGEM	INSERÇÃO	DESCRIÇÃO
Psoas maior	T12 e vértebras lombares	Fêmur – trocanter menor	Músculo grande, compacto e profundo no abdome. Flexiona o quadril e a coluna vertebral, quando nos sentamos em uma posição supina
Ilíaco	Fossa ilíaca	Fêmur – trocanter menor	Flexor e estabilizador do quadril
Tensor da fáscia lata (TFL) (2)	Crista ilíaca	Trato iliotibial na parte superior da coxa	Abduz, flexiona e gira medialmente o quadril; estabiliza o joelho
Faixa iliotibial	Crista ilíaca	Tíbia superolateral e cabeça da fíbula	Sustenta o TFL
Sartório (1)	Espinha ilíaca anterossuperior	Côndilo medial da tíbia	O músculo mais longo do corpo. Flexiona, gira lateralmente e abduz o quadril
Músculo reto da coxa (5) um dos quadríceps	Borda superior do acetábulo	Tuberosidade tibial	Estende o joelho, flexiona o quadril
EXTENSORES DOS QUADRIS			
Glúteo máximo (9)	Ílio e sacro	Trato iliotibial no fêmur	Estende e gira lateralmente a articulação do quadril, estende a coxa de 45° a 0° de flexão
Tendão da perna (semitendinoso, semimembranoso, bíceps femoral) (7)	Tuberosidade do ísquio	Côndilo lateral e medial da tíbia e da cabeça da fíbula	Estende o quadril, gira medialmente a perna, flexiona a perna no joelho
ABDUTORES DO QUADRIL			
Glúteo médio	Ílio	Fêmur – trocanter maior	Abduz e gira medialmente o quadril
Glúteo mínimo	Ílio	Fêmur – trocanter maior	Reforça a ação da parte anterior do glúteo mínimo
Tensor da fáscia lata (TFL) (2)	Crista do ílio	Trato iliotibial na parte superior da coxa	Abduz, flexiona e gira medialmente o quadril; estabiliza o joelho

ADUTORES DO QUADRIL	ORIGEM	INSERÇÃO	DESCRIÇÃO
Adutor longo, breve e magno (4)	Púbis	Haste do fêmur – posterior	Aduz e gira lateralmente o quadril. O magno é o maior, e o longo está atrás do breve
Músculo pectíneo (3)	Púbis	Fêmur – trocanter menor	Aduz, flexiona e gira medialmente o quadril
Músculo grácil	Púbis	Côndilo medial da tíbia	Aduz o quadril, flexiona o joelho
ROTADORES LATERAIS DO QUADRIL			
Glúteo máximo (9)	Ílio e sacro	Trato iliotibial proximal no fêmur	Estende e gira a articulação do quadril, estende o tronco
Rotadores externos profundos: piriforme, obturador interno, obturador externo, gêmeo inferior, gêmeo superior, quadrado femoral	Frente do sacro	Fêmur – trocanter maior	Gira lateralmente o quadril
ROTADORES MEDIAIS DO QUADRIL			
Glúteo médio (fibras anteriores)	Ílio	Fêmur – trocanter maior	Abduz e gira medialmente o quadril
Glúteo mínimo (fibras anteriores)	Ílio	Fêmur – trocanter maior	Abduz e gira medialmente o quadril
FLEXORES DO JOELHO			
Tendão da perna (semitendinoso, semimembranoso, bíceps femoral) (7)	Tuberosidade isquial	Côndilo medial da tíbia	Estende o quadril, gira medialmente a perna, flexiona a perna no joelho
EXTENSORES DO JOELHO			
Quadríceps femoral (reto femoral, vasto medial, vasto intermédio, vasto lateral) (5, 10, 11)	Haste do fêmur, linha alba, trocanter maior	Tuberosidade tibial	Estendem a perna. O medial é o menor, o intermédio o mais profundo, o lateral o mais lateral. O reto femoral cruza tanto o quadril quanto o joelho
ROTADORES MEDIAIS DO JOELHO			
Sartório (1)	Espinha ilíaca anterossuperior	Côndilo medial da tíbia	O músculo mais longo do corpo. Flexiona, gira lateralmente e abduz o fêmur
Tendão da perna (semitendinoso, semimembranoso, bíceps femoral) (7)	Tuberosidade do ísquio	Côndilo medial da tíbia	Estende o quadril, gira medialmente a perna, flexiona a perna no joelho
Músculo grácil (6)	Púbis	Côndilo medial da tíbia	Aduz o quadril, flexiona a perna
ROTADORES LATERAIS DO JOELHO			
Tensor da fáscia lata (TFL) (2)	Crista ilíaca	Trato iliotibial na parte superior da coxa	Abduz, flexiona e gira medialmente o quadril
Glúteo máximo (9)	Ílio e sacro	Trato iliotibial proximal no fêmur	Estende e gira a articulação do quadril, estende o quadril de 45° a 0° de flexão
Bíceps femoral (8)	Tuberosidade isquial	Côndilo lateral da tíbia e a cabeça da fíbula	Flexiona a articulação do joelho e estende a articulação do quadril
DORSIFLEXORES DO TORNOZELO E DO PÉ			
Tibial anterior (13)	Tíbia e fíbula – posterior e anterior	Base anterior do 1º metatarso. Tarsos e metatarsos posteriores	Dorsiflexão, inversão e flexão plantar do pé
Extensor longo dos dedos	Tíbia e fístula – proximal	2, 3, 4 e 5 falanges	Flexiona os dedos do pé, ajuda a flexão plantar e inverte o pé
FLEXORES PLANTARES DO TORNOZELO E DO PÉ			
Gastrocnêmio (12)	Côndilos laterais e mediais do fêmur	Calcanhar, pelo tendão calcâneo	Flexiona a perna no joelho, ajuda a flexão plantar do pé
Músculo sóleo (14)	Superfície posterior da tíbia e da fíbula	Calcanhar, pelo tendão calcâneo	Flexão plantar do pé
Tibial posterior	Superfície posterior da tíbia e da fíbula	Calcanhar, pelo tendão calcâneo	Músculo mais profundo da panturrilha. Flexão plantar e inversão
Perônio longo (fibular longo) (15)	Cabeça da fíbula	Cuneiforme medial e primeiro metatarso	Flexão plantar e eversão do pé
Perônio breve (fibular breve)	Fíbula lateral posterior	Base do 5º metatarso	Flexão plantar e eversão do pé
FLEXORES DOS DEDOS DOS PÉS			
Flexor longo do hálux	Fíbula posteroinferior	Última articulação do primeiro metatarso	Pé e dedos em ponta e inversão do tornozelo
Flexor longo dos dedos	Tíbia posteromedial	Últimas articulações de 4 dedos	Pé e dedos em ponta

Músculos da parte inferior do tronco e da coluna vertebral

Na prática de Pilates, damos muita ênfase ao fortalecimento dos principais músculos do abdome inferior para melhorar a postura, ajudar os movimentos e proteger a coluna. Os músculos ao redor da coluna e certos músculos pélvicos também são cruciais para essas funções.

Os quatro músculos abdominais – o reto abdominal, os oblíquos interno e externo e o transverso do abdome – formam uma cinta muscular ao redor do abdome, mas as suas fibras se estendem em diferentes direções. As fibras do reto abdominal seguem diretamente para cima e para baixo do centro do abdome; o músculo oblíquo externo se estende diagonalmente para baixo em direção ao centro; as fibras superiores do oblíquo interno seguem para cima em direção ao centro e lateralmente ao reto abdominal; e as fibras do transverso do abdome são aproximadamente horizontais e cruzam o abdome. A combinação de contrações num dos lados ou em ambos os lados dos músculos produz a amplitude de movimentos possível em torno do abdome inferior. O transverso do abdome, o músculo abdominal mais profundo, é como um espartilho que protege a coluna durante o movimento dos membros. Ele se contrai durante a exalação forçada. É por isso que frequentemente exalamos durante o movimento nos exercícios de Pilates.

Fortalecer os músculos extensores e flexores da coluna é outra meta fundamental do Pilates, já que eles ajudam a evitar problemas de postura e lesões nas costas. Fortalecer o eretor da coluna, por exemplo, pode ajudar a evitar a postura de ombros caídos na parte superior das costas. Muitos exercícios Pré-Pilates são executados com a pessoa deitada de costas, quando a coluna precisa se flexionar contra a resistência da gravidade, o que representa um desafio maior. Quando nos deitamos de bruços, a coluna precisa se estender contra a gravidade. Pequenas mudanças na posição ou nos movimentos dos membros podem nos levar a trabalhar diferentes partes desses músculos do centro de força. Com frequência, diferentes grupos se contraem ao mesmo tempo, tanto para gerar quanto para limitar o movimento, a fim de proteger a coluna.

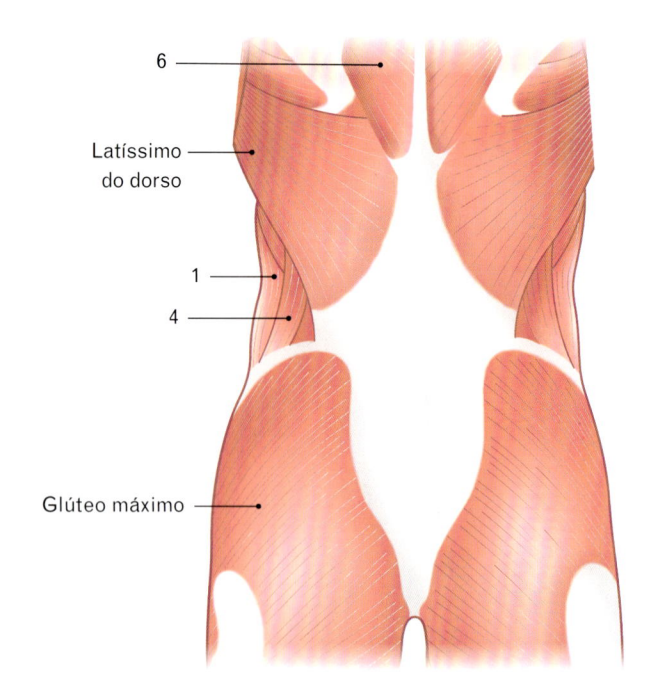

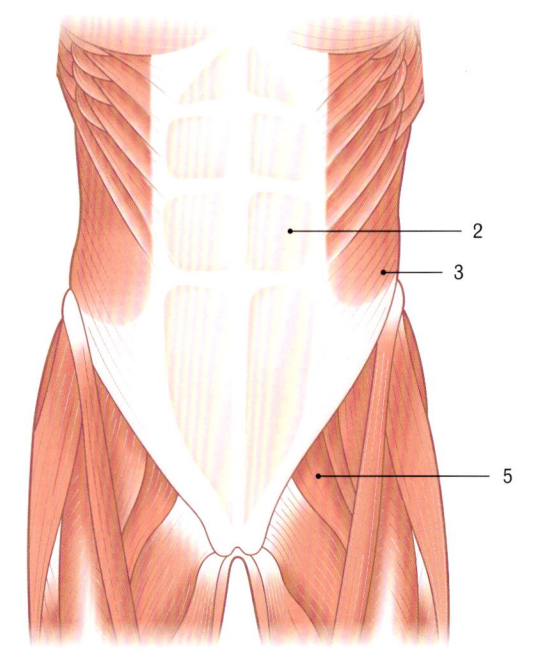

Assoalho pélvico

O diafragma muscular dos músculos do assoalho pélvico sustenta o reto, a próstata e a uretra nos homens e o reto, a vagina e a uretra nas mulheres. Exercitar esses músculos com contrações que são mantidas por espaços de tempo variáveis pode ajudar a evitar a incontinência, o prolapso do útero (nas mulheres) e problemas eréteis (nos homens). Alguns professores de Pilates consideram os músculos do assoalho pélvico importantes para a obtenção de um centro de força vigoroso. A contração dos músculos do assoalho pélvico pode ajudar a contração do transverso do abdome e vice-versa. No entanto, o assoalho pélvico é naturalmente ativado quando os músculos abdominais são efetivamente ativados, de modo que não dou instruções separadas para que o cliente ative o assoalho pélvico como fazem outros instrutores de Pilates.

FLEXORES DA COLUNA	ORIGEM	INSERÇÃO	DESCRIÇÃO
Reto abdominal (2)	Sínfise pubiana	Cartilagem das costelas 5-7, processo xifoide	Abaixa as costelas, flexiona a coluna lombar
Oblíquos externos (1)	Frente das costelas 5-12	Linha alba e ligamento inguinal	Flexão da coluna, compressão do abdome, inclinação lateral, rotação contralateral
Oblíquos internos	Crista ilíaca, ligamento inguinal e fáscia toracolombar	8 costelas inferiores	Flexão da coluna, compressão do abdome, inclinação lateral, rotação
Transverso do abdome (3)	Crista ilíaca, 6 costelas inferiores	Linha alba e crista ilíaca do púbis	O músculo abdominal mais profundo. Comprime o abdome, aumenta a curva da coluna lombar
Iliopsoas (5)	T12 e vértebras lombares, fossa ilíaca	Fêmur – trocanter menor	Flexiona o quadril e a coluna espinal
EXTENSORES DA COLUNA			
Eretor da coluna (espinal, longuíssimo, iliocostal)	Crista ilíaca, sacro	Osso occipital	Extensão e inclinação lateral da coluna espinal
Semiespinal	Processos das vértebras torácicas e cervicais	Osso occipital	Situado debaixo do trapézio. Extensão da coluna superior
Grupo espinal posterior profundo (interespinhais, intertransversais, rotadores, multifidos)	Sacro	Áxis	Situados nos processos das vértebras. Estabilizam e movem as vértebras
Quadrado lombar (4)	Crista ilíaca	12ª costela e processo das vértebras lombares	Inclinação lateral da coluna lombar, elevação da pelve
Trapézio (6)	Ossos occipitais e 18 vértebras primárias	Processo acrômio e espinha das escápulas	Tem forma de diamante. Elevação escapular, abdução e rotação ascendente
Romboides	Vértebras torácicas T1-T5 e cervical C7	Borda medial da escápula	Abduz e estabiliza a escápula
FLEXÃO LATERAL DA COLUNA			
Oblíquos externos (1)	Frente das costelas 5-12	Linha alba e ligamento inguinal	Flexão da coluna, compressão do abdome, inclinação lateral, rotação contralateral
Oblíquos internos	Crista ilíaca, ligamento inguinal e fáscia toracolombar	8 costelas inferiores	Flexão da coluna, compressão do abdome, inclinação lateral, rotação
Quadrado lombar (4)	Crista ilíaca	12ª costela e processo transverso das vértebras lombares	Inclinação lateral da coluna lombar, elevação da pelve
Eretor da coluna	Crista ilíaca, sacro	Osso occipital	Extensão e inclinação lateral da coluna espinal
Semiespinal	Processos das vértebras torácicas e cervicais	Osso occipital	Situado debaixo do trapézio. Extensão da coluna superior
Grupo espinal posterior profundo	Sacro	Áxis	Situados nos processos das vértebras. Estabilizam e movem as vértebras
Reto abdominal (2)	Sínfise pubiana	Cartilagem das costelas 5-7, processo xifoide	Abaixa as costelas, flexiona a coluna lombar
Iliopsoas	T12 e vértebras lombares, fossa ilíaca	Fêmur – trocanter menor	Flexiona o quadril e a coluna espinal
ROTAÇÃO DA COLUNA			
Oblíquos externos (1)	Frente das costelas 5-12	Linha alba e ligamento inguinal	Flexão da coluna, compressão do abdome, inclinação lateral, rotação contralateral
Oblíquos internos	Crista ilíaca, ligamento inguinal e fáscia toracolombar	8 costelas inferiores	Flexão da coluna, compressão do abdome, inclinação lateral, rotação
Eretor da coluna (longuíssimo, iliocostal)	Crista ilíaca, sacro	Osso occipital	Extensão e inclinação lateral da coluna espinal
Semiespinal	Processos das vértebras torácicas e cervicais	Osso occipital	Situado debaixo do trapézio. Extensão da coluna superior
Grupo posterior profundo (rotadores, multifidos)	Sacro	Áxis	Situados nos processos das vértebras. Estabilizam e movem as vértebras
MÚSCULOS DO ASSOALHO PÉLVICO			
Músculo levantador do ânus	Superfície posterior do púbis, superfície interior da espinha do ísquio, fáscia do obturador	Dois últimos segmentos do cóccix, lateral do reto, centro do períneo	Sustenta as vísceras na cavidade pélvica, parte do diafragma pélvico
Músculo coccígeo	Espinha do ísquio	Margem do cóccix, parte inferior do sacro	Parte do diafragma pélvico

Músculos do tronco superior, do pescoço e da cabeça

Uma série de grupos musculares opostos estão envolvidos na inalação e na exalação, e eles trabalham com mais eficiência na presença de uma boa postura da parte superior do corpo, com as escápulas delicadamente puxadas para baixo em vez de curvadas para cima, e a cabeça e o pescoço alinhados com a coluna para manter as vias aéreas desimpedidas.

As escápulas deslizam sobre a caixa torácica e estão ligadas à coluna e à clavícula apenas por músculos. Qualquer rigidez ou tensão nesses músculos pode retirar a coluna torácica e a cervical do seu alinhamento correto, e um dos efeitos colaterais disso seria tornar a respiração menos eficaz. É por esse motivo que puxar as escápulas para baixo durante os exercícios é uma das primeiras lições que você aprende em Pilates depois que aprende a ativar os músculos abdominais.

Em particular, você deve puxar as escápulas para baixo sempre que levantar os braços. Concentre-se em manter uma distância entre as escápulas e os ouvidos.

As instruções dos exercícios frequentemente lhe pedirão para "se alongar até o alto da cabeça". Isso porque é fácil deixar o queixo se projetar para a frente, quer você esteja em pé ou deitado de costas. Para neutralizar isso, corrija o alinhamento postural e leve o queixo ligeiramente para baixo e para trás. Se você estiver deitado de costas, coloque um pequeno travesseiro debaixo da cabeça.

As páginas 42-5 contêm informações detalhadas sobre a mecânica da respiração e alguns exercícios para mostrar como todos os músculos funcionam juntos para criar inalações e exalações completas – exatamente como Joseph Pilates recomendava.

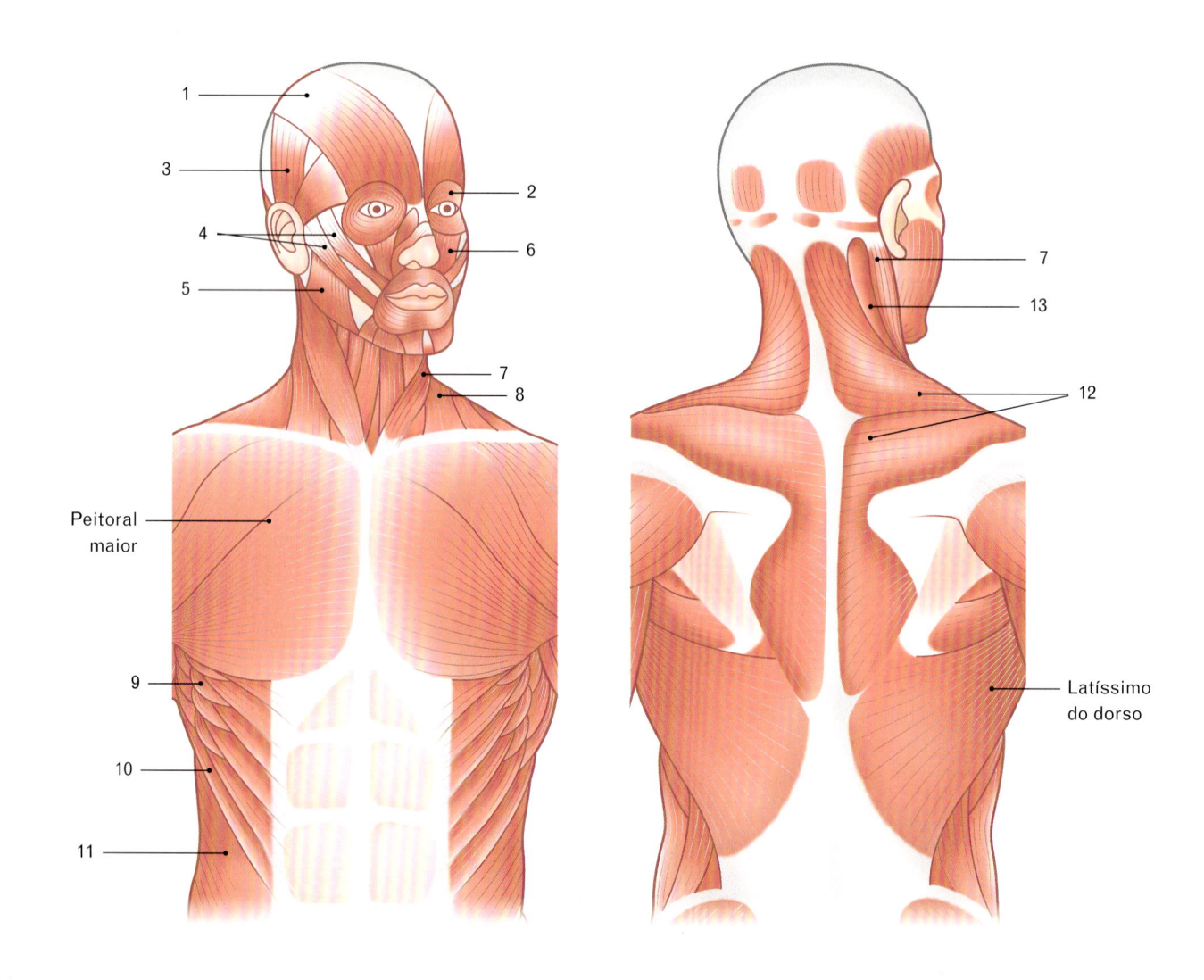

MÚSCULOS DA RESPIRAÇÃO	ORIGEM	INSERÇÃO	AÇÃO
Diafragma	Processo xifoide do esterno, costelas inferiores, vértebras lombares	Tendão central	Eleva as costelas inferiores e superiores, aumentando a largura e a profundidade da caixa torácica
Músculos intercostais (internos e externos) (10)	Borda superior e inferior das costelas	Superfície superior das costelas embaixo	Contraem-se durante a respiração profunda forçada; ajudam a manter a forma da caixa torácica
Músculo serrátil posterior superior e posterior inferior	Nove costelas superiores	Escápula, na frente da borda vertebral	Abduz a escápula, leva o ombro para a frente
Escaleno anterior, médio e posterior (8)	Processo transverso de C3-C7	Superfície superior das 2 primeiras costelas	Erguem o esterno e as 2 primeiras costelas fazendo com que a parte superior da caixa torácica se mova para cima e para fora
Músculo levantador das costelas	Vértebras torácicas	Parte posterior das costelas 1 ou 2 níveis abaixo	Ajuda na rotação da coluna e na elevação das costelas
Transverso do abdome (11)	Crista ilíaca, 6 costelas inferiores	Linha alba e crista ilíaca do púbis	Reduz o diâmetro do abdome, aumenta a curva da coluna lombar
Assoalho pélvico: músculos isquiococcígeo e pubococcígeo	Espinha do ísquio	Margem do cóccix, parte inferior do sacro	Parte do diafragma pélvico

MOVIMENTOS DAS ESCÁPULAS			
Levantador das escápulas (13)	Vértebras cervicais C1-C4	Borda medial superior da escápula	Elevação escapular, rotação descendente
Peitoral menor	Clavícula, esterno	Sulco bicipital do úmero	Flexiona, aduz e gira internamente o braço
Romboide maior e menor	Vértebras torácicas T1-T5 e vértebra cervical C7	Borda medial da escápula	Eleva, aduz e gira as escápulas para baixo
Músculo serrátil anterior (9)	9 cartilagens costais superiores nas costelas	Borda vertebral da escápula	Depressão, abdução e rotação ascendente das escápulas
Trapézio (12)	Osso occipital, vértebras cervicais e torácicas	Clavícula, espinha das escápulas, processo acrômio	Tem a forma de trapézio. Eleva, aduz e gira as escápulas para cima

MOVIMENTOS DA CABEÇA E DO PESCOÇO			
Músculos suboccipitais	Atlas	Osso occipital anterior e posterior	Estendem a cabeça e a giram em direção ao mesmo lado
Músculo longo do pescoço	Processos transversos de C5-T3	Arco anterior do atlas	Flexiona a cabeça e o pescoço
Esternoclidomastoídeo (7)	Esterno, clavícula	Processo mastoide, osso occipital	Eleva o esterno; flexiona e gira a cabeça, e a inclina para o lado
Escaleno anterior, médio e posterior (8)	Processos transversos das vértebras cervicais	Superfície superior das duas primeiras costelas	Flexiona o pescoço, eleva as costelas
Bucinador	Maxila e mandíbula	Maçãs do rosto	Aplana a área da maçã do rosto
Frontal (1)	Tecido conjuntivo no couro cabeludo	Pele da sobrancelha e da ponte do nariz	Eleva as sobrancelhas, enruga a testa
Masseter (6)	Arco zigomático	Superfície lateral da mandíbula	Eleva a mandíbula
Músculo pterigóideo medial e lateral	Aspecto lateral do céu da boca	Superfície medial da mandíbula	Possibilita o movimento lateral, a elevação e a protração da mandíbula
Músculo temporal (3)	Ao longo da têmpora	Processo coronóideo da mandíbula	Eleva a mandíbula
Zigomático maior e menor (4)	Osso zigomático	Ângulo da boca	Eleva o canto da boca (no sorriso)
Orbicular do olho e da boca (2)	Margem medial da órbita	Pele ao redor da pálpebra	Fecha o olho (movimento forte, como ao apertar os olhos)
Parte palpebral	Ligamento palpebral medial	Ligamento palpebral lateral indo para o osso zigomático	Fecha as pálpebras (movimento suave, como ao piscar)
Parte lacrimal	Osso lacrimal	Rafe palpebral lateral	Dilata o saco lacrimal e traz os canais para a superfície do olho (para derramar lágrimas)
Músculo pterigóideo lateral (5)	Osso esfenoide: a cabeça superior vai para a superfície lateral da grande asa; a cabeça inferior vai para a superfície lateral da placa pterigoidea	A cabeça superior vai para a cápsula e o disco da articulação temporomandibular; a cabeça inferior vai para o pescoço da mandíbula	Abre a boca e move a mandíbula de um lado para o outro (como na mastigação)
Músculo pterigóideo medial (5)	Superfície medial da placa pterigoide do osso esfenoide, processo piramidal do osso palatino e tuberosidade da maxila	Superfície medial do ramo e ângulo da mandíbula	Fecha a boca e ajuda no movimento de um lado para o outro do osso da mandíbula (mastigação)
Zigomático menor (4)	Superfície inferior do osso zigomático	Parte lateral do lábio superior	Eleva o lábio superior e forma o sulco nasolabial
Zigomático maior (4)	Superfície lateral superior do osso zigomático	Canto da boca	Eleva o canto da boca (no sorriso)
Orbicular da boca (2)	Músculos e pele dos lábios e área circundante	Pele no canto da boca	Fecha os lábios, pressiona os lábios contra os dentes, ajuda a configuração dos lábios durante a fala

Músculos do ombro, do braço e da mão

A articulação do ombro tem uma amplitude de movimento maior do que qualquer outra articulação do corpo, de modo que, como seria de se esperar, muitos grupos musculares diferentes a sustentam e estabilizam.

O manguito rotador é um grupo de quatro músculos – o subescapular, o supraespinal, o infraespinal e o redondo menor – que trabalham em conjunto para estabilizar o ombro durante o movimento. Eles mantêm firme a cabeça do úmero para ajudar a evitar o deslocamento, com cada músculo trabalhando a partir de um ângulo levemente diferente. Os principais músculos da parte superior das costas também estão envolvidos no movimento do ombro, assim como o tríceps e o bíceps no braço e os músculos peitorais no tórax.

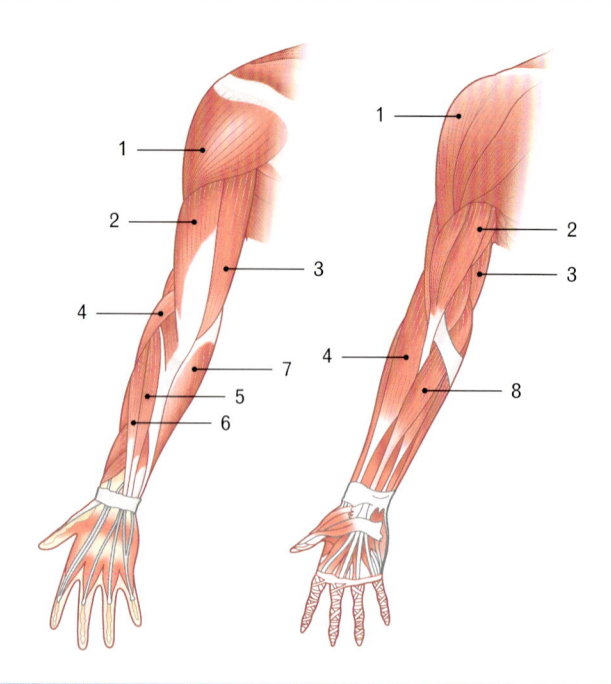

FLEXÃO DO OMBRO	ORIGEM	INSERÇÃO	AÇÃO
Deltoide anterior (1)	Clavícula, espinha da escápula e processo acrômio	Tuberosidade do deltoide no úmero	Flexiona e gira medialmente o ombro
Peitoral maior (clavicular)	Clavícula	Lábio lateral do sulco bicipital no úmero	Flexiona, aduz e gira medialmente o ombro
Músculo coracobraquial	Processo coracóideo na escápula	Meio do úmero	Flexiona o braço
Bíceps braquial (2)	Processos supraglenoide e coracoide na escápula	Ulna proximal	Flexor primário do braço
EXTENSÃO DO OMBRO			
Latíssimo do dorso	Ângulo inferior da escápula, vértebras lombares e torácicas	Sulco bicipital do úmero	Estende, aduz e gira medialmente o ombro
Redondo maior	Ângulo inferior da escápula	Lábio medial do sulco bicipital do úmero	Estende, aduz e gira medialmente o ombro
Peitoral maior (esternal)	Esterno	Lábio lateral do sulco bicipital no úmero	Flexiona, aduz e gira medialmente o ombro
ABDUÇÃO DO OMBRO			
Deltoides anterior e médio (1)	Clavícula, espinha da escápula e processo acrômio	Tuberosidade deltoide no úmero	Flexiona, abduz e gira medialmente o ombro
Músculo supraespinal	Escápula	Úmero e cápsula da articulação do ombro	Abduz e sustenta o ombro
Peitoral maior (clavicular)	Clavícula	Lábio lateral do sulco bicipital no úmero	Flexiona, aduz e gira medialmente o ombro
Bíceps braquial (2)	Processos supraglenoide e coracoide na escápula	Ulna proximal	Flexor primário do braço
ADUÇÃO DO OMBRO			
Peitoral maior	Esterno, clavícula	Lábio lateral do sulco bicipital no úmero	Flexiona, aduz e gira medialmente o ombro
Latíssimo do dorso	Ângulo inferior da escápula, vértebras lombares e torácicas	Sulco bicipital do úmero	Estende, aduz e gira medialmente o ombro
Deltoides posterior e anterior (1)	Clavícula, espinha da escápula e processo acrômio	Tuberosidade deltoide no úmero	Flexiona, gira lateral e medialmente o ombro
Redondo maior	Ângulo inferior da escápula	Lábio medial do sulco bicipital do úmero	Estende, aduz e gira medialmente o ombro
Músculo coracobraquial	Processo coracoide na escápula	Meio do úmero	Flexiona o braço
Bíceps braquial (2)	Processos supraglenoide e coracoide na escápula	Ulna proximal	Flexor primário do braço
Tríceps braquial (3)	Cabeça medial e lateral do úmero, cabeça longa da escápula	Ulna	Extensor primário do braço

ROTAÇÃO EXTERNA DO OMBRO	ORIGEM	INSERÇÃO	AÇÃO
Músculo infraespinal	Escápula	Úmero e cápsula da articulação do ombro	Gira lateralmente o ombro
Redondo menor	Escápula	Úmero e cápsula da articulação do ombro	Estende, aduz e gira o ombro
Deltoide posterior (2)	Clavícula, espinha da escápula e processo acrômio	Tuberosidade deltoide no úmero	Estende e gira lateralmente o braço
ROTAÇÃO INTERNA DO OMBRO			
Músculo subescapular	Escápula	Úmero e cápsula da articulação do ombro	Gira medialmente o ombro
Redondo maior	Ângulo inferior da escápula	Lábio medial do sulco occipital do úmero	Estende, aduz e gira medialmente o ombro
Deltoide anterior (1)	Clavícula, espinha da escápula e processo acrômio	Tuberosidade deltoide no úmero	Flexiona e gira medialmente o ombro
Peitoral maior	Esterno, clavícula	Lábio lateral do sulco bicipital no úmero	Flexiona, aduz e gira medialmente o ombro
Latíssimo do dorso	Ângulo inferior da escápula, vértebras lombares e torácicas	Sulco bicipital do úmero	Estende, aduz e gira medialmente o ombro
ABDUÇÃO HORIZONTAL DO OMBRO			
Músculo infraespinal	Escápula	Úmero e cápsula da articulação do ombro	Gira lateralmente o ombro
Redondo menor e maior	Ângulo inferior da escápula	Lábio medial do sulco bicipital do úmero	Estende, aduz e gira medialmente o ombro
Deltoides posterior e médio (1)	Clavícula, espinha da escápula e processo acrômio	Tuberosidade deltoide no úmero	Estende, abduz e gira lateralmente o ombro
Latíssimo do dorso	Ângulo inferior da escápula, vértebras lombares e torácicas	Sulco bicipital do úmero	Estende, aduz e gira medialmente o ombro
ADUÇÃO HORIZONTAL DO OMBRO			
Peitoral maior	Esterno, clavícula	Lábio lateral do sulco bicipital no úmero	Flexiona, aduz e gira medialmente o ombro
Deltoide anterior (1)	Clavícula, espinha da escápula e processo acrômio	Tuberosidade deltoide no úmero	Flexiona e gira medialmente o ombro
Músculo coracobraquial	Processo coracoide na escápula	Meio do úmero	Flexiona o braço
Bíceps braquial (2)	Processos supraglenoide e coracoide na escápula	Ulna proximal	Flexor primário do braço
FLEXÃO DO COTOVELO			
Bíceps braquial (2)	Processos supraglenoide e coracoide na escápula	Ulna proximal	Flexor primário do braço
Músculo braquial	Úmero anterior (cruza o cotovelo)	Ulna proximal	Flexiona o antebraço
Músculo braquirradial (4)	Crista condiloide do úmero	Rádio distal	Flexiona o antebraço
Pronador redondo	Acima do epicôndilo medial no úmero	Rádio	Faz a pronação e a flexão do antebraço e da mão
EXTENSÃO DO COTOVELO			
Tríceps braquial (3)	Cabeça medial e lateral do úmero, cabeça longa da escápula	Ulna	Extensor primário do braço
Ancôneo	Epicôndilo lateral do úmero	Processo olecraniano da ulna	Estende o cotovelo
MÚSCULOS DOS PULSOS E DAS MÃOS			
Flexor radial do carpo (5)	Epicôndilo medial do úmero	Base do 3º e 4º ossos do metacarpo	Estende e abduz a palma da mão
Extensor radial do carpo	Epicôndilo lateral do úmero	Base do 2º e 3º ossos do metacarpo	Estende e abduz a palma da mão
Extensor dos dedos	Epicôndilo lateral do úmero	Superfície dorsal das falanges	Estende os dedos
Flexor ulnar do carpo (6)	Epicôndilo medial do úmero e da ulna	Base do 3º e 4º ossos do metacarpo	Flexiona e aduz a palma da mão
Flexor dos dedos (7)	Epicôndilo medial do úmero	2ª falange do úmero e base do distal	Flexiona os dedos e a palma da mão
Palmar longo (8)	Epicôndilo medial do úmero	Aponeurose palmar	Flexiona o pulso
Extensor, flexor e oponente do polegar	Superfície dorsal e anterior do rádio, flexor retináculo da mão	Polegar	Estende, aduz e abduz o polegar

Respiração

Durante os exercícios de Pilates, é importante praticar uma respiração profunda e completa para que os músculos recebam um grande suprimento energizador de oxigênio, enquanto o dióxido de carbono residual é completamente expelido. A maioria das pessoas não usa a sua plena capacidade pulmonar, respirando de uma maneira breve e superficial a partir da parte de cima dos pulmões, e ficam perplexas na sua primeira aula de Pilates quando eu lhes digo que elas precisam reaprender a respirar!

A finalidade da respiração é proporcionar o oxigênio que as nossas células precisam para funcionar. Uma reação metabólica básica ocorre nas células, por meio da qual a glicose (um açúcar simples derivado dos alimentos) se combina com o oxigênio (dos pulmões) para produzir energia acrescida de dióxido de carbono e água. Precisamos de uma quantidade básica de energia quando estamos em repouso e de uma energia adicional durante o exercício ou uma atividade vigorosa. O volume de ar que entra nos pulmões a cada respiração (o volume "tidal") pode variar de 0,5 litros em repouso a 4,5 litros durante exercícios pesados.

O ar é inalado para a traqueia e desce por dois tubos chamados brônquios, um dos quais segue em direção ao pulmão esquerdo (menor) e outro para o pulmão direito (maior). Dentro dos pulmões, bronquíolos cada vez mais estreitos conduzem a minúsculos sacos chamados alvéolos, que estão cobertos numa rede de capilares. Aqui, gases são trocados através das paredes celulares. As células vermelhas do sangue nos capilares ficam saturadas de oxigênio, enquanto o dióxido de carbono é transferido de volta para os alvéolos para ser exalado.

A respiração e o estresse

A respiração é controlada por dois nervos. Um deles se origina no alto da coluna vertebral, enquanto o outro está ligado ao sistema digestório, à laringe e ao coração. Quando respiramos de uma maneira rápida e superficial, como muitos de nós temos a tendência de fazer quando estamos estressados, podemos sentir náusea, palpitações e ficar com a boca seca. Mudar o seu padrão respiratório para uma respiração lenta e profunda pode aliviar os sintomas do estresse e fazer com que você rapidamente se sinta melhor.

Respiração completa e profunda
O estilo de respiração que ensinamos em Pilates pode ajudar a melhorar o desempenho de cantores, atores, palestrantes e esportistas.

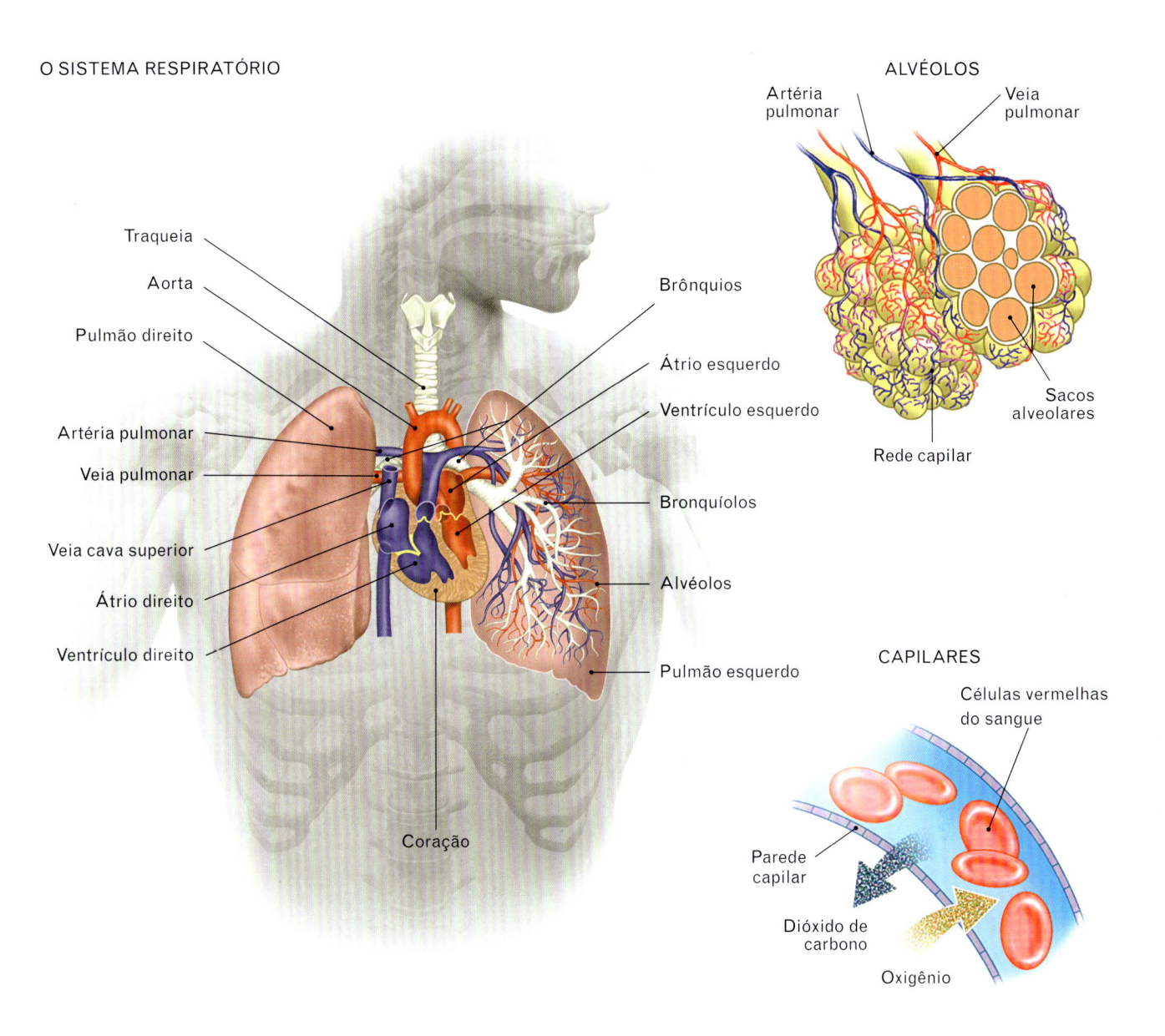

O SISTEMA RESPIRATÓRIO

- Traqueia
- Aorta
- Pulmão direito
- Artéria pulmonar
- Veia pulmonar
- Veia cava superior
- Átrio direito
- Ventrículo direito
- Coração
- Brônquios
- Átrio esquerdo
- Ventrículo esquerdo
- Bronquíolos
- Alvéolos
- Pulmão esquerdo

ALVÉOLOS

- Artéria pulmonar
- Veia pulmonar
- Sacos alveolares
- Rede capilar

CAPILARES

- Células vermelhas do sangue
- Parede capilar
- Dióxido de carbono
- Oxigênio

    O sangue oxigenado passa através das veias pulmonares e se dirige para o lado esquerdo do coração, de onde é bombeado para a aorta. A partir da aorta, o sangue viaja para as artérias e para os capilares abastecendo cada tecido do corpo, inclusive a pele, os órgãos internos e os músculos. Quando o sangue passa através dos capilares mais estreitos, as suas células vermelhas liberam oxigênio e captam o dióxido de carbono residual, enquanto os nutrientes, inclusive a glicose, são transferidos, através das paredes celulares, para onde são necessários.

    Numerosas reações ocorrem dentro das células, durante as quais a glicose e o oxigênio se combinam para fornecer energia, e o dióxido de carbono residual e a água são captados pelo sangue. O dióxido de carbono se desloca pelo lado direito do coração em direção à artéria pulmonar e depois para os alvéolos, de onde ele pode ser expelido. O excesso de água é excretado por meio dos rins.

    Quando soltamos o ar, a laringe nos permite fazer sons. A laringe é formada por vários pedaços de cartilagem revestidos com membrana mucosa. Dentro dela, há duas lâminas fibrosas de tecido conhecidas como cordas vocais, que vibram para produzir som quando o ar dos pulmões passa através delas. Esses sons são modificados pela língua, pela boca e pelos lábios para formar a fala. Agregada à cartilagem da tireoide, no topo de laringe, situa-se a epiglote, uma aba que se fecha sobre a laringe quando engolimos, para evitar que os alimentos, a saliva ou as bebidas passem para a traqueia.

A respiração no Pilates

De acordo com Joseph Pilates, "a respiração preguiçosa transforma os pulmões [...]. num cemitério para a deposição de germes doentes, agonizantes e mortos", enquanto as inalações e exalações plenas ajudam a purificar o sangue, reduzem o esforço sobre o coração e "espremem cada átomo de ar impuro para fora dos pulmões". Durante a prática de Pilates, respiramos plenamente por meio da respiração intercostal ou lateral. Esses tipos de respiração se concentram na expansão lateral da caixa torácica ao mesmo tempo que mantêm ativos os músculos abdominais, em contraste com a respiração diafragmática na qual os músculos abdominais estão relaxados e o abdome se expande para fora.

A postura correta é essencial para que os pulmões possam se expandir plenamente. Se os ombros estiverem caídos para a frente ou o queixo inclinado para trás, as vias aéreas não poderão se abrir completamente e os músculos intercostais que controlam a respiração não poderão se alongar plenamente. Quando você inspira, as suas costelas se expandem para fora e para trás, e os seus músculos abdominais se alongam. Os seus ombros não devem subir, e não deve haver tensão no seu pescoço, já que as duas coisas são sinais de que você só está respirando a partir da parte superior dos pulmões.

Quando você solta o ar, os músculos abdominais se encurtam, puxando as costelas para baixo. Se esse movimento não for controlado, a coluna se curva para a frente e as costelas caem na direção do estômago. As costelas superiores, ligadas à coluna e ao esterno, devem girar ligeiramente durante a expiração, enquanto as costelas inferiores se movem para o centro e tornam o peito mais estreito de um lado ao outro e de trás para a frente.

A respiração correta ajuda o exercício. De um modo geral, você vai expirar enquanto faz alguma coisa que contrai o corpo e inspirar enquanto se endireita de novo ou volta ao centro, mas diferentes exercícios se ajustarão a diferentes padrões de respiração. Você frequentemente será instruído a expirar quando for necessário ativar o transverso do abdome. Inspirar pelo nariz e expirar pela boca é a melhor maneira de encher e esvaziar eficientemente os pulmões.

Respiração controlada Concentrar-se na respiração ajuda os iniciantes a relaxar e a assimilar o ritmo do Pilates.

Estilos de respiração

A respiração do método Pilates é diferente do estilo diafragmático que você talvez aprenda como cantor ou intérprete, o qual é projetado para produzir um grande volume de som. O abdome se expande e se contrai para adicionar força ao diafragma enquanto expulsa o ar. Os praticantes de yoga têm uma gama de estilos de respiração controlada que eles usam em diferentes tipos de exercício. Eles usam a respiração para ajudar o movimento de uma maneira bem diferente do que fazemos no Pilates. No entanto, se você estiver vindo fazer Pilates depois de ter aprendido um pouco de yoga, terá a vantagem de já ter aprendido a respirar de uma maneira controlada.

INSPIRAÇÃO
- a caixa torácica se expande para fora e para trás
- o diafragma se desloca para cima

EXPIRAÇÃO
- os músculos abdominais se contraem e puxam a caixa torácica para baixo
- o diafragma se desloca para baixo

Respiração no Pilates Você expande os pulmões até a capacidade máxima enquanto mantém a coluna e a postura alinhadas.

Aprendendo a respirar

Existem vários exercícios simples destinados a fortalecer os músculos da respiração, os quais serão especialmente benéficos para os clientes com problemas respiratórios como asma ou enfisema, ou com problemas de postura na parte superior do corpo, como cifose, mas você poderá usar esses exercícios com qualquer pessoa que tenha dificuldade em assimilar os princípios da respiração lateral.

Você terá que variar a duração das inalações e exalações durante os exercícios de Pilates para que elas coincidam com os movimentos, de modo que é uma boa ideia praticar a respiração sempre que você tiver um momento livre. Inspire pelo nariz enquanto conta até 4, 6, 8 ou 10, e depois expire pela boca por uma contagem levemente maior. Algumas pessoas sopram suavemente durante a expiração, o que é aceitável. Quanto mais cedo esse padrão respiratório se tornar quase instintivo, mais cedo você será capaz de se concentrar exclusivamente nos movimentos musculares requeridos pelo exercício.

Respiração lateral num lenço de pescoço

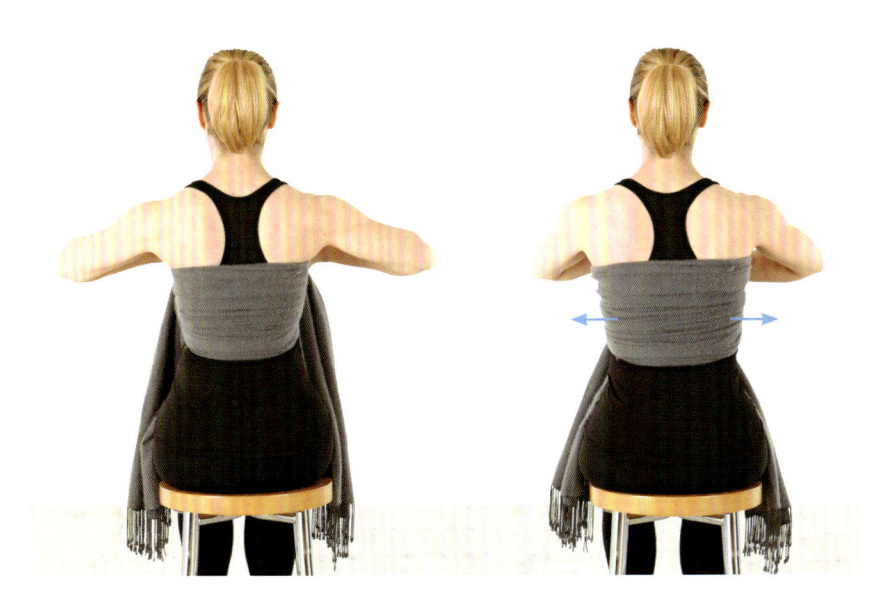

1. Sente-se ereto numa cadeira ou banco, de preferência de frente para um espelho. Enrole um lenço em volta da parte de cima das costas, logo abaixo dos braços até as costelas inferiores, e puxe as pontas com força, com os cotovelos dobrados e apontando para fora e para o lado. Inspire pelo nariz e sinta as costelas empurrarem o lenço para fora. Certifique-se de que os seus ombros não estão se levantando.

2. Expire pela boca enquanto aperta delicadamente o lenço e sinta as costelas movendo-se para dentro de uma maneira lenta e controlada. Repita 10 vezes o exercício, tomando cuidado para se concentrar na sensação de abrir o peito. Sinta os movimentos dos músculos da respiração.

Respirando nas costas

1. Sente-se numa cadeira ou banco na frente de um espelho. Inspire pelo nariz e tente dirigir o ar para as costas. Não olhe para baixo e nem deixe os ombros se curvarem para a frente. Imagine que os músculos intercostais subutilizados entre as costelas estão se alongando para fora. Conte até cinco.

2. Expire pela boca enquanto conta até 8 ou 9. Repita 10 vezes o exercício, de uma maneira lenta e uniforme.

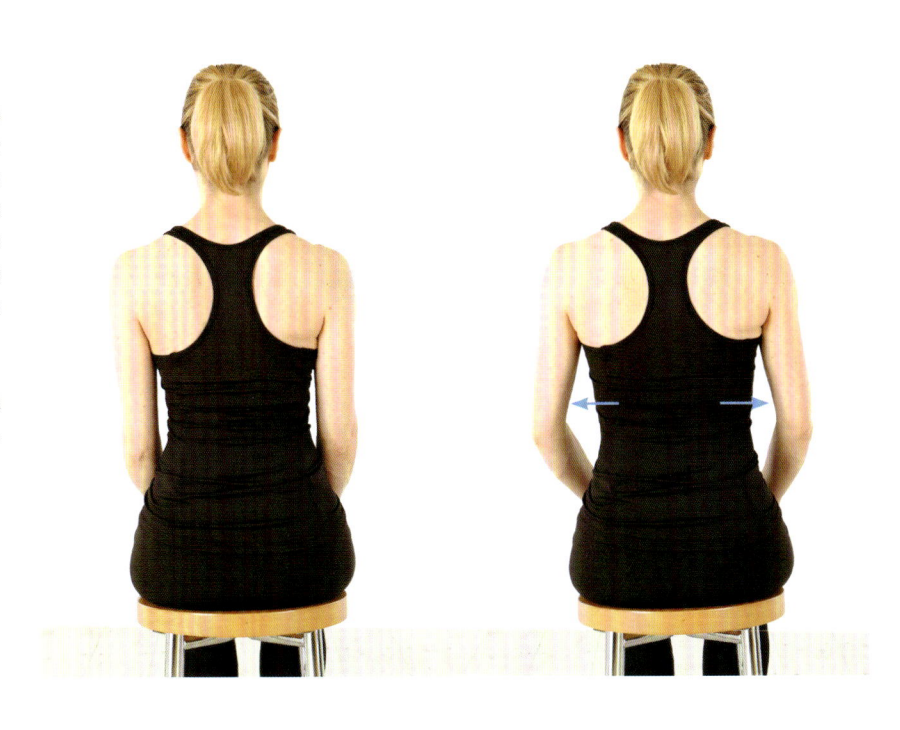

Postura

No estúdio de Pilates, faz sentido tratar dos problemas de postura antes de fazer qualquer outra coisa, porque se os músculos estiverem desequilibrados ou fora do lugar, não estarão fazendo aquilo que foram projetados para fazer, o que poderá causar, com o tempo, lesões na coluna torácica e lombar.

As doenças, problemas congênitos ou o trauma depois de um acidente podem causar dor nas costas e problemas nas articulações, porém a causa mais comum no Ocidente é a má postura. Os maus hábitos posturais frequentemente começam cedo na vida, quando os ossos ainda estão em crescimento. Algumas crianças começam a se inclinar para a frente porque são mais altas do que os colegas; elas podem se acostumar a carregar a mochila ou pasta escolar de um lado, e não do outro, e algumas desenvolvem um estilo de vida sedentário numa tenra idade e nunca adquirem o hábito de se exercitar regularmente.

Nos adultos, os problemas de postura podem estar relacionados com a profissão. Aqueles que fazem muito trabalho de escritório ou trabalham no computador podem ficar com o pescoço e os ombros rígidos e se tornar propensos à contrair cifose (ver p. 49); os telefonistas, dentistas e qualquer pessoa cuja ocupação requeira que usem mais um lado do corpo do que o outro constatarão que os músculos do lado menos usado estão ficando mais retesados e mais curtos; as pessoas que carregam muito peso no trabalho precisam ter estabilidade no centro de força a fim de evitar lesões na região lombar. (Ver pp. 52-3 para conselhos sobre a postura no trabalho.)

As causas da dor aguda nas costas não precisam ser extremas. Às vezes, uma simples torção durante o uso de um carrinho de supermercado pode precipitar uma crise, enquanto a causa do problema envolvia anos de postura incorreta enquanto a pessoa dirigia, se sentava de pernas cruzadas, carregava bolsas de uma maneira desajeitada ou simplesmente andava de um lado para o outro com os ombros curvados. O salto alto pode agravar os problemas na região lombar, pois ele inclina as mulheres para a frente, fazendo com que elas tenham a tendência de levar o corpo para trás para manter o equilíbrio, o que obriga a região lombar a se arquear. O excesso de peso, especialmente ao redor da cintura, também causa problemas na região lombar, pois o abdome se projeta para fora e a pelve desenvolve uma inclinação anterior.

Permaneça atento Assumimos uma má postura de vez em quando, mas o Pilates nos ensina a permanecer atentos.

Os pés

Problemas com os pés, ou o uso persistente de sapatos desconfortáveis ou inadequados, causarão problemas de postura com o tempo. Quer você esteja descalço ou vestindo sapatos, o seu peso deve ser equilibrado por meio de um triângulo cujo vértice está na frente do calcanhar aproximadamente alinhado com a articulação do tornozelo e cuja base está situada de um lado ao outro das "almofadas" do pé na frente das articulações dos dedos. Se você usar sapatos folgados demais ou muito cavados sobre o arco do pé, você retesará os músculos dos pés para segurar os sapatos enquanto anda. Se os sapatos comprimirem uma parte dos seus pés, eles obrigarão o seu peso a cair sobre diferentes áreas. O joanete, o dedo em martelo, o pé chato, a fascite plantar, a gota ou a artrite podem fazer com que o seu peso seja transmitido desigualmente para o chão, resultando em efeitos indiretos, como um alinhamento incorreto do joelho, do quadril ou da pelve, bem como problemas associados, mais acima na coluna.

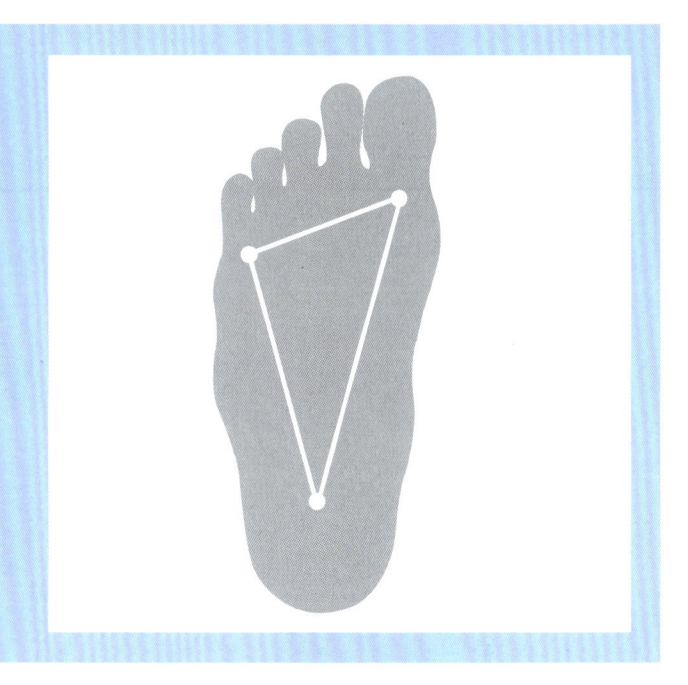

O esporte pode desenvolver um grupo muscular à custa de outro, desalinhando ossos e articulações e fazendo com que você sobrecarregue outros músculos para compensar. Se um grupo muscular se tornar muito mais forte do que outro, ocorrem problemas: os atletas, por exemplo, podem ter um quadríceps muito forte porém tendões da perna extremamente rígidos que puxam a pelve para trás causando dor e inflexibilidade na região lombar.

Até mesmo pequenas lesões podem deflagrar uma reação em cadeia que conduzirá a uma dor crônica se não forem verificadas. Por exemplo, se você torcer o tornozelo e ficar mancando durante algumas semanas, isso poderá alterar a sua postura a longo prazo, já que os músculos se acostumam rapidamente ao seu novo jeito de andar. Quando você desenvolve o início de um distúrbio como a cifose, a lordose ou a escoliose (ver pp. 49-50), os efeitos podem aumentar em ritmo acelerado à medida que o seu corpo tenta se reequilibrar. O segredo para aliviar problemas de postura é enfatizar os exercícios que fortaleçam e alonguem os músculos posturais e se concentrar em manter uma boa postura em todas as ocasiões: quando caminhar, se sentar, carregar peso, no trabalho ou em casa, mantenha os músculos abdominais levemente ativos, a coluna ereta e os membros flexíveis.

Nas pp. 228-230, você encontrará a minha lista de verificação-padrão para avaliar a postura dos meus clientes. Sempre repasso rapidamente essa lista antes de trabalhar com qualquer pessoa, para diagnosticar problemas de postura e assimetrias.

Levantar e carregar peso na frente do corpo pode forçar a coluna. Na p. 53, há conselhos sobre como levantar peso.

OS CONCEITOS BÁSICOS DO PILATES

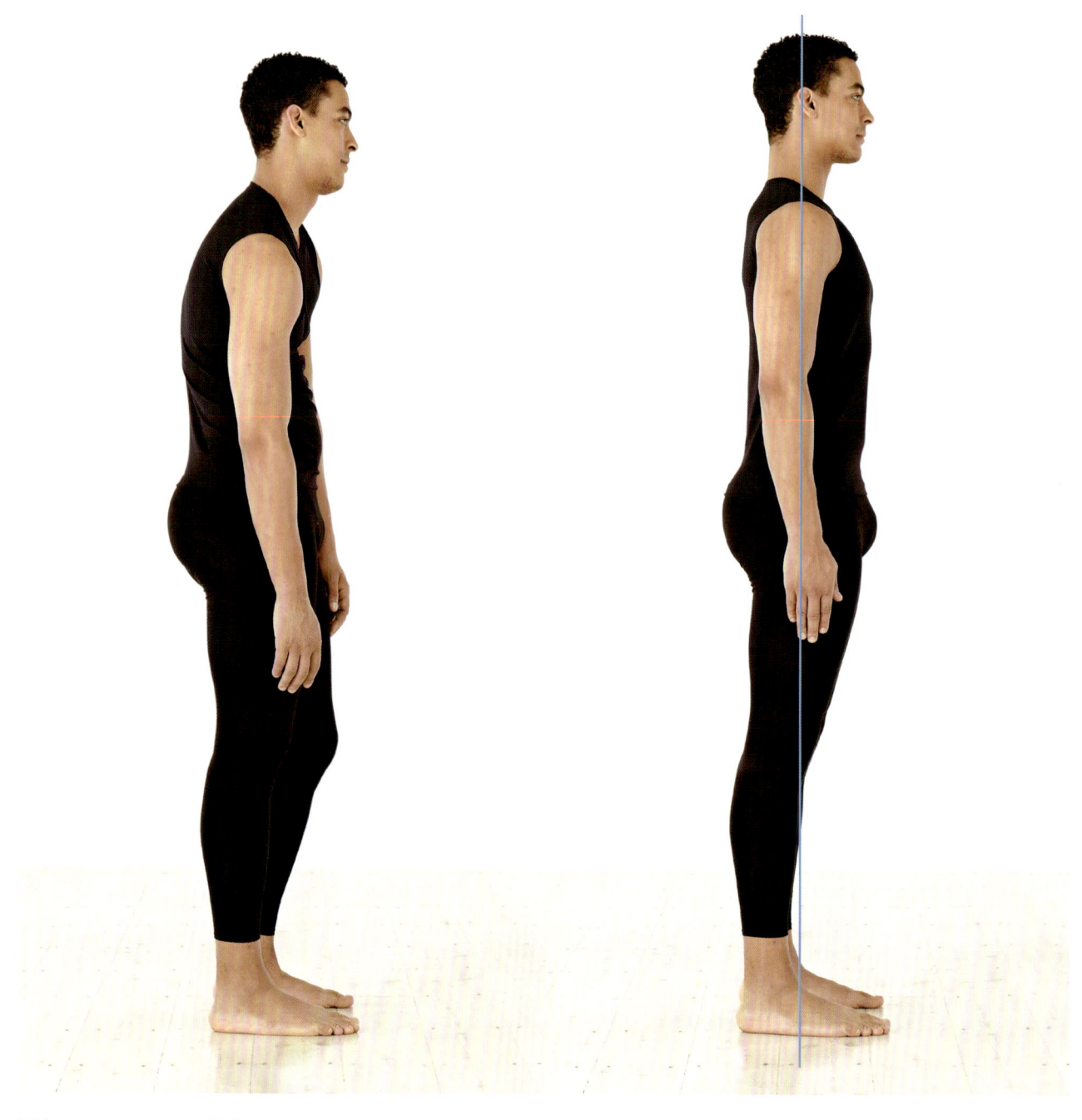

Má postura na posição ereta
A má postura na posição ereta pode causar:
- redução da altura
- músculos abdominais fracos
- tensão no pescoço, causada pela cabeça inclinada
- respiração obstruída, causada por músculos peitorais encurtados, o que por sua vez é causado pela tensão do tronco superior
- não funcionamento uniforme dos tendões da perna e dos glúteos, fazendo com que você se incline sobre um dos quadris.

Postura ereta adequada
Quando a postura ereta é adequada:
- o peito é aberto
- o pescoço é alongado
- a parte superior das costas tem apoio, possibilitando o pleno funcionamento dos pulmões
- a curva natural da coluna lombar é mantida
- os quadris estão alinhados, possibilitando que os músculos abdominais, tendões da perna, glúteos e a parte interna das coxas trabalhem corretamente.

Como tratar problemas comuns de postura

Um problema frequentemente caminha de mãos dadas com outros; o mau alinhamento da coluna, por exemplo, causa desalinhamentos em outros lugares. O segredo é trabalhar no alinhamento correto e no fortalecimento das áreas problemáticas em todas as sessões de Pilates – e também dar conselhos ao cliente sobre como ele deve lidar com o problema na vida diária. Segue-se uma lista dos problemas comuns que causam uma má postura. Você encontrará nas pp. 236-37 uma série de exercícios de postura para iniciantes.

Cifose
A cifose, que é uma curva aumentada na região torácica, é comum à medida que envelhecemos. O peito se fecha, o que faz com que você não consiga fazer uma respiração completa, de modo que os músculos intercostais que ajudam a manter as costelas e a coluna eretas começam a se enrijecer. Depois de algum tempo, os movimentos do braço se tornam restritos à medida que os músculos dos ombros encurtam. Os órgãos internos se deslocam para os lugares errados devido à maneira como você carrega o peso do corpo para a frente. Se você detectar a cifose nos primeiros estágios, você pode melhorar a sua postura trabalhando em aumentar a força dos extensores superiores da coluna. Quando você se deitar no chão, apoie sempre a cabeça e os ombros com um travesseiro.

Lordose
A lordose lombar é uma curva aumentada na região lombar. Aqueles que sofrem desse distúrbio tendem a perder a capacidade de usar com eficácia os músculos abdominais, de modo que a coluna lombar não tem apoio, a pelve se inclina para a frente e os músculos do assoalho pélvico ficam fracos. Você também terá fraqueza nos latíssimos do dorso, nos glúteos, nos tendões da perna e nos adutores. Os efeitos secundários poderão incluir distúrbios digestivos, a necessidade de urinar com frequência devido à pressão na bexiga, ciática, hérnia de disco na coluna lombar e até mesmo o deslocamento de vértebras. Não raro é possível aliviar esse problema comum fortalecendo os músculos abdominais bem como desenvolvendo uma maior flexibilidade nos extensores inferiores da coluna e nos músculos iliopsoas. Quando você se deitar no chão, você deve levantar os pés para apoiar a região lombar.

Também é possível contrair lordose cervical, na qual o queixo se projeta para a frente e o lóbulo da orelha fica na frente de um fio de prumo que passe pela ponta do ombro. A cifose geralmente é a causa, e você deve seguir as recomendações para esse distúrbio (ver acima).

Pernas "sway-back"
Se você tem pernas "sway-back", o seu peso se inclina para trás de maneira que as articulações dos joelhos se estendem além da amplitude normal. As pessoas com esse distúrbio provavelmente o têm também nos cotovelos. É uma boa postura para dançarinos, mas pode causar lordose se não

Cifose

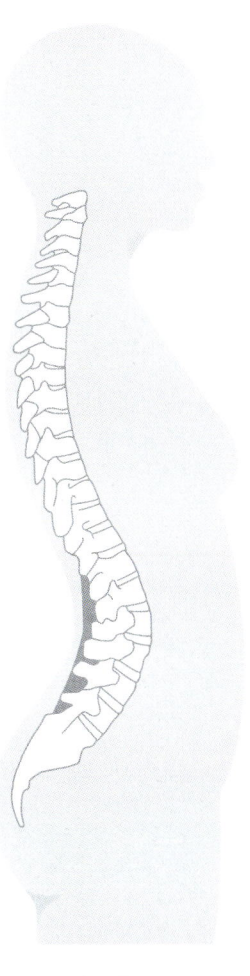

Lordose

for controlada por meio do fortalecimento dos glúteos, dos tendões da perna e dos adutores.

Escoliose

Na escoliose, a coluna se inclina para um dos lados na área torácica ou lombar, assumindo a forma de um "C", ou às vezes de um "S", curvando-se num sentido no tronco superior e, mais embaixo, no outro sentido. Isso faz com que as vértebras individuais girem e se retorçam na direção da curva. A escoliose estrutural é uma curva lateral irreversível com uma rotação fixa das vértebras, que permanece quando nos deitamos e não pode ser corrigida por meio de exercícios ou da modificação da postura. A escoliose não estrutural é menos grave, causando apenas um pequeno grau de curvatura, e desaparece quando você está deitado. A escoliose causa diferentes graus de curvatura. Ela pode resultar de anos de unilateralidade postural, como carregar sempre uma bolsa a tiracolo pesada num único lado, ou pode ter sido causada por uma lesão. Geralmente, você pode corrigir a escoliose não estrutural por meio de exercícios com flexão para a frente ou para o lado, e mudanças de posição na postura deitada. Uma vez que a escoliose é diagnosticada, o cliente deve fazer raios X e pedir uma recomendação médica antes de se exercitar.

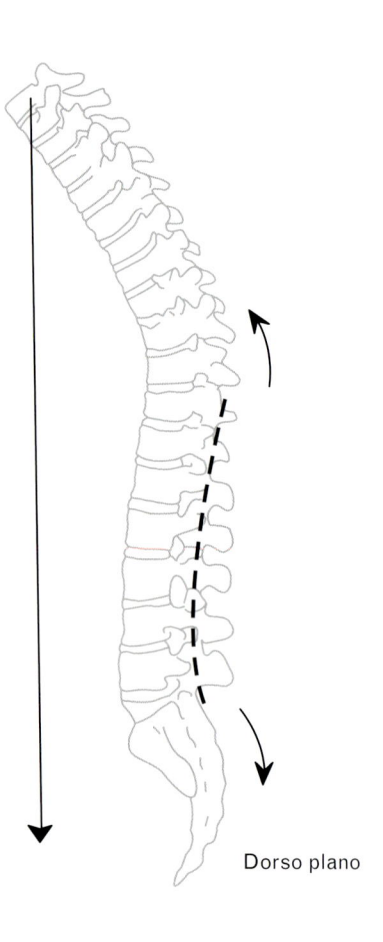

Dorso plano

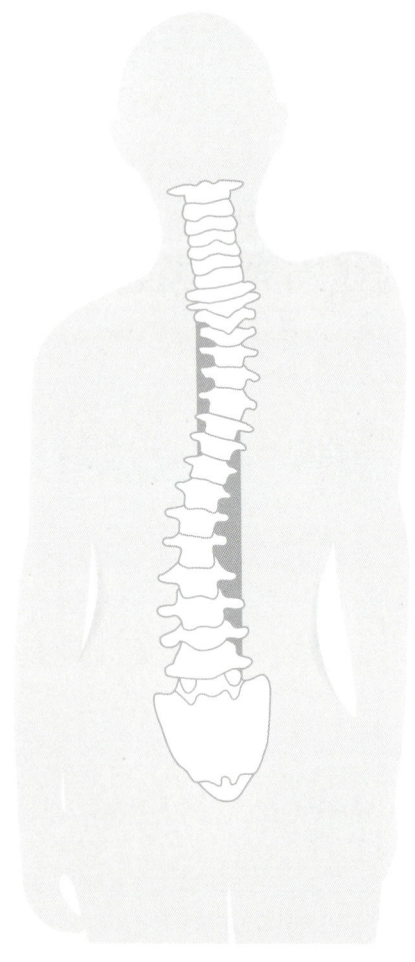

Dorso plano

Trata-se de um distúrbio no qual a curva lombar é achatada e a pelve tem uma inclinação posterior, forçando os músculos dos quadris. Ele tem efeitos indiretos mais acima na coluna, não raro resultando no queixo que é projetado para fora. Os exercícios que estendem a região lombar para trás, fortalecem os flexores dos quadris e alongam os tendões da perna e os glúteos podem ser úteis. Corrija sempre a postura para obter uma coluna neutra antes de começar qualquer exercício.

Comprimento desigual das pernas

Se um cliente tiver um quadril mais alto do que o outro, isso não significa necessariamente que os ossos das pernas tenham tamanhos diferentes. É mais provável que os músculos do quadril dele estejam rígidos ou que os músculos da cintura estejam mais curtos, talvez porque o cliente costume se sentar de pernas cruzadas com o peso equilibrado num dos lados. Concentre-se em todos os exercícios básicos para os membros inferiores, músculos abdominais e a região lombar. Durante o exercício Compressão dos Glúteos (ver p. 72), se uma das nádegas se comprimir com mais força do que a outra, peça ao cliente para se concentrar em começar a compressão pelo lado fraco e só deixar o lado mais forte participar 1 ou 2 segundos depois. Se houver rigidez, use alongamentos apropriados para as áreas rígidas.

Escoliose

Um dos ombros mais alto do que o outro

Este pode ser um sintoma de escoliose, mas com mais frequência é postural, causado pela maneira como as pessoas trabalham (como concentrar mais tensão no lado que você usa o mouse do computador). Quando os clientes tiverem esse problema, você provavelmente constatará que o músculo serrátil anterior deles é fraco, de modo que deve trabalhá-lo pedindo que eles comprimam um travesseiro debaixo do braço (ver p. 122). Faça todo o trabalho do tronco superior, com repetições adicionais no lado mais fraco, mas evite usar pesos enquanto a área não estiver fortalecida.

Peso desigualmente equilibrado nos pés

As pessoas que equilibram o peso excessivamente para a frente nos pés frequentemente têm os dedos virados para baixo como garras, porque elas agarram o chão com os dedos para não cair. Você encontrará com frequência esse problema nas mulheres que usam habitualmente salto alto.

As pessoas que equilibram o peso nos saltos não raro têm os dedos voltados para cima. As que se apoiam na parte externa dos pés terão pernas arqueadas, enquanto as que se inclinam para o lado de dentro têm os joelhos virados para dentro. Se o diagnóstico não ficar inteiramente claro quando você examinar um cliente em pé vestindo meias, dê uma olhada num par de sapatos velhos dele para verificar em que local a sola está mais gasta.

O joanete, o pé chato e muitos outros problemas dos pés podem indicar que a pessoa está equilibrando o peso desigualmente nos pés, destruindo o alinhamento dos joelhos e dos quadris. Ao tratar de clientes que carregam o peso do corpo de uma maneira desigual, concentre-se em corrigir o alinhamento das pernas enquanto eles estiverem se exercitando, puxando-os para uma posição simétrica, mesmo quando esta pareça "errada" para eles. Isso também pode ajudar a fortalecer os músculos dos pés. Recomendo um exercício simples chamado "Arqueamento dos Pés", que é descrito na p. 240.

Como as atividades do dia a dia afetam a coluna

Se você passar muito tempo sentado ou em pé numa posição que force a coluna, os seus músculos com o tempo ficarão mais curtos e farão com que as suas vértebras fiquem desalinhadas. O salto alto não causa problemas apenas para os pés; como você se inclina para a frente sobre os dedos para manter o equilíbrio, você precisa imprimir uma inclinação anterior à pelve, e puxar o tronco superior para trás, provocando um arco acentuado na região lombar que, com o tempo, causará problemas. Se você pratica um esporte como golfe, críquete, hóquei ou tênis, no qual você sempre segura o taco, bastão ou raquete com a mesma mão, os músculos desse lado ficarão mais desenvolvidos a não ser que você faça muitos exercícios para fortalecer o outro lado no mesmo grau. Qualquer unilateralidade habitual pode causar escoliose. Observe todas as coisas que você faz na vida diária – sentar de pernas cruzadas para um lado, ou sempre enrolar os pés debaixo do corpo na mesma direção quando relaxa no sofá – e procure experimentar variações para permanecer simétrico e equilibrado.

Salto alto É aceitável usar salto alto para uma saída à noite, mas quando é usado o dia inteiro, dia após dia, ele pode causar problemas musculoesqueléticos.

Ajustes no estilo de vida

Quando os clientes têm problemas de postura, pode valer a pena repassar as melhores posturas para levantar peso, sentar na mesa de trabalho, dirigir ou usar qualquer equipamento que estimule a unilateralidade, particularmente se eles passarem muito tempo numa única atividade na vida profissional ou no dia a dia.

Se o trabalho deles exigir que eles fiquem muito em pé, eles devem imitar a postura adequada da p. 48 a maior parte do tempo e evitar apoiar o peso num dos quadris. Eles devem distribuir o peso igualmente entre os dois pés na forma triangular (ver o quadro da p. 47). O salto alto é aceitável para breves períodos, mas não deve ser usado durante muito tempo e o melhor é evitá-lo caso haja alguma fraqueza na coluna ou nas articulações. Num mundo ideal, os clientes trocariam de sapato com diferentes alturas de salto ao longo do dia, em vez de usar um único par de sapatos durante longos períodos.

Quando você estiver sentado numa mesa de trabalho, a sua cadeira deve estar numa altura que possibilite que os seus joelhos e quadris se flexionem num ângulo reto e os seus pés fiquem firmemente apoiados no chão. Em outras palavras, a altura da cadeira deve ser igual à distância entre a parte posterior do joelho e a base do calcanhar. A maior parte possível da coxa deve repousar no assento, e as costas devem descansar confortavelmente no espaldar da cadeira. Puxe a cadeira bem para baixo da mesa para que você não tenha que se curvar para a frente para ler papéis ou digitar o teclado de um computador. A altura ideal da mesa é aquela que permite que você dobre os cotovelos em ângulo reto nas laterais e descanse o antebraço na superfície da mesa. Incline a tela do computador para que você possa olhar diretamente para ela em vez de ter que baixar ou elevar o olhar. Se você tiver que ler muitos documentos, uma boa ideia é comprar uma prancheta in-

Má postura sentada
A má postura pode causar:
- Cifose
- Tensão no pescoço
- Peito fechado, o que atrapalhará a respiração
- Músculos abdominais fracos
- Utilização dos braços prejudicada.

Postura sentada adequada
Quando a postura é adequada:
- O peito está aberto
- O pescoço está alongado
- A parte superior das costas tem apoio
- A curva natural da coluna lombar é mantida
- Os músculos abdominais estão ativos.

clinada em vez de curvar a cabeça para ler papéis que estão dispostos sobre a mesa.

Tenho muitos clientes que têm o ombro direito muito rígido devido ao uso do *mouse* do computador, o que (para a maioria de nós que somos destros) requer movimentos motores finos da mão direita (com o mesmo problema ocorrendo no lado esquerdo no caso dos canhotos). Mantenha o antebraço em repouso na mesa enquanto você usa o mouse para que a tensão não seja transmitida para o ombro. Você pode comprar suportes especiais para o pulso a fim de se proteger de problemas no pulso como a lesão por esforço repetitivo, ou para aliviar problemas preexistentes. Faça pausas regulares durante o trabalho no computador e faça alongamentos para liberar qualquer rigidez que você possa sentir (escolha entre os alongamentos das pp. 144-49). Experimente os exercícios mostrados nesta página para fortalecer os pulsos e as costas das mãos.

Se você passa muito tempo ao telefone, prefira um modelo que deixe as suas mãos livres, ou procure segurar o fone em lados alternados. Nunca tente segurar o telefone entre o ombro e o ouvido enquanto faz outra coisa com as mãos, porque isso comprime estruturas vitais do pescoço.

Aqueles cujo trabalho requer que eles levantem peso precisam cuidar bem da coluna lombar. Inclinar-se para a frente e levantar peso com os joelhos travados e as costas estendidas para a frente certamente causará danos mais cedo ou mais tarde, especialmente se você torcer o corpo ao mesmo tempo. É melhor flexionar os joelhos e se abaixar até o nível da carga a ser erguida, e em seguida usar os músculos da perna para empurrar o corpo para cima ao mesmo tempo que mantém a coluna com as suas curvas naturais. Ao carregar sacos pesados, procure equilibrar a carga para ter um peso aproximadamente igual nos dois lados.

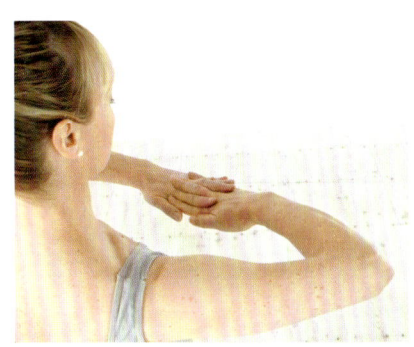

Entrelaçando as mãos
Entrelace as mãos usando uma força de mais ou menos 50%, e depois afaste lentamente os dedos ao mesmo tempo que os aperta para resistir ao movimento.

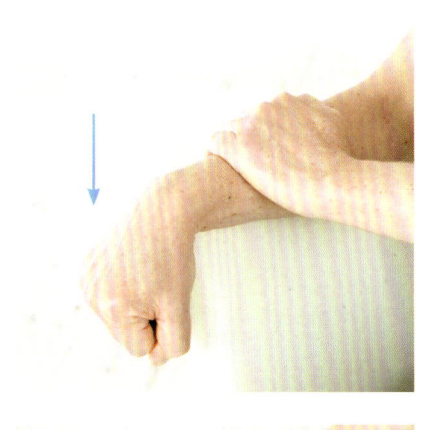

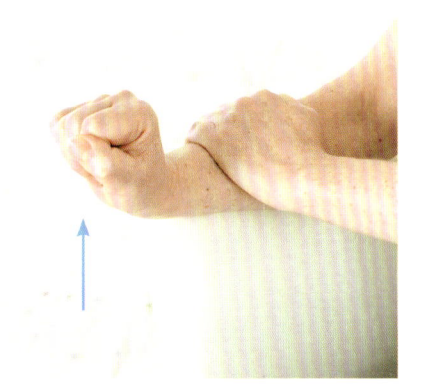

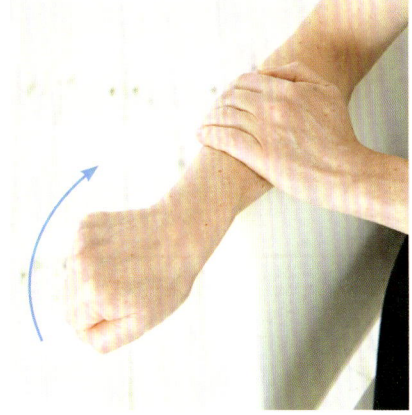

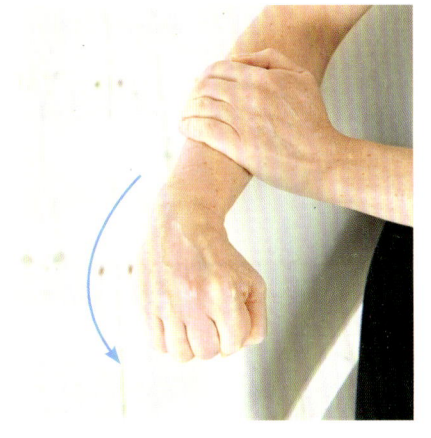

Mobilização do pulso
Feche suavemente a mão e descanse o antebraço no braço de uma cadeira. Mova a mão para cima e para baixo, e de um lado para o outro.

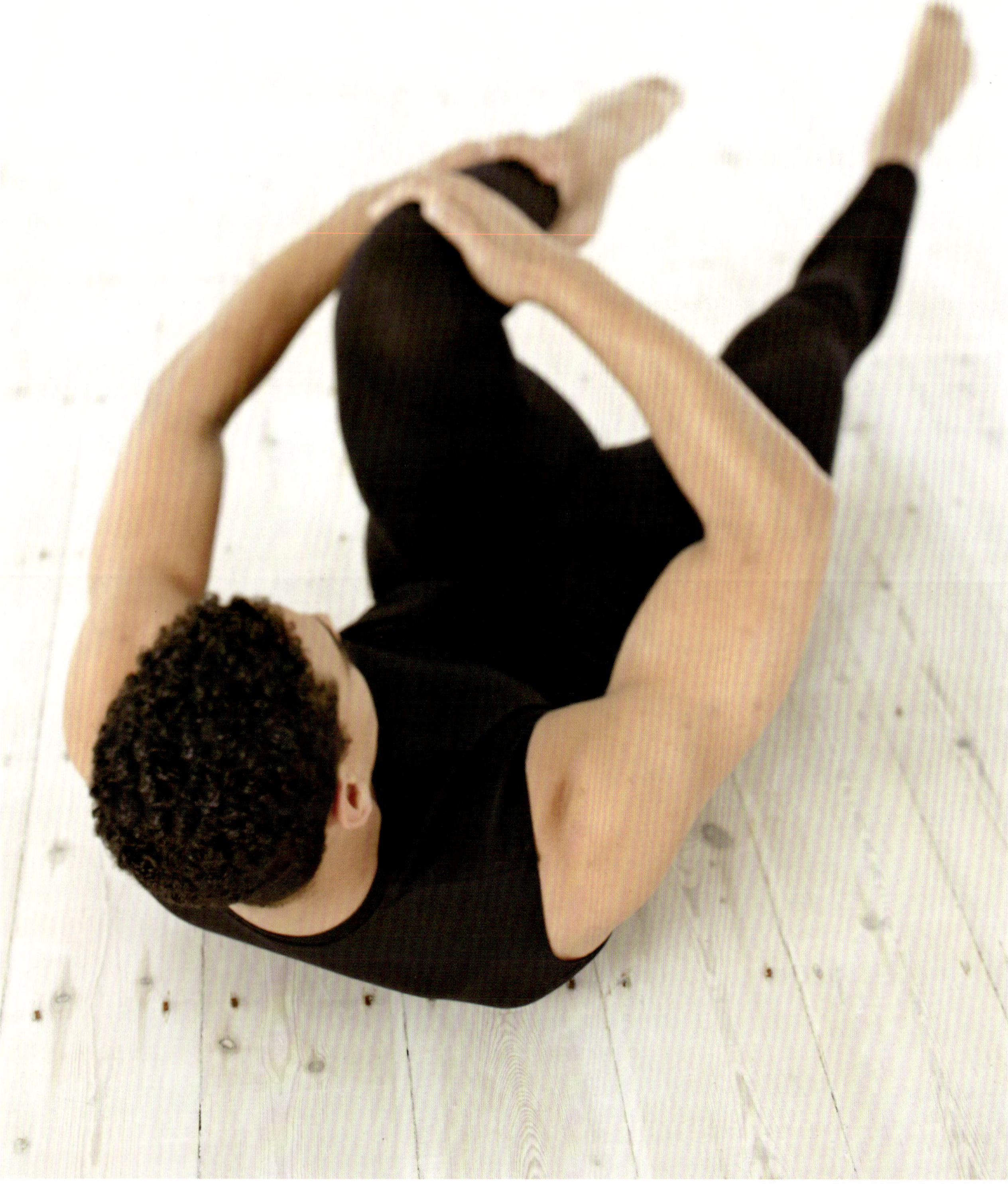

Exercícios Pré-Pilates

Ao longo dos anos, projetei e adaptei uma série de exercícios para introduzir os iniciantes aos CONCEITOS BÁSICOS DO PILATES. Por meio desses movimentos, eles virão a entender como se alinhar em cada uma das posições dos exercícios básicos, como coordenar movimentos simples com a respiração, e o ritmo e a fluidez dos exercícios. Eles aprenderão a isolar e a controlar diferentes grupos musculares como for necessário e criarão memórias musculares que possibilitarão que eles ativem os músculos abdominais, os glúteos, os latíssimos do dorso ou qualquer grupo que possa ser necessário numa situação específica. Sugiro que você aperfeiçoe cada um desses conjuntos de exercícios antes de avançar para os movimentos mais elaborados nos 34 exercícios originais de Pilates (ver pp. 150-219).

Exercícios na posição semissupina	56
Exercícios na posição de bruços	70
Exercícios abdominais na posição semissupina	80
Exercícios com a bola de ginástica	90
Exercícios na posição deitada de lado	96
Exercícios de rotação dos quadris	108
Exercícios na posição de quatro	114
Exercícios para o tronco superior na posição sentada	120
Exercitando-se com halteres de mão	130
Trabalho com as pernas	136
Alongamentos	144

Exercícios na posição semissupina

Você está na posição supina quando está deitado de costas estirado no chão com as pernas estendidas. Em Pilates, usamos o termo "semissupina" para nos referirmos a uma posição na qual nos deitamos de costas com os joelhos flexionados e as solas dos pés apoiadas no chão. É uma posição inicial habitual para muitos exercícios Pré-Pilates.

A posição semissupina é útil para você aprender a controlar os músculos abdominais, porque as curvas naturais da coluna são mantidas e os discos não são comprimidos, como é frequentemente o caso quando você está sentado ou em pé ereto. Você pode ver os músculos abdominais e descansar os dedos sobre eles para sentir a ação deles, e dessa maneira pode aprender a isolá-los e ativá-los sem mexer outras partes do corpo. Quando estou trabalhando com iniciantes, a primeira coisa que eu faço é ensinar a eles a se deitar na posição semissupina e colocar a pelve numa posição neutra. Em seguida, eles respiram um pouco e pensam a respeito da diferença entre a respiração abdominal e a respiração lateral que fazemos durante os exercícios de Pilates. E depois então ativamos os abdominais, que é a preparação para todos os movimentos de Pilates. Nos exercícios Pré-Pilates básicos, sempre lembro aos iniciantes para ativar os músculos abdominais antes do movimento, mas depois que você estiver aprendendo Pilates por algumas semanas, isso deve se tornar quase instintivo. É o que fazemos para estabilizar a pelve e proteger a coluna durante os exercícios, e é uma parte essencial de todo o sistema.

EXERCÍCIOS NA POSIÇÃO SEMISSUPINA **57**

A posição semissupina

Vale a pena passar bastante tempo com um iniciante para ajudá-lo a entender essa posição. Os problemas de postura podem ter causado uma assimetria no corpo dele ou feito com que a pelve se inclinasse. É importante corrigir essas questões posturais para que o iniciante aprenda qual a sensação da posição correta e como assumi-la sozinho antes de começar um exercício.

Ao praticar a posição semissupina, não tente forçar a coluna lombar contra o chão; deixe que a gravidade e o peso dos órgãos coloquem naturalmente a coluna na posição mais confortável, deixando um pequeno espaço entre a coluna lombar e o chão. A pelve deve estar numa posição neutra, com as cristas da EIAS e da EIPS niveladas uma com a outra (ver p. 31). O peso do tronco deve repousar sobre a pelve e a parte posterior das costelas. Imagine que as suas costelas são largas na base e o seu pescoço é longo e está relaxado, com os olhos voltados para o teto. Os braços descansam ao lado do corpo com a palma das mãos voltada para cima ou para baixo, o que quer que lhe pareça mais natural.

Uma vez que você esteja na posição semissupina correta, você pode praticar respirando pelo nariz e soltando o ar pela boca, ativando em seguida os músculos abdominais (ver Abdominais Estáticos na p. 58), que é a preparação para a maioria dos exercícios de Pilates. Certifique-se de manter o alinhamento correto da coluna durante todo o exercício. Não aperte a almofada entre os joelhos, e mantenha o peito e os ombros relaxados no chão. Quando você aprender a isolar os músculos abdominais, não deverá haver nenhuma tensão ou esforço em outras áreas quando você ativá-los. Isso pode parecer simples, mas passe algum tempo dominando a respiração e ativando os músculos abdominais na posição semissupina antes de seguir adiante. A partir deste ponto, quando um exercício pedir para você estabilizar a pelve e ativar os músculos abdominais, você o fará da seguinte maneira.

Deite-se com os joelhos flexionados e as solas dos pés no chão alinhados com as articulações dos quadris. Certifique-se de que os pés estão paralelos, e o peso está equilibrado através do pé numa forma triangular com o vértice na frente do calcanhar e a base ao longo dos dedos dos pés. Você pode colocar um pequeno bloco ou travesseiro para apoiar o pescoço, e uma toalha enrolada entre os joelhos para mantê-los separados na largura dos quadris (aproximadamente 5 a 7 cm). Certifique-se de que a pelve está nivelada e repousando no chão, do cóccix até cada articulação dos quadris, numa posição neutra. Se as cristas da EIAS e da EIPS não estiverem niveladas, ajuste a pelve até que estejam.

Como respirar na posição semissupina Deite-se de costas na posição semissupina com um pequeno bloco debaixo da cabeça e uma toalha enrolada entre os joelhos. Coloque as costas das mãos nas laterais das costelas e inspire lenta e suavemente pelo nariz para dentro da caixa torácica, usando o máximo possível da capacidade dos pulmões. Expanda para fora a caixa torácica e procure não levantar os ombros enquanto inalar. Solte suavemente o ar pela boca, mantendo o rosto relaxado.

Abdominais estáticos Deite-se de costas na posição semissupina com um pequeno bloco debaixo da cabeça e uma toalha enrolada entre os joelhos. Inspire profundamente pelo nariz. Ao expirar pela boca, imagine que os ossos das nádegas, os ossos dos quadris e a costela inferior (a "costela flutuante") estão sendo puxados para a linha central, como se uma grande mão estivesse envolvendo a cintura. Por último, leve delicadamente o umbigo para baixo, sem mover a pelve ou a coluna lombar. Repita 10 vezes, respirando suave e profundamente.

Variações

Se a lombar estiver afastada do chão formando um arco, como acontece quando os clientes têm lordose (ver p. 49), coloque os pés sobre uma caixa ou cadeira ou sobre dois blocos para que a lombar se curve na posição semissupina.

Se você estiver trabalhando num exercício no qual as pernas se mexem, como nos Deslizamentos das Pernas (ver pp. 66-7), e a coluna lombar estiver afastada do chão formando um arco, eleve o tronco superior colocando um travesseiro debaixo da coluna.

Ativando os músculos abdominais

Nos Abdominais Estáticos, você aprende a ativar os músculos abdominais quando está na posição semissupina, mas os mesmos princípios básicos se aplicam independentemente da posição na qual você estiver. Quer você esteja em pé, sentado, ou deitado de bruços ou de lado, você vai imaginar uma grande mão envolvendo a sua cintura, e depois vai contrair o umbigo para ativar os músculos abdominais. (Ver pp. 98 e 118 para obter instruções específicas sobre como ativar os músculos abdominais nas posições deitada de lado e de quatro.) Isso ajuda a ativar o transverso do abdome e evitar que a parede abdominal se projete para fora quando você se mover, o que poderia causar uma inclinação anterior da pelve e o arqueamento da coluna lombar. Todos os exercícios de Pilates requerem alguma ativação dos músculos abdominais para estabilizar o tronco, de modo que mesmo que as instruções não o especifiquem, você deve sempre ativá-los antes do movimento. Manter os músculos abdominais levemente ativos durante a vida diária é uma boa maneira de praticar e tem o benefício adicional de lhe proporcionar um abdome mais plano!

Músculos-alvo

Respirando na Posição Semissupina:

Diafragma; músculos intercostais internos e externos; grupo abdominal; latíssimo do dorso.

Abdominais Estáticos:

Transversos abdominais; músculos do assoalho pélvico; oblíquos internos; oblíquos externos; todos os músculos da respiração.

Inclinações pélvicas (*Pelvic tilts*)

Estes movimentos são chamados de "inclinações", mas na realidade você deve pensar em arquear o cóccix para fora do colchonete (alongando assim a coluna lombar e ativando os músculos abdominais inferiores) quando os estiver executando. Apresento aqui uma versão breve e uma longa para você dominar.

As inclinações pélvicas são boas para desenvolver força, estabilidade e controle nos músculos da pelve e do abdome. A preparação para a versão breve e a longa é a mesma, mas no caso da pequena inclinação pélvica, você arqueia o cóccix levemente para fora do colchonete de modo que se incline na direção do umbigo, e a região lombar permanece em contato com o colchonete. No caso das grandes inclinações pélvicas, você arqueia para cima, até a base das escápulas, de maneira que a região lombar seja erguida do colchonete. Os movimentos devem ser lentos e controlados, e os músculos abdominais devem estar ativos, de modo que você possa descer lentamente de volta para o colchonete.

Vários pontos devem ser observados. Em particular, a parte superior do corpo precisa estar relaxada no chão e a nuca alongada, com o queixo delicadamente inclinado para baixo. Cuidado para que os quadris, joelhos e pés permaneçam alinhados durante todo o exercício e a toalha não seja espremida entre as coxas. Há uma tendência para que a elevação se estenda, mas a coluna precisa permanecer flexionada.

Pare imediatamente se sentir qualquer dor lombar, pois isso significa que os músculos abdominais não estão conseguindo proteger a coluna lombar. Se você tiver quaisquer problemas com os joelhos ou a região lombar, faça apenas a inclinação pequena para começar. A Grande Inclinação Pélvica tem dois níveis. Experimente o Nível 2, que incorpora movimentos do braço, somente depois de ter dominado completamente o Nível 1.

Músculos-alvo

- Flexores da coluna: reto abdominal; oblíquos internos; oblíquos externos.
- Estabilizador anterior da coluna: abdominal transverso.
- Músculos do assoalho pélvico: coccígeo; levantador do ânus.
- Extensores dos quadris: glúteo máximo; tendões da perna (semitendinoso, semimembranoso, bíceps femoral).

Pequena inclinação pélvica

1. Deite-se de costas na posição semissupina com um pequeno bloco debaixo da cabeça e uma toalha enrolada entre os joelhos. Inspire.

2. Ao expirar, ative os músculos abdominais e arqueie o cóccix para cima numa distância da largura de três dedos. Mantenha os ombros flexíveis e não aperte as coxas. Expire ao arquear novamente para baixo. Repita 10 vezes.

INCLINAÇÕES PÉLVICAS (*PELVIC TILTS*) **61**

Grande inclinação pélvica

Nível 1

1. Deite-se de costas na posição semissupina com uma toalha enrolada entre os joelhos. Inspire.

2. Ao expirar, ative os músculos abdominais e arqueie o cóccix para cima. Continue o arqueamento até ficar apoiado nas escápulas. Inspire. Ao expirar, arqueie a coluna para baixo em direção ao chão, controlando o movimento com os músculos da parte anterior do tronco. Repita 10 vezes.

Nível 2

1. Execute os passos 1 e 2 do Nível 1 e, em seguida, levante os braços para o teto com a palma das mãos voltada uma para a outra, mantendo os ombros abaixados.

2. Deixando os braços levantados, expire e arqueie o corpo lentamente para baixo. Volte os braços à posição inicial. Repita 10 vezes.

Relaxamento do tronco superior (*Upper torso release*)

O movimento de um lado para o outro dos braços neste exercício ajuda a soltar e mobilizar escápulas rígidas. Procure manter os antebraços em linha reta durante todo o exercício.

No passo 1, pense em relaxar as escápulas para trás no chão e criar uma forma retangular com os braços. Esse retângulo se deslocará de um lado para o outro, conduzido alternadamente por cada cotovelo. Mantenha a cabeça reta e os olhos voltados para o teto. Quando o seu cotovelo tocar no chão, sinta o alongamento no ombro oposto. Inspire enquanto baixar os braços e expire enquanto subir novamente para o centro. Mantenha os músculos abdominais levemente ativos durante todo o exercício.

No passo 4, quando você estiver fazendo um círculo, os seus antebraços roçarão nas suas orelhas. Continue tentando mantê-los numa linha reta, com a cabeça reta.

Músculos-alvo

- Manguito rotador: supraespinal; infraespinal; redondo menor; subescapular; redondo maior.
- Estabilização escapular: trapézio; latíssimo do dorso; músculo serrátil anterior.
- Movimentos dos braços: peitoral maior; deltoides.

1. Deite-se de costas na posição semissupina com uma toalha enrolada entre os joelhos. Entrelace os antebraços logo acima do esterno e relaxe os ombros no chão.

2. Ao inspirar, baixe o cotovelo direito até o chão na sua lateral, mantendo os antebraços alinhados e puxando o braço esquerdo por sobre o peito.

RELAXAMENTO DO TRONCO SUPERIOR (*UPPER TORSO RELEASE*) **63**

3. Expire ao subir para o centro, e depois inspire enquanto baixa o cotovelo esquerdo até o chão no seu lado esquerdo. Repita 10 vezes os passos 2 e 3.

4. Expire e faça um círculo com os braços sobre a cabeça, ainda com os antebraços entrelaçados.

5. Procure manter a expiração enquanto movimenta os braços, ainda com os antebraços entrelaçados, acima da cabeça, dando a volta e subindo novamente para o centro. Repita 10 vezes os passos 4 e 5, alternando a direção do círculo em cada vez.

Variação

Alguns clientes têm os ombros tão rígidos, que deitar-se de costas e entrelaçar os antebraços como na posição inicial deste exercício é desconfortável para eles. Nesse caso, eles devem segurar um pequeno objeto na frente deles – algo mais ou menos do tamanho de um CD – e fazer o exercício dessa maneira.

O moinho de vento (*The windmill*)

Este é outro exercício muito bom para aliviar a tensão nos ombros e na parte superior das costas, além de ser útil para que você possa aprender a coordenar a respiração e o movimento.

No mundo moderno, no qual passamos longas horas trabalhando no computador, a tensão no pescoço e nos ombros é quase endêmica. A maioria dos clientes que frequentam o meu estúdio tem algum grau de aglomeração no músculo trapézio e, nos casos graves, isso causa neuropatia compressiva, compressão da coluna, dores de cabeça periódicas e ombros tensos e doloridos. A longo prazo, o objetivo é ensinar esses clientes a estabilizar o tronco superior e usar os músculos das costas para os movimentos dos braços em vez de encolher os ombros para cima e trabalhar usando os músculos do pescoço e dos ombros. Mas, no começo, eu os ajudo a liberar um pouco da rigidez na área, e O Moinho de Vento é ideal porque é fácil de assimilar.

Se houver qualquer fraqueza nos músculos do ombro que possa provocar um deslocamento, você deve evitar o Nível 2 do exercício. Para ajudar a aliviar a tensão da parte superior do corpo, você pode colocar uma pequena toalha enrolada sobre o tronco logo abaixo das escápulas – mas não faça isso se você sofrer da síndrome do ombro congelado (capsulite adesiva) ou qualquer tipo de restrição na articulação do ombro. Use uma almofada ou bloco debaixo da cabeça para apoiar a coluna cervical e coloque uma toalha enrolada entre os joelhos para manter o alinhamento pélvico.

Concentre-se na respiração para que as costelas se expandam para fora. Ative os músculos abdominais para ajudar o movimento e evite arquear a região lombar. Não avance para o Nível 2 enquanto não conseguir completar o Nível 1 com uma perfeita coordenação e movimentos suaves e harmoniosos do braço.

Músculos-alvo

- Manguito rotador: supraespinal; infraespinal; redondo menor; subescapular; redondo maior.
- Estabilização escapular: trapézio; latíssimo do dorso; serrátil anterior.
- Movimentos do braço: peitoral maior; deltoides.

Nível 1

1. Deite-se de costas na posição semissupina com um pequeno bloco debaixo da cabeça e uma toalha enrolada entre os joelhos. Estenda os braços para o teto na vertical, com os dedos em ponta. Relaxe os ombros no chão.

2. Ao expirar, baixe o braço esquerdo para a frente no chão ao lado do quadril, e o direito para trás no chão ao lado cabeça.

O MOINHO DE VENTO (*THE WINDMILL*) **65**

3. Inspire enquanto leva os braços à posição inicial, e em seguida repita o movimento com o braço direito indo para a frente e o esquerdo para trás. Repita 10 vezes os passos 2 e 3, expirando para baixá-los e inspirando para levá-los de volta para cima.

Nível 2

1. Depois de concluir o Nível 1, baixe os braços para o chão como no passo 2.

2. Enquanto inspira, mova os braços retos em semicírculos no chão nas suas laterais, em direções opostas, mantendo uma das palmas das mãos para cima e a outra para baixo. Quando os seus braços chegarem à altura do ombro, gire-os de maneira que cada palma esteja virada ao contrário.

3. Continue o movimento circular dos braços, agora expirando. Inspire à medida que traz os braços de volta para a posição inicial, como no passo 1 do Nível 1, com os braços no ar, na vertical, acima dos ombros, e em seguida inverta a direção do movimento. Repita 5 círculos em cada direção.

Deslizamento das pernas (*Leg slides*)

Ao longo de todo este exercício, você estabiliza a coluna lombar e a pelve usando os músculos abdominais inferiores, cujo funcionamento você deverá ser capaz de sentir do começo ao fim do exercício.

Se você deslizar a perna para longe do corpo sem estabilizar a pelve e ativar os músculos abdominais, a pelve se inclinará e as suas costas se arquearão. É crucial que você ative os músculos abdominais antes de iniciar o movimento da perna para manter a área pélvica neutra. Continue ativando os músculos durante todo o exercício e só deslize a perna até onde você conseguir levá-la sem comprometer a posição do tronco inferior. Você sentirá as costas começarem a se arquear no ponto em que não conseguir mais controlar o movimento com os músculos do centro de força e você deve parar um pouco antes que isso aconteça.

Este exercício tem dois níveis principais: o primeiro trabalha apenas com as pernas, e o segundo também com os braços. Você deve dominar com perfeição o primeiro nível antes de introduzir os movimentos dos braços, pois estes são um complemento, e requerem uma coordenação adicional. Assim como no caso do exercício do Moinho de Vento, esses movimentos do braço ajudarão a mobilidade do ombro, mas você deve ficar atento para que a área do esterno permaneça flexível o tempo todo e os ombros não se encolham em nenhum momento.

Pare se sentir qualquer dor ou desconforto na área do ombro. Trabalhe somente dentro da amplitude de movimento adequada à sua capacidade. Aprender a coordenar a respiração com o movimento é fundamental. Lembre-se de expirar quando afastar um membro do centro e inspirar quando o trouxer de volta para o centro. Alternativamente, experimente inverter a respiração para trabalhar os músculos de uma maneira ligeiramente diferente, e também para melhorar o controle da sua respiração.

Nível 1

1. Deite-se de costas na posição semissupina com um pequeno bloco debaixo da cabeça. Inspire.

2. Ao expirar, estabilize a pelve e ative os músculos abdominais, e em seguida deslize uma das pernas para longe, mantendo o pé flexionado. Inspire para trazê-la de volta. Repita 10 vezes o exercício, alternando as pernas.

Nível 2

1. Assuma a posição inicial descrita no passo 1 do Nível 1 e levante o braço direito na direção do teto.

2. Deslize a perna direita para longe de você, como no passo 2 do Nível 1, ao mesmo tempo que baixa o braço em direção ao chão atrás de você. Vá até onde conseguir sem mudar a posição da parte superior das costas. Inspire ao baixar o braço. Repita 5 vezes de cada lado.

Músculos-alvo

- Flexores dos quadris: iliopsoas; reto femoral; sartório; pectíneo; tensor da fáscia lata; músculo grácil.
- Extensores dos quadris: glúteo máximo; tendões da perna (semitendinoso, semimembranoso, bíceps femoral).
- Estabilizadores anteriores da coluna: reto abdominal; oblíquos internos; oblíquos externos; transverso do abdome.

3. Agora, tente fazer o exercício com braços e pernas alternados – quando você afastar a perna direita, levante o braço esquerdo, e vice-versa. Repita 5 vezes em cada diagonal.

A ponte (*The bridge*)

Este exercício tem três níveis a serem completados, os quais fortalecerão progressivamente os músculos que sustentam a coluna vertebral e a pelve. Ele pode parecer semelhante às Inclinações Pélvicas, mas dessa vez não ocorre nenhum arqueamento do cóccix.

Antes de começar, examine rapidamente os fundamentos da posição semissupina, certificando-se de que o peso esteja igualmente distribuído em ambos os pés, e que os pés, os joelhos e os quadris estejam alinhados e a pelve nivelada. No Nível 1, você pode colocar uma toalha enrolada entre as coxas para ajudar a manter o alinhamento dos quadris. Os braços devem estar ao longo do corpo e os ombros relaxados no chão.

Quando você elevar os quadris no Nível 1, pense nos seus joelhos indo para a frente em direção ao centro do pé. Mantenha a cintura alongada e não deixe a coluna se arquear. Ponha as mãos nos quadris e alongue delicadamente a cintura na direção dos pés para manter essa sensação de alongamento na cintura. O pescoço e os ombros devem permanecer flexíveis e relaxados, e você não deve comprimir a toalha que está entre as suas pernas, caso esteja usando uma. O truque é deixar que as pernas e os músculos do centro de força façam todo o trabalho. Quando abaixar os quadris, pense em alongar a coluna e você deverá sentir os tendões da perna trabalhando.

Depois de ter dominado o exercício básico, avance para os Níveis 2 e 3. Faça força com o pé que permanece no chão enquanto levanta a outra perna em direção ao teto. O controle da perna que dá o apoio o ajudará a manter a pelve nivelada. Não deixe o peso da perna que está trabalhando arquear a coluna lombar. Mantenha a altura da pelve quando levantar e abaixar a perna no Nível 3.

Nível 1

1. Deite-se de costas na posição semissupina, coloque as mãos nos quadris e inspire enquanto se prepara para o movimento.

2. Ao expirar, ative os músculos abdominais e levante a coluna lombar do chão como um só bloco, de maneira que os joelhos, quadris e ombros fiquem em linha reta. Use as mãos para alongar a cintura enquanto fizer o levantamento. Inspire e sustente a posição por alguns segundos, depois solte o ar e desça novamente para o chão. Repita 10 vezes.

Nível 2

1. Repita o passo 1, mas com os braços ao longo do corpo, as mãos no chão e palmas das mãos voltadas para baixo.

2. Repita o passo 2, mantendo os braços ao longo do corpo com as palmas das mãos no chão.

A PONTE (*THE BRIDGE*) **69**

3. Inspire e levante uma das pernas em direção ao teto com os dedos do pé em ponta. Empurre o chão com a perna de apoio para se estabilizar.

4. Expire e, mantendo a perna elevada, baixe a coluna até o chão. Agora, baixe o pé até o chão. Repita os movimentos com a outra perna. Repita 10 vezes os passos 2, 3 e 4.

Variação

Depois dos passos 1 e 2, levante a perna direita, mantendo o ângulo reto no joelho e fazendo ponta com os dedos, e depois baixe a perna. Repita 10 vezes com cada perna.

Nível 3

1. Gire a perna para fora e faça ponta com os dedos do pé.

2. Expire e, mantendo a coluna lombar afastada do chão, baixe a perna levantada até onde conseguir sem mudar a posição da coluna e da pelve.

3. Inspire e levante a perna em direção ao teto, mantendo a posição de ponte. Repita 3 vezes os passos 2 e 3. Baixe a perna até o chão e repita os passos 1 a 3 com a outra perna.

Músculos-alvo

- Flexores da coluna: reto abdominal; oblíquos internos e externos.
- Estabilizador anterior da coluna: transverso do abdome.
- Músculos do assoalho pélvico: coccígeo; levantador do ânus.
- Extensores dos quadris: glúteo máximo; tendões da perna (semitendinoso, semimembranoso, bíceps femoral).

Exercícios na posição de bruços

A posição de bruços envolve estar deitado com a cabeça virada para baixo e as pernas retas. A maioria das pessoas precisa do apoio de almofadas ou blocos para manter o alinhamento correto da coluna – e para evitar esmagar o nariz!

A posição de bruços é útil para os exercícios que trabalham os tendões da perna, os glúteos e a parte posterior dos músculos porque possibilita que você se mova livremente sem ter que sustentar o peso do seu corpo. Nesta seção, você deverá aprender a isolar e ativar os principais músculos da parte de trás do tronco e começar a fortalecê-los. É desnecessário dizer que costas fortes são essenciais para proteger a coluna de lesões e manter uma boa postura na vida diária.

A posição de bruços

Vários exercícios Pré-Pilates requerem que você se deite de frente para o chão na posição de bruços, mas, assim como em todas as outras posições do Pilates, o alinhamento correto é fundamental para que os músculos trabalhem de maneira eficiente.

Considero a ocasião em que estou trabalhando com um cliente um bom momento para verificar a simetria do corpo dele. O cliente tem um lado do corpo mais desenvolvido do que o outro? Os tendões da perna e os glúteos têm a mesma forma nos dois lados? Os ossos dos quadris estão nivelados? Caso estejam assimétricos, eu os puxo para uma posição simétrica, para que o cliente possa sentir como eles deveriam estar. Para o cliente, a mudança poderá parecer desigual a princípio, já que ele está acostumado com a assimetria, mas se você continuar a corrigi-lo ao longo de várias sessões, com o tempo o cliente será capaz de corrigir a si mesmo.

Se o cliente achar a posição de bruços difícil ou desconfortável, você precisará encontrar maneiras alternativas de trabalhar os músculos dos tendões da perna, dos glúteos e os latíssimos do dorso. Sugeri alternativas depois de cada exercício na posição de bruços. Atenção ao trabalhar com clientes grávidas ou com aqueles que têm problemas na região lombar.

Deite-se com o rosto voltado para o chão, as pernas paralelas, e os pés e os joelhos separados na largura dos quadris. Flexione os cotovelos, coloque uma das mãos sobre a outra e descanse a testa nas costas da mão mais elevada. Os ombros devem estar abertos, com as escápulas descendo delicadamente na direção da pelve. Certifique-se de que as clavículas estejam abertas e os ombros não estejam caídos para dentro (a menos que esteja usando um pequeno travesseiro debaixo de cada ombro, como, por exemplo, no caso de exercícios como o Nado Modificado – ver p. 73 – e A Flecha – ver pp. 76-7).

Variações

A maioria das pessoas precisa do apoio de algumas almofadas estrategicamente colocadas para manter as curvas naturais da coluna quando estão deitadas de bruços. Recomendo um travesseiro debaixo do abdome inferior e da pelve, para apoiar a coluna lombar, e outro debaixo de cada axila para relaxar os ombros e o tronco superior. Você pode flexionar os cotovelos e descansar a testa nas costas das mãos ou colocar uma almofada firme debaixo do alto da testa e descansar os braços ao longo do corpo. Esse apoio ajuda a manter a nuca alongada até o alto da cabeça, e em linha reta com o corpo.

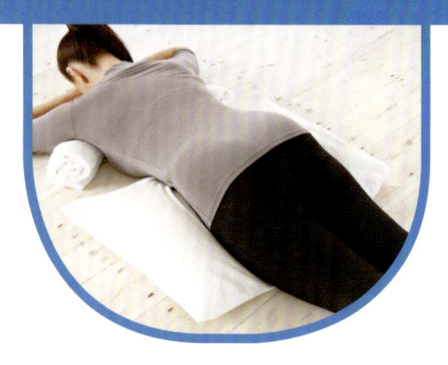

Compressão dos glúteos (*Gluteal squeezes*)

Aprender a isolar e fortalecer os glúteos é fundamental para a boa postura. Usamos esse grupo muscular quando andamos, nos levantamos a partir de uma posição sentada, subimos escadas e durante os mais diferentes tipos de movimentos do dia a dia.

Glúteos fracos tornam difícil levantar os pés do chão quando você anda, fazendo com que você arraste os pés; músculos fortes, por outro lado, mantêm neutros a região lombar, os quadris e a pelve, conferindo também uma forma mais bonita às suas nádegas. O método Pilates é famoso por conferir atraentes bumbuns aos seus entusiastas, e o processo começa aqui!

Se você tiver dificuldade inicialmente em isolar e ativar os músculos glúteos, pratique comprimindo-os quando estiver em pé, o que é mais fácil. Segure-se numa porta ou apoie a mão numa parede, e em seguida gire as pernas para fora de maneira que os seus pés formem um pequeno V. Comprima simultaneamente a parte interna da coxa e os músculos das nádegas sem mover as pernas ou a pelve. Continue a praticar dessa maneira até ser capaz de fazer a mesma coisa na posição deitada.

Os músculos adutores se moverão quando você estiver fazendo a compressão dos glúteos, mas certifique-se de que a ação está vindo dos glúteos e da parte superior dos tendões da perna. É importante que você não retese os quadríceps.

Se você estiver tendo problemas para fazer a compressão dos glúteos com as pernas paralelas, abra as pernas e gire para fora, e depois faça a compressão nessa posição. Esse movimento tem como alvo uma área diferente dos músculos glúteos.

1. Deite-se na posição de bruços com um travesseiro debaixo do abdome inferior e da pelve, e outro debaixo de cada axila. Inspire enquanto se prepara para a compressão.

2. Expire, estabilize a pelve, ative os músculos abdominais e imagine que está comprimindo os ossos das nádegas uns contra os outros. Não deixe as pernas girarem – pense apenas em mover as nádegas delicadamente em direção uma à outra. Relaxe a compressão e repita 10 vezes.

Músculos-alvo

- Músculos glúteos: glúteo máximo: glúteo mínimo; glúteo médio.
- Músculos do assoalho pélvico.

Nado modificado (Modified swimming)

Este exercício é uma preparação para o exercício O Nado de Joseph Pilates (ver pp. 182-83), que faz parte da sequência dos 34 exercícios básicos dele. Os movimentos são semelhantes ao andar e ajudam a fortalecer a área superior das costas e a região lombar.

Não interprete mal o nome, cometendo o erro de pensar que os movimentos deste exercício devem ser como o nado *crawl*, porque eles são muito diferentes. Em particular, você não estende os braços para a frente: é mais um levantamento do que um alongamento. O braço e a perna devem ser erguidos à mesma altura, não mais de 15 cm acima do solo.

Os músculos abdominais são puxados para cima em direção à caixa torácica e os latíssimos do dorso são ativados para estabilizar os ombros, fazendo com que a coluna permaneça alongada. A posição do corpo deve estar ajustada e os músculos abdominais e os latíssimos do dorso devem estar ativos durante todo o exercício. Não ative e solte novamente – mantenha-os ativos. Inspire enquanto levantar os braços e as pernas e expire quando baixá-los.

Qualquer pessoa com problemas na coluna lombar ou no ombro deve lidar com este exercício de forma cautelosa. Se você se apoiou em travesseiros na posição de bruços, o ideal é que você os retire neste exercício, mas se for necessário, você pode manter um travesseiro debaixo do abdome inferior e um apoio para a cabeça debaixo da testa. Se você não conseguir trabalhar na posição de bruços, concentre-se em vez disso nos Exercícios para o Tronco Superior na Posição Sentada (ver pp. 120-29).

1. Deite-se na posição de bruços com um travesseiro debaixo do abdome inferior e da pelve. Estenda os braços ao longo da cabeça, afastados na largura dos ombros, com as palmas voltadas para baixo. Ative os tendões da perna e os glúteos, o que alongará a coluna lombar e dará a sensação de que você está puxando os músculos abdominais para cima, em direção à caixa torácica. Inspire.

2. Ao expirar, puxe delicadamente as escápulas para baixo, e em seguida levante a perna esquerda e o braço direito na mesma altura – pouco acima do chão. Inspire ao baixá-los. Repita 10 vezes, alternando o braço e a perna.

3. Ao expirar, levante os braços e as pernas do chão a uma altura de cerca de três dedos da mão. Sustente a posição, e em seguida baixe, repetindo 5 vezes.

Músculos-alvo

- Extensores e rotadores da coluna: eretor da coluna (espinal, longuíssimo, iliocostal); semiespinal; grupo espinal posterior profundo.
- Extensores dos quadris: glúteo máximo; tendões da perna (semimembranoso, semitendinoso, bíceps femoral).

74 EXERCÍCIOS PRÉ-PILATES: EXERCÍCIOS NA POSIÇÃO DE BRUÇOS

Flexão dos tendões da perna (*Hamstring curls*)

Os exercícios e alongamentos dos tendões da perna devem fazer parte de todo programa que inclua exercícios das pernas para manter em equilíbrio os grupos musculares na frente e na parte posterior das pernas.

Lesões nos tendões da perna são comuns quando os músculos quadríceps estão excessivamente desenvolvidos. Os tendões da perna ficam rígidos, mas não necessariamente fortes, e propensos a sofrer uma distensão. Os tendões da perna também ficam rígidos nas pessoas que têm uma má postura. O uso contínuo do salto alto pode causar problemas, pois esse tipo de salto obriga a pessoa a se inclinar para a frente, fazendo com que a pelve se incline e forçando os tendões da perna quando eles tentam fazer com que você volte à posição correta.

Este exercício no solo pode parecer simples, mas o alinhamento correto é importante para que ele seja o mais eficaz possível. Você pode usar caneleiras (com não mais de 2 kg cada) para intensificar os efeitos. Se você tiver problemas no joelho, coloque uma pequena toalha enrolada debaixo das coxas, logo acima dos joelhos, para que as patelas não sejam pressionadas contra o chão.

Mantenha o movimento de flexão suave e harmonioso, com as coxas paralelas e os pés e joelhos alinhados o tempo todo. A parte da frente dos quadris e das coxas deve estar alongada, e as nádegas devem permanecer imóveis.

Depois de você ter dominado o Nível 1, passe a executar o Nível 2. Quando estiver fazendo isso, pense no cóccix se alongando enquanto você levanta o joelho e usa os músculos abdominais para estabilizar a pelve. Se a pelve se erguer do chão durante esta série, os flexores dos quadris e os quadríceps estão rígidos demais e devem ser alongados antes de você continuar o exercício. Use o Alongamento do Psoas na p. 147 e o Alongamento de um Quadríceps na p. 148.

Aqueles que não conseguem trabalhar na posição de bruços devem fazer flexões dos tendões da perna na posição em pé, com uma das mãos apoiada numa porta ou parede.

Músculos-alvo

- Flexores da perna: tendões da perna.
- Estabilizadores da pelve: glúteo máximo; sóleo; gastrocnêmio.

Nível 1

1. Deite-se de bruços com um travesseiro debaixo do abdome inferior e da pelve, e outro debaixo de cada axila. Você pode usar caneleiras (com não mais de 2 kg cada) para intensificar os efeitos. As suas pernas devem estar paralelas e separadas na largura dos quadris. Faça uma compressão de 50% dos glúteos. Inspire enquanto se prepara.

FLEXÃO DOS TENDÕES DA PERNA (*HAMSTRING CURLS*) **75**

2. Ao expirar, dobre lentamente uma das pernas para cima com o pé flexionado até o joelho formar um ângulo reto e ainda estar alinhado com o quadril.

3. Inspire, faça ponta com o pé e baixe-o novamente ao chão. Faça 10 repetições com cada perna.

Nível 2

Repita os passos 1 e 2 no Nível 1 e depois, quando o seu joelho estiver formando um ângulo reto, erga-o levemente do chão, ainda mantendo o joelho e o pé alinhados com o quadril. Estenda lentamente a perna e leve-a de volta ao chão. Repita 10 vezes.

76 EXERCÍCIOS PRÉ-PILATES: EXERCÍCIOS NA POSIÇÃO DE BRUÇOS

A flecha (*The arrow*)

Os músculos latíssimos do dorso são importantes para estabilizar o tronco superior e as costas, e deslizar as escápulas para baixo ajuda a ativá-los. No entanto, a rigidez no ombro não raro significa que os músculos latíssimos do dorso estão fracos, de modo que vários exercícios Pré-Pilates visam fortalecê-los, entre eles A Flecha.

A coisa mais comum que as pessoas fazem errado no exercício A Flecha é conduzir com a cabeça e tentar levantar alto demais o esterno, o que faz com que as costas se arqueiem. Em vez disso, você deve pensar em fazer um alongamento até o alto da cabeça e em manter a coluna torácica e a cervical alinhadas, com a cabeça elevada acima do apoio para a cabeça numa altura equivalente à largura de três dedos da mão. Erga-se a partir do esterno sem flexionar nem um pouco o pescoço.

Puxe as escápulas para baixo de maneira que elas ativem os latíssimos do dorso e você realmente sinta que eles estão trabalhando. A parte inferior do corpo permanece estável durante todo o exercício, com o cóccix alongado e os músculos abdominais ativos de maneira que a coluna lombar não se arqueie ou encurte.

Se você tiver problemas nas costas, seja na parte superior ou na região lombar, execute cuidadosamente este exercício e pare caso sinta qualquer pontada de dor – mas não o deixe inteiramente de lado. A Flecha é um dos melhores exercícios para fortalecer as costas, já que ele estimula a mobilidade da coluna torácica, ajuda a manter a posição correta das escápulas, possibilita que o trapézio superior e os músculos do pescoço trabalhem, e faz com que os músculos glúteos, abdominais e latíssimos do dorso trabalhem juntos. Entretanto, se você não conseguir trabalhar na posição de bruços, faça uma quantidade maior dos Exercícios para o Tronco Superior na Posição Sentada das pp. 120-29, todos os quais trabalham os latíssimos do dorso.

Depois de dominar o Nível 1 do exercício, vá para o Nível 2, se quiser, embora muitas pessoas prefiram o Nível 1.

NOTA: Se você estiver usando pequenos travesseiros debaixo dos ombros quando está na posição de bruços, você precisará retirá-los para fazer este exercício. Você pode manter um travesseiro debaixo do abdome inferior e um apoio para a cabeça debaixo da testa.

Nível 1

1. Deite-se na posição de bruços com um pequeno bloco debaixo da testa e um travesseiro debaixo do abdome inferior e da pelve. Gire ligeiramente as pernas para fora de maneira que os calcanhares girem para dentro. Ative os tendões da perna e os glúteos, o que alongará a coluna lombar e lhe dará a sensação de estar puxando os músculos abdominais para cima, em direção à caixa torácica.

2. Ao expirar, "flutue" as palmas para cima até que elas estejam mais ou menos niveladas com os quadris, em seguida puxe as escápulas para baixo.

A FLECHA (*THE ARROW*) **77**

Músculos-alvo

- Estabilizadores da escápula: latíssimo do dorso; trapézio, deltoides; romboides.
- Extensores da coluna: eretor da coluna (espinal, longuíssimo, iliocostal); semiespinal; grupo espinal posterior profundo.

3. Levante o esterno afastando-o do chão, alongando a coluna e alinhando a cabeça e o pescoço com a coluna torácica. Sustente a posição por alguns segundos enquanto gira a palma das mãos para fora e estende os dedos na direção dos pés. Inspire e volte à posição inicial. Repita 10 vezes.

Nível 2

1. Repita o Nível 1 e, em vez de voltar à posição inicial no final, inspire e, mantendo as palmas das mãos voltadas para baixo, afaste os braços dos quadris e leve-os na direção dos ombros, colocando o corpo numa posição T.

2. Expire, gire os braços de maneira que as palmas fiquem voltadas para dentro e leve-as para a frente, acima da cabeça, mantendo as escápulas na posição correta. Inspire e leve os braços à posição T, gire-os de maneira que as palmas fiquem voltadas para baixo, e leve-os de volta aos quadris antes de voltar à posição inicial. Repita 10 vezes os passos 1 e 2.

A cobra

Este é um excelente exercício para alongar os músculos abdominais depois de tê-los trabalhado muito. Ele também é útil para a mobilidade da coluna torácica.

Você pode ter a impressão de que está levantando o corpo com os braços, mas isso não é correto. Os músculos latíssimos do dorso devem ser localizados e usados para erguer o tronco superior do chão enquanto você mantém a cabeça, o pescoço e o tronco superior alinhados. Os quadris permanecem colados no chão e você deve pensar em alongar a coluna lombar em vez de pressionar a região lombar para baixo.

Quando você tiver dominado o Nível 1, avance para o Nível 2.

NOTAS: Antes de começar, remova quaisquer travesseiros que você venha usando como apoio na posição de bruços, mas você pode manter um travesseiro fino para descansar a testa, se desejar.

Qualquer pessoa que tenha problemas de disco deve evitar este exercício enquanto sentir dor. Veja o exercício alternativo, o Alongamento das Costas e dos Músculos Abdominais na p. 147.

Músculos-alvo

- Extensores da coluna: eretor da coluna (espinal, longuíssimo, iliocostal); semiespinal; grupo espinal posterior profundo.

Nível 1

1. Deite-se na posição de bruços com os braços estendidos para a frente ao longo do corpo, com as palmas da mão viradas para baixo. Inspire enquanto se prepara.

2. Ao expirar, os músculos abdominais e os glúteos devem se ativar naturalmente enquanto você puxa as escápulas para baixo e desliza os braços para trás, na sua direção, flexionando os cotovelos, de maneira que o esterno se erga.

A COBRA 79

3. Levante o corpo o máximo possível e inspire enquanto desliza os braços para a frente e baixa as costas para a posição inicial. Repita 10 vezes os passos 2 e 3.

Nível 2

1. Deite-se como no passo 1 do Nível 1, mas com o nariz pairando pouco acima do chão. Flexione os cotovelos e coloque as mãos no chão, ao lado da cabeça, com as palmas voltadas para cima. Inspire.

2. Ao expirar, puxe as escápulas para baixo e use os músculos das costas para erguer a parte superior do corpo do chão. Endireite os braços e levante-se mais, alongando a frente do corpo a partir do púbis até o esterno. Inspire e sustente a posição por 10 segundos, descendo em seguida o corpo para o chão. Repita 5 vezes.

Exercícios abdominais na posição semissupina

Nesta seção, você vai trabalhar mais no fortalecimento dos músculos abdominais para que eles possam apoiar a coluna lombar enquanto você executa uma variedade de movimentos. Estes exercícios têm a vantagem adicional de ajudá-lo a perder a barriga. Muitos iniciantes de Pilates informam notar uma diferença em apenas duas ou três semanas.

O ponto principal a ser lembrado nesta seção é a maneira como você ativa os músculos abdominais para o exercício Abdominais Estáticos (ver p. 58): ao expirar pela boca, imagine que os seus ossos das nádegas, os ossos dos quadris e as costelas inferiores (as "costelas flutuantes") estão sendo puxados para a linha central, como se uma grande mão estivesse envolvendo a sua cintura. Puxe delicadamente o umbigo para baixo, mantendo a pelve na posição neutra e sem mover a coluna lombar, e você está pronto para começar. A princípio, isso poderá parecer muita coisa para assimilar, especialmente quando você coordenar tudo isso com a respiração e os movimentos exigidos pelo exercício, mas logo se tornará quase instintivo.

Alguns dos exercícios nesta seção são para iniciantes, ao passo que outros são mais avançados. Procure aperfeiçoar os que são para iniciantes antes de seguir adiante para os avançados, que requerem um maior controle abdominal e pélvico.

Flexões torácicas (Chest lifts)

Aperfeiçoar a Flexão Torácica é mais difícil do que parece, mas o exercício é uma parte crucial do treinamento Pré-Pilates que ajudará a fortalecer os músculos abdominais e lhe proporcionará o controle de que você precisa para experimentar exercícios mais avançados.

A fim de isolar os músculos abdominais, você precisa estar corretamente alinhado na posição semissupina, com os joelhos flexionados a 90° e os pés afastados na largura dos quadris. Se quiser, pode colocar um travesseiro ou toalha enrolada entre os joelhos e as coxas. Entrelace os dedos das mãos atrás da cabeça na base do crânio. Mantenha os cotovelos levantados de maneira que você possa detectá-los apenas com a sua visão periférica e pense nas suas mãos apoiando levemente a cabeça, mas não puxando.

Antes de começar a flexão, ative os músculos abdominais – puxe os ossos das nádegas, os ossos dos quadris e as costelas flutuantes em direção uns aos outros, puxe delicadamente para baixo as escápulas e em seguida levante a parte superior do corpo, conduzindo com o esterno. Mantenha a parte superior do corpo numa linha reta, e não deixe a sua cabeça conduzir o movimento em nenhum momento. Mantenha os músculos abdominais completamente ativos, com os ossos das nádegas, os ossos dos quadris e as costelas flutuantes voltados para o centro.

A pelve deve permanecer neutra durante todo o exercício. A fim de manter o alinhamento das pernas, aperte delicadamente a toalha ou travesseiro entre as pernas para ativar os músculos adutores.

Você pode fazer algumas modificações nas Flexões Torácicas para ajudar as pessoas que as acham difíceis. Se você sofrer de lordose, colocar os pés sobre uma cadeira ou uma caixa, como na variação abaixo, de maneira que a região lombar tenha um apoio, pode ajudar. Flexione perpendicularmente os quadris e os joelhos e execute as Flexões Torácicas nessa posição. Se você tiver problemas no pescoço, certifique-se de que as suas mãos na base do crânio estejam apoiando a cabeça e o pescoço, mas você deve iniciar o movimento a partir do esterno. As pessoas que têm dificuldade com as Flexões Torácicas por possuírem músculos abdominais fracos podem praticar a Flexão Inversa (Reverse Curl) da p. 83 até os seus músculos ficarem mais fortes.

1. Deite-se na posição semissupina com as mãos atrás da cabeça. Inspire.

2. Ao expirar, ative os músculos abdominais e faça uma flexão para a frente a partir do esterno, deixando que o peso da cabeça e do pescoço se apoie nas suas mãos. Olhe diretamente entre os joelhos e deixe que as suas costelas deslizem para baixo na direção dos quadris. Vá até onde conseguir sem forçar ou perder a estabilidade da pelve, e então sustente a posição por alguns segundos. Inspire enquanto volta lentamente à posição inicial. Repita 10 vezes.

Músculos-alvo

- Flexores da coluna: reto abdominal; oblíquos internos; oblíquos externos.

Variação

Se você tem problemas na lombar e dificuldade em fazer uma flexão torácica básica, experimente fazê-la com uma toalha entre os joelhos e os pés apoiados numa caixa.

Flexões torácicas oblíquas (*Oblique chest lifts*)

Os exercícios oblíquos giram o corpo e o inclinam para os lados. Eles também ajudam a definir a linha da cintura, de modo que você deve fazer bastante esses exercícios se tem vontade de ter uma cintura mais esbelta.

Ative os músculos abdominais para iniciar o movimento neste exercício, e comece a girar a parte superior do corpo a partir da base da caixa torácica assim que você se erguer do chão. Não se trata de "levantar e depois virar", e sim de "virar e depois levantar". O braço que passa sobre o seu corpo não está puxando você para o outro lado. Forme um punho suave com a mão e pense que ela está se movendo como parte da porção superior do corpo, mas não tomando a dianteira. Uma vez mais, pense em dirigir o movimento a partir do esterno e em manter a cabeça e o pescoço alinhados com a coluna torácica.

Mantenha os músculos abdominais fortemente ativos e não deixe que eles se projetem ou "pulem" para fora. Você será capaz de ver se eles fizerem isso e, se necessário, você deve interromper o movimento e recomeçar.

Ao se virar para a direita, pense em trazer o lado esquerdo da caixa torácica em direção ao centro e, depois, o centro em direção ao osso do quadril direito. Você deve sentir os oblíquos em ambos os lados se ativando enquanto o tronco superior gira.

Procure se mover num ritmo: afunde lentamente os músculos abdominais no chão, erga rapidamente o esterno, e depois gire lentamente e levante-se para a frente.

1. Deite-se na posição semissupina. Coloque a mão direita atrás da cabeça e faça um punho suave com a mão esquerda, mantendo-a logo acima do lado esquerdo das costelas. Inspire. Mantenha o cotovelo direito levemente à frente e detectável apenas pela sua visão periférica.

2. Ao expirar, ative os músculos abdominais, erga o esterno e vire o ombro esquerdo na direção do quadril direito. Olhe além do joelho direito. Mantenha a posição por alguns segundos de maneira a poder sentir os músculos trabalhando. Inspire quando se desvirar e voltar à posição inicial. Repita 10 vezes de cada lado do corpo.

Músculos-alvo

- Flexores da coluna: reto abdominal; oblíquos internos; oblíquos externos; transverso do abdome.

FLEXÕES TORÁCICAS OBLÍQUAS (*OBLIQUE CHEST LIFTS*) • FLEXÃO INVERSA (*REVERSE CURL*) **83**

Flexão inversa (*Reverse curl*)

Este exercício é bom para as pessoas que têm músculos abdominais fracos e rigidez na coluna, porque praticamente qualquer pessoa é capaz de fazê-lo. As flexões inversas são uma maneira proveitosa de aumentar a flexibilidade da coluna e ao mesmo tempo melhorar o controle abdominal.

Faça este exercício bem devagar, com muito controle, para tirar o máximo proveito dele. É preciso tomar cuidado para manter as escápulas abaixadas e relaxadas. Quando você começar a descer, pense em arquear a pelve debaixo de você de maneira que você assuma a forma de um C se for observado a partir da lateral. Use os músculos do estômago para controlar a flexão; por mais fracos que eles estejam, você vai constatar que consegue fazer o exercício. Você não precisa descer até o chão, se não se sentir à vontade fazendo isso.

Na realidade, os músculos trabalham com a máxima eficácia quando você se encontra a um ângulo de mais ou menos 45° do chão. No entanto, se você conseguir chegar ao chão, então faça isso.

Se um cliente tiver uma cifose muito rígida, não aconselho que você diga a ele para fazer Flexões Inversas sem se segurar em alguma coisa com as mãos, para que ele possa articular sem perigo a coluna lombar. Ele poderia se agarrar a uma barra fixada na altura correta, ou pedir a um colega que segure as mãos dele e o ampare.

1. Sente-se numa posição ereta com os joelhos flexionados e as solas dos pés no chão. Levante os braços retos à sua frente, no nível dos ombros, com as palmas voltadas uma para a outra, e deslize as escápulas para baixo. Inspire.

2. Ao expirar, ative os músculos abdominais e baixe a coluna em direção ao chão. Imagine que está deslizando a pelve para a frente.

3. Desça o máximo que puder, ou até que a sua cabeça chegue ao chão. Use os braços para empurrá-lo para cima, ou role para o lado e sente-se a partir dessa posição, de maneira a proteger as suas costas enquanto volta à posição inicial.

Músculos-alvo

- Flexores da coluna: reto abdominal; oblíquos internos; oblíquos externos.

- Estabilizadores anteriores da coluna: transverso do abdome; músculos do assoalho pélvico.

84 *EXERCÍCIOS PRÉ-PILATES:* EXERCÍCIOS ABDOMINAIS NA POSIÇÃO SEMISSUPINA

Levantamentos retos (*Straight lifts*)

Este proveitoso exercício o ensina a usar os músculos abdominais para manter a pelve neutra enquanto as pernas estão se movendo. Esta é uma habilidade necessária para muitos exercícios mais avançados de Pilates.

O macete durante a execução desses levantamentos é manter a pelve completamente imóvel, com o peso uniformemente distribuído nos dois lados enquanto você usa os flexores dos quadris para levantar a perna. A tentação é deslocar o peso para o quadril oposto para obter apoio, mas você precisa aprender a usar os músculos do abdome inferior para evitar isso. Do mesmo modo, quando você baixa a perna, precisa usar os músculos abdominais para evitar que a gravidade puxe a sua pelve para uma inclinação posterior. Pense no seu tronco como estando completamente imóvel e pesado, enquanto a sua perna está presa a uma corda manipulada de cima por um marionetista invisível.

Esta é uma sequência do Deslizamento das Pernas (ver pp. 66-7) e precursora de várias sequências de movimentos mais complexas como o Developpé (ver pp. 140-43).

Músculos-alvo

- Flexores dos quadris: iliopsoas; reto femoral; sartório; pectíneo; tensor da fáscia lata; músculo grácil.
- Estabilizadores espinais anteriores; reto abdominal; oblíquos internos; transverso do abdome.

1. Deite-se de costas na posição semissupina com os braços ao lado do corpo. Ative os músculos abdominais e estabilize a pelve.

2. Inspire e flexione o joelho direito na direção do ombro direito, e depois estenda a perna o mais alto que você puder sem levantar a pelve. Aponte o pé na direção do teto.

LEVANTAMENTOS RETOS (*STRAIGHT LIFTS*) **85**

3. Expire e flexione o pé, gire a perna para fora e alongue-a no calcanhar.

4. Continue a alongar o calcanhar enquanto baixa a perna em direção ao chão.

5. Antes de tocar o chão, faça ponta com o pé.

6. Inspire e flexione o joelho para trás na direção do ombro, e depois estenda a perna diretamente para o teto. Expire enquanto flexiona, gire e desça novamente. Repita 5 vezes a sequência com cada perna num movimento suave e contínuo.

Pequenos círculos com as pernas (Small leg circles)

Esta é uma versão preliminar do Círculo com a Perna (ver pp. 170-71) na sequência dos 34 exercícios originais, no qual a pelve é levantada do chão. Aqui, você apenas faz pequenos círculos da cabeça do fêmur dentro da articulação do quadril, enquanto mantém a pelve neutra.

Assim como nos Levantamentos Retos (ver pp. 84-5), você usará os músculos abdominais para manter o tronco completamente imóvel enquanto as pernas se movem livremente. Procure sentir o flexor do quadril individual e os músculos extensores em funcionamento enquanto controla o movimento; este exercício não se destina especificamente a fortalecê-los, mas ele decididamente ajudará a aliviar qualquer rigidez nos quadris e a alongar os tendões da perna. Concentre-se em fazer os círculos de uma maneira suave e procure mantê-los do mesmo tamanho em ambos os lados. Você poderá achar o exercício muito mais difícil de um lado do que do outro, em cujo caso você deverá fazer repetições adicionais no lado mais fraco. Mantenha reta a perna que está em movimento e faça uma ponta suave com o pé.

Não se esqueça de puxar as escápulas para baixo e relaxe os ombros no chão. Não deve haver nenhuma tensão no pescoço ou na parte superior do corpo.

Músculos-alvo

- Estabilizadores anteriores da coluna: reto abdominal; oblíquos internos; oblíquos externos; transverso do abdome.

- Estabilizadores posteriores da coluna: eretor da coluna (iliocostal, longuíssimo, espinal); semiespinal; grupo espinal posterior profundo.

1. Deite-se de costas na posição semissupina com os braços ao longo do corpo, as palmas voltadas para baixo. Ative os músculos abdominais e estabilize a pelve. Inspire e levante uma das pernas em direção ao teto.

PEQUENOS CÍRCULOS COM AS PERNAS (*SMALL LEG CIRCLES*) 87

2. Expire, gire a perna levantada para fora, relaxe o joelho, e depois faça um círculo com a perna na articulação do quadril no sentido horário, cruzando diretamente a linha central do corpo. Mantenha a pelve neutra e procure aumentar o diâmetro do círculo a cada repetição para descobrir o maior círculo que você consegue fazer sem sair da posição pélvica correta. Repita 5 vezes os movimentos.

3. Gire a perna na direção anti-horária. Faça 5 repetições. Inspire enquanto baixa a perna até o chão. Repita com a outra perna.

Variação

Experimente fazer este exercício na posição supina. Isso requer um pouco mais de controle mas, uma vez que você tenha força suficiente, representa uma mudança com relação à versão básica.

Crisscross

Esta é uma variação do Alongamento de uma Perna (ver pp. 172-75), um dos exercícios da sequência dos 34 exercícios originais de Pilates, e é um exercício abdominal avançado que você só deve tentar quando tiver certeza de que está executando corretamente as Flexões Torácicas Oblíquas (ver p. 82).

Mantenha os músculos abdominais completamente ativos durante todo o exercício. Não os relaxe e volte a ativá-los. Puxe o umbigo na direção da coluna e mantenha o sacro firmemente no chão. Ao girar, você terá que usar os músculos para manter a pelve na posição neutra, de modo que ela não balance na direção das rotações. Mantenha-a nivelada durante todo o exercício.

Certifique-se que está girando todo o tronco superior e não apenas os ombros. Leve o tronco superior em direção ao joelho, mas não suba o joelho até o peito. Ele só deve avançar em direção ao peito até a base da caixa torácica. Mantenha o tronco superior o tempo todo numa posição erguida.

Não deixe as pernas caírem; use os músculos abdominais para mantê-las na altura da linha dos olhos. A canela da perna flexionada deve estar paralela ao chão. E certifique-se de que os ombros permanecem abaixados e relaxados em vez de encolhidos para cima até os seus ouvidos!

Músculos-alvo

- Flexores e rotadores da coluna: reto abdominal; oblíquos internos; oblíquos externos; transverso do abdome.

1. Deite-se de costas com os joelhos levantados e perpendicularmente flexionados acima dos quadris. Coloque as mãos atrás da cabeça e entrelace os dedos. Expire, ative os músculos abdominais e levante do chão a parte superior do corpo.

2. Inspire. Ao expirar, endireite a perna para longe de você mais ou menos no nível dos olhos. Ao mesmo tempo, levante o cotovelo esquerdo na direção do joelho direito. Sustente o alongamento. Inspire enquanto volta para o centro, e depois repita os movimentos do outro lado. Faça 10 repetições de cada lado.

Alongamento das costas (*Back stretch*)

Depois de trabalhar os músculos abdominais, é uma boa ideia alongar a região lombar – e executar este exercício é uma maneira particularmente delicada, porém eficaz, de fazer isso.

Quando você estiver se colocando na posição inicial para este alongamento particular, levante um dos joelhos, em seguida o outro, e quando terminar, baixe-os um de cada vez. Não levante os dois joelhos ao mesmo tempo, porque você poderia forçar a região lombar.

Relaxe os ombros no chão e mantenha os cotovelos abertos enquanto executa os movimentos. Puxe os joelhos o máximo que puder sem causar tensão ou forçar o pescoço e os ombros. Qualquer pessoa pode fazer esse alongamento, mas cuidado para não puxar com firmeza demais e forçar o joelho ou a articulação do quadril.

1. Deite-se de costas com um pequeno bloco debaixo da cabeça. Levante um dos joelhos na direção do peito, em seguida o outro, e segure-os com as mãos. Mantenha os cotovelos abertos e os ombros relaxados no chão.

2. Ao expirar, ative os músculos abdominais e puxe o joelho esquerdo para mais perto de você. Sustente a posição por alguns segundos e depois solte.

3. Puxe o joelho direito para perto de você, sustente a posição e solte.

4. Em seguida, puxe os dois joelhos na sua direção, sustente a posição e solte. Mantenha as mãos nos dois joelhos o tempo todo.

5. Agora, imagine o mostrador de um relógio diretamente em cima e embaixo da sua pelve e da região lombar. Gire lentamente os joelhos ao redor dele, uma vez na direção horária e uma vez na direção anti-horária, pensando em cada um dos números do mostrador. Repita 5 vezes todo o exercício. Para encerrar, ponha um pé no chão e depois o outro.

Exercícios com a bola de ginástica

A bola de ginástica é um equipamento versátil para ser usado em casa ou num estúdio de Pilates, pois ela pode proporcionar apoio para o corpo e, ao mesmo tempo, permitir liberdade de movimento.

Existem várias maneiras de usar a bola de ginástica em Pilates: você pode se sentar nela, como fazemos no Alongamento da Região Lombar na p. 147; deitar nela como na versão modificada do exercício O Cachorro (ver pp. 118-19); segure-a diante de você para manter a postura correta do tronco superior enquanto gira a coluna torácica; ou então deite-se de costas e apoie as pernas nela, o que possibilita que você mobilize as articulações dos quadris enquanto ela não está suportando o peso da parte superior do corpo (todas as rotações dos quadris desta seção fazem isso).

    Ao escolher uma bola de ginástica, é importante que ela seja do tamanho certo para você, para que quando você se deitar de costas com as pernas apoiadas nela, os quadris e joelhos estejam flexionados perpendicularmente e as pernas paralelas ao chão. Para isso, você precisa de uma bola cujo diâmetro seja equivalente à distância entre o osso do seu joelho e o osso do quadril.

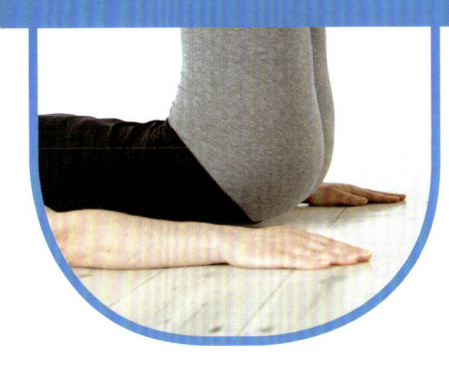

Rolando a bola usando os músculos abdominais (*Rolling the ball using abdominals*)

Os movimentos desta sequência de exercício são pequenos, porém muito precisos. Quando você dominá-los, aprenderá a isolar e ativar todos os músculos do centro de força e a formar memórias musculares das maneiras como o seu corpo usa esses músculos.

Se você estiver fazendo corretamente este exercício, sentirá os músculos do abdome inferior trabalhando – não os músculos da perna. Inicie o movimento nos músculos abdominais inferiores e imagine que eles estão deslizando para cima debaixo da sua caixa torácica. Pense nas pernas como estando imóveis enquanto você usa a barriga para puxar a bola na sua direção, e não fique tentado a fincar os calcanhares para ter mais estabilidade.

A bola não precisa se aproximar demais de você. Pare quando os quadris e joelhos estiverem perpendiculares e levante levemente a pelve, o que você inicia puxando os músculos abdominais para baixo e deslizando as coxas para cima, enquanto mantém um ângulo reto nos quadris. Não gire a pelve numa grande inclinação – este é um pequeno movimento. E mantenha a coluna lombar flexível o tempo todo.

1. Deite-se de costas com um pequeno bloco debaixo da cabeça, as pernas retas e a parte inferior das panturrilhas apoiadas numa bola de ginástica. Relaxe os ombros e o peito no chão. Estabilize a pelve e ative os músculos abdominais, e em seguida inspire para se preparar para o movimento.

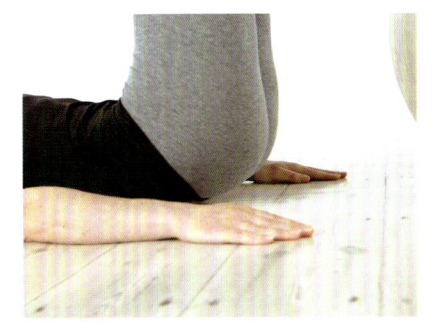

2. Expire e use os músculos abdominais para puxar a bola na sua direção até que os joelhos e quadris estejam perpendiculares.

3. Volte a ativar os músculos abdominais, coloque os braços ao lado do corpo e erga levemente a pelve, como se para deixar alguém deslizar uma folha de papel debaixo das suas nádegas. Baixe o corpo, inspire e role a bola de volta para a posição inicial. Repita 10 vezes.

Músculos-alvo

- Abdominais: reto abdominal; transverso do abdome; oblíquos internos; oblíquos externos; músculos do assoalho pélvico.

92 EXERCÍCIOS PRÉ-PILATES: EXERCÍCIOS COM A BOLA DE GINÁSTICA

Rotação dos quadris com as pernas retas (*Straight-leg hip rolls*)

Este é um movimento pequeno e eficaz, que proporciona um bom alongamento e ajuda a liberar a rigidez nos quadris. O exercício deve dar a sensação de um puxão no abdome inferior no lado oposto àquele no qual a bola está se movendo.

A maioria das pessoas constata que tem um quadril mais rígido do que o outro, talvez porque elas se inclinem para um dos lados quando estão sentadas na mesa de trabalho ou diante da televisão. Cruzar as pernas ou dobrá-las debaixo de você intensifica essa rigidez porque quase todos nós temos a tendência de cruzá-las ou flexioná-las na mesma direção, a mais confortável, em vez de alternar os lados. A rigidez unilateral nos quadris pode, em última análise, tirar a pelve do alinhamento adequado e até mesmo tornar uma das pernas mais curta do que a outra, de modo que é importante alongá-las e soltá-las. A rotação dos quadris é o primeiro passo.

A rotação dos quadris também trabalha os músculos abdominais profundos e o ensina a usar esses músculos à vontade. Mantenha a pelve neutra e as nádegas coladas no chão durante todo o exercício. Não faça o movimento muito amplo. Mantenha a cintura alongada. Para ajudar, você pode usar as mãos a fim de localizar e apalpar os oblíquos, empurrando na direção dos pés.

Explico como fazer a rotação dos quadris sem uma bola de ginástica nas pp. 108-13, mas, quando treino iniciantes, gosto sempre de usar primeiro a bola para ajudá-los a entender o movimento necessário.

1. Deite-se de costas com um pequeno bloco debaixo da cabeça, as pernas retas e os tornozelos apoiados numa bola de ginástica. Relaxe a parte superior do corpo no chão e descanse as mãos na cintura com os dedos mínimos logo acima dos ossos dos quadris. Ative os músculos abdominais e inspire.

2. Flexione o joelho esquerdo para estabilizar a pelve. Ao expirar, faça um alongamento no calcanhar direito, enquanto apalpa a cintura com a mão esquerda. A bola se moverá levemente para a esquerda. Inspire e use os músculos abdominais para puxar a bola de volta para o centro enquanto endireita as pernas. Expire e repita do outro lado. Volte para o centro e repita 6 vezes de cada lado.

Músculos-alvo

- Estabilizadores da pelve: transverso do abdome; oblíquos internos; oblíquos externos.
- Extensores das costas: latíssimo do dorso; trapézio.
- Adução da perna: adutores.

Rotação dos quadris com as pernas flexionadas (*Bent-leg hip rolls*)

Certifique-se de que os músculos abdominais, e não a gravidade, controlem essas rotações dos quadris, e use os abdominais oblíquos para puxar as pernas de volta ao centro. Você deverá ser capaz de sentir os músculos abdominais trabalhando logo acima da bexiga.

Mantenha as escápulas no chão o tempo todo para estabilizar o tronco superior. Se você tiver dificuldade em manter os ombros abaixados, pode se agarrar às pernas de um móvel pesado para se firmar. Uma vez que você já esteja forte o bastante, poderá fazer uma versão deste exercício que é executada sem uma bola de ginástica (ver p. 111), usando simplesmente os músculos abdominais para manter as pernas elevadas, perpendiculares aos quadris, e os pés levemente mais baixos do que os joelhos para ajudar a relaxar os flexores dos quadris.

Mantenha a cintura alongada e a coluna lombar flexível. Conserve as pernas juntas, porque, se elas se afastarem, as costas sofrerão uma distorção. Talvez seja uma boa ideia colocar uma toalha dobrada entre as coxas para proporcionar apoio.

Se você tem problemas na coluna lombar, seja prudente ao fazer este exercício e trabalhe apenas numa pequena amplitude de movimento.

1. Deite-se de costas com um pequeno bloco debaixo da cabeça e uma toalha dobrada entre os joelhos. Apoie as pernas numa bola de ginástica e flexione perpendicularmente os quadris e joelhos. Mantenha juntos as coxas e os joelhos. Relaxe os ombros no chão e descanse os braços ao lado do corpo. Ative os músculos abdominais. Inspire.

2. Ao expirar, role a bola para a esquerda, mantendo os joelhos no lugar. O seu quadril direito se erguerá do chão, mas mantenha o ombro direito firmemente no solo para sentir um alongamento diagonal. Vire a cabeça para a direita. Faça uma pausa para inspirar. Expire e use os músculos abdominais para voltar ao centro e fazer um rolamento completo para o outro lado. Repita 5 vezes em cada direção.

Músculos-alvo

- Flexores e rotadores da coluna: reto abdominal; oblíquos internos; oblíquos externos; transverso do abdome.

94 EXERCÍCIOS PRÉ-PILATES: EXERCÍCIOS COM A BOLA DE GINÁSTICA

Ponte em uma bola
(*Bridge on a ball*)

Esta é uma versão do exercício Rolar como uma Bola (ver pp. 164-65), mas executá-lo na posição da ponte possibilita que você trabalhe com mais força os tendões da perna e os músculos das coxas.

Este exercício é mais difícil do que os outros exercícios com a bola de ginástica desta seção, porque requer que você mantenha o equilíbrio enquanto o seu peso está apoiado no tronco superior e nos calcanhares. Ele trabalha fortemente a parte interna das coxas e os tendões da perna, e ativa os músculos abdominais do centro de força. Quando você rolar a bola na sua direção, pense em manter a pelve inclinada no mesmo ângulo.

Você também pode fazer esse movimento ao contrário, começando com os joelhos flexionados e as pernas sobre a bola de ginástica. Expire enquanto faz uma inclinação média com a pelve para cima, inspire enquanto endireita a posição, e expire enquanto flexiona e baixa a coluna até o chão. Sempre expire quando aproximar a bola de você e inspire quando endireitar as pernas e afastar a bola de você.

Músculos-alvo

- Flexores e rotadores da coluna: reto abdominal; oblíquos internos; oblíquos externos; transverso do abdome; tendões da perna.

1. Deite-se de costas com as pernas retas, os calcanhares no centro da parte de cima da bola de ginástica, e os braços ao lado do corpo com as palmas das mãos no chão.

PONTE EM UMA BOLA (*BRIDGE ON A BALL*) **95**

2. Ative os músculos abdominais e inspire enquanto levanta a coluna lombar do chão como um só bloco, de maneira que os calcanhares, a pelve e os ombros estejam numa linha reta.

3. Expire e role a bola na sua direção até onde você puder sem modificar a posição da pelve e das costas. Inspire enquanto endireita as pernas. Expire enquanto baixa as costas novamente até o chão. Repita 10 vezes.

Exercícios na posição deitada de lado

Os exercícios na posição deitada de lado são bons para o centro de força, porque você precisa usar os músculos abdominais e os glúteos para se manter em posição. No entanto, eles demoram o dobro do tempo dos exercícios na posição semissupina ou de bruços, porque você precisa repeti-los dos dois lados!

O corpo humano não se equilibra naturalmente nas laterais quando as pernas estão retas, mas flexionar os joelhos confere um pouco de apoio, assim como apoiar os dedos das mãos no chão diante do corpo. É importante não rolar para a frente ou para trás ao se exercitar na posição deitada de lado, caso contrário você não estará tendo como alvo os músculos corretos. Permanecer numa posição adequada ajuda a fortalecer os músculos posturais, como o transverso do abdome, os glúteos e os oblíquos, mesmo antes de você ter levantado um dedo. Deitar de lado também possibilita que você trabalhe livremente os músculos abdutores e adutores dos braços e das pernas enquanto o peso do tronco está apoiado.

A posição deitada de lado

A maioria dos exercícios na posição de lado é executada numa espécie de posição fetal, com os joelhos flexionados de modo que os calcanhares estejam mais ou menos alinhados com o cóccix, e o braço esteja estendido debaixo da cabeça.

Na posição deitada de lado básica, a coluna deve manter as suas curvas naturais, como se você estivesse em pé. Se você perceber que está afundando na cintura, experimente colocar uma pequena almofada ou toalha enrolada debaixo da cintura para ajudar a manter o alinhamento da coluna.

Se você tem a tendência de rolar para trás ou para a frente nessa posição, experimente apoiar as costas numa parede – ou pelo menos imaginar que as suas costas estão apoiadas numa parede, com os quadris e ombros sobrepostos uns aos outros. Certifique-se de que a parte superior do ombro esteja diretamente em cima da inferior; que o osso superior do quadril esteja diretamente em cima do inferior; e que os joelhos e os pés estejam sobrepostos diretamente uns aos outros. O braço de cima pode descansar ao longo do lado superior do tronco, ou você pode colocar a mão no colchonete diretamente na frente do esterno para ter um pouco de apoio (embora você não deva se apoiar completamente nele). Geralmente sugiro que os iniciantes estendam o braço para cima debaixo da cabeça e coloquem um travesseiro entre a cabeça e o braço, para manter os músculos do pescoço relaxados. Ponha também uma almofada entre as coxas para manter o alinhamento correto das pernas.

Faça um alongamento até o alto da cabeça e puxe as escápulas para baixo, em direção às costas, para estabilizar o tronco superior. Ajuste a posição até sentir que ela está confortável antes de começar os exercícios na posição deitada de lado.

Deite-se sobre o lado direito do corpo com o braço direito estendido debaixo da cabeça. Se quiser, descanse a cabeça numa toalha dobrada ou uma pequena almofada. Flexione os joelhos para que os calcanhares fiquem alinhados com o cóccix. Decida se deseja colocar uma toalha dobrada ou pequena almofada debaixo da cintura para manter o alinhamento da coluna. Coloque outra almofada entre as coxas para ajudar a manter a pelve alinhada e descansar os joelhos e os pés juntos. Certifique-se de que os seus ombros, quadris, joelhos e pés estão diretamente alinhados, e depois ajuste a posição até que ela esteja confortável.

98 EXERCÍCIOS PRÉ-PILATES: EXERCÍCIOS NA POSIÇÃO DEITADA DE LADO

Abdominais na posição deitada de lado (*Side-lying abs*)

Os exercícios abdominais na posição deitada de lado trabalham os oblíquos e também o ensinam a ativar os músculos abdominais na posição deitada de lado enquanto mantém as curvas naturais da coluna.

Se inicialmente você tiver dificuldade em executar o movimento "em forma de L" de duas etapas neste exercício, use uma das mãos para guiar os músculos e puxá-los para dentro. Você não demorará muito para dominá-lo. Este é um daqueles exercícios que podem ser feitos enquanto você relaxa no sofá ou está deitado na cama. Quanto mais praticá-lo, mais controle você obterá.

Músculos-alvo

- Abdominais: transverso do abdome; reto abdominal; oblíquos internos; oblíquos externos.

1. Deite-se sobre o seu lado direito. Coloque uma pequena toalha dobrada debaixo da cabeça e uma almofada ou travesseiro maior entre as coxas. Inspire, deixando o estômago se expandir e cair na direção do chão. Certifique-se de que as suas costas não estão se arqueando.

2. Ao expirar, use os músculos abdominais para afastar o estômago do chão e depois puxá-lo para dentro em direção à coluna, numa espécie de movimento em forma de L. Sustente a posição por alguns segundos, e depois repita 10 vezes de cada lado.

ABDOMINAIS NA POSIÇÃO DEITADA DE LADO (*SIDE-LYING ABS*) • A CONCHA (*THE SHELL*)

A concha (*The shell*)

A dificuldade deste exercício reside em manter a pelve neutra e a coluna lombar estável enquanto você abre as pernas. É tentador contrair a pelve, mas evite fazê-lo, porque isso achatará a sua coluna lombar.

Ao usar os glúteos para iniciar a abertura das pernas, imagine que você está alongando o osso da parte superior da coxa (fêmur) para fora da cavidade do quadril (acetábulo ou cavidade cotiloidea) com os pés relaxados e juntos. Apoie os dedos das mãos no chão na frente do esterno se desejar, mas se você não fizer isso estará trabalhando um pouco mais e usando os músculos do tronco para manter o equilíbrio.

Você sentirá os músculos glúteo mínimo e médio trabalhando de uma maneira diferente daquela como trabalham durante o exercício Compressão dos Glúteos (ver p. 72). Em A Concha, você usará o glúteo máximo para virar as pernas para fora e os glúteos médio e mínimo para virá-las para dentro. Procure sentir as diferentes áreas dos glúteos trabalhando, e também isolar os tendões da perna e os abdutores. Para conferir mais intensidade ao exercício, coloque um travesseiro entre os pés.

1. Deite-se sobre o seu lado direito na posição deitada de lado com uma pequena toalha dobrada debaixo da cabeça e outra debaixo da cintura. Flexione os joelhos e inspire.

2. Ao expirar, ative os músculos abdominais e comprima suavemente os ossos das nádegas, usando o movimento para iniciar uma rotação da coxa esquerda para que ela se abra como a concha de um marisco. Mantenha os pés e os quadris na mesma posição.

3. Inspire quando voltar para a posição inicial e, em seguida, levante o pé esquerdo, mantendo os joelhos juntos. Levante o pé o máximo que puder sem rolar para a frente, e depois baixe o pé. Repita 5 vezes de cada lado.

Músculos-alvo

- Glúteos: máximo; médio e mínimo; músculos do assoalho pélvico.
- Rotadores dos quadris: quadrado femoral; tendões da perna; adutores.

Abertura do peito com círculo com o braço (*Chest opening with arm circle*)

Se você estiver com os ombros doloridos – talvez depois de um dia passado no computador – este exercício lhe proporcionará um maravilhoso alongamento no tórax e soltará escápulas rígidas.

A parte inferior do corpo – quadris, joelhos e pés – não se move durante este exercício. Você precisará usar os músculos abdominais para impedir que o quadril que está em cima tente seguir o movimento do tronco superior e para manter os ossos dos quadris apontando o tempo todo para a frente. No entanto, a sua cabeça segue o movimento do braço e o tronco superior se curvará para trás.

Mesmo que você se considere razoavelmente flexível, poderá ficar surpreso com o alongamento que conseguirá quando experimentar fazer este exercício pela primeira vez, especialmente quando fizer o círculo com o braço no Nível 2. Não sinta que você tem que baixar a mão até o chão atrás de você. Vá apenas até onde conseguir ir de uma maneira confortável. Depois de algumas semanas, você provavelmente constatará que a sua mobilidade aumentou.

A abertura do peito não é adequada para aqueles que sofrem da síndrome do impacto no ombro ou de fraqueza na coluna lombar, mas, de resto, qualquer pessoa pode experimentar o exercício.

Nível 1

1. Deite-se sobre o seu lado direito na posição deitada de lado com uma pequena toalha dobrada debaixo da cabeça e outra debaixo da cintura. Flexione os joelhos e estenda os braços diretamente à sua frente na altura do ombro com as palmas das mãos unidas. Ative os músculos abdominais e inspire.

2. Ao expirar, levante o braço de cima lentamente na direção do teto e gire o tronco superior para permitir que o braço volte na direção do chão atrás de você. Mantenha a coluna alongada e os quadris e joelhos no chão na mesma posição. Inspire e sustente o alongamento.

ABERTURA DO PEITO COM CÍRCULO COM O BRAÇO (*CHEST OPENING WITH ARM CIRCLE*)

3. Expire enquanto leva a cabeça, o tronco superior e o braço de volta à posição inicial. Repita 5 vezes de cada lado.

Nível 2

1. Depois de completar os passos do Nível 1, expire, ative os músculos abdominais, leve o braço de cima à frente e em seguida faça um círculo com ele na direção da cabeça. Pense em traçar um círculo no chão acima da sua cabeça e gire o tronco superior enquanto leva o braço na direção do chão atrás de você. Mantenha os quadris voltados para a frente.

2. Inspire e faça uma pausa, e depois continue o círculo em direção aos quadris e ao redor das costas para a posição inicial. Repita 5 vezes de cada lado.

Músculos-alvo

- Rotação do tronco superior: peitoral maior; deltoides.
- Estabilização escapular: serrátil anterior; latíssimo do dorso.

Levantamento da parte externa da coxa (Outer thigh lift)

Este exercício trabalha os abdutores da parte externa da coxa. Coloque a mão de cima na parte de fora da coxa para sentir esses músculos trabalhando e ajudar a criar uma memória muscular.

O alinhamento correto neste exercício é crucial; portanto, antes de começar, percorra uma lista de verificação de cima abaixo, certificando-se de que os seus ombros e quadris estão alinhados e que as curvas naturais da sua coluna estão sustentadas. Você pode fazer o exercício com as costas apoiadas na parede, se quiser, mas cuidado para não cair para a frente.

Pense em alongar a perna de cima em vez de erguê-la. Na verdade, você não precisa levantá-la muito; basta elevá-la à altura do quadril. Se você for além desse ponto, a sua cintura cederá e você perderá o alinhamento da coluna. O tronco deve permanecer imóvel enquanto a perna se move como se estivesse sendo puxada por uma corda.

1. Deite-se sobre o seu lado direito na posição deitada de lado com uma pequena toalha dobrada debaixo da cabeça e outra debaixo da cintura. Flexione a perna que está embaixo de maneira que o quadril e o joelho fiquem perpendiculares um ao outro. Estenda o braço que está embaixo para cima debaixo da cabeça e apoie os dedos da mão de cima no chão à sua frente. Ative os músculos abdominais e inspire.

Músculos-alvo

- Flexores e estabilizadores laterais da coluna: oblíquos internos; oblíquos externos; quadrado lombar; eretor da coluna (espinal, longuíssimo, iliocostal); semiespinal; grupo espinal posterior profundo; reto abdominal; transverso do abdome.
- Adutores do quadril: quadríceps femoral; glúteo médio; músculo grácil; adutor longo.

2. Ao expirar, faça um alongamento no calcanhar da perna que está em cima até onde você conseguir sem afundar na cintura ou girar a perna para fora. Volte à posição inicial. Repita 5 vezes de cada lado.

Variação

1. Depois de concluir as etapas 1 e 2, leve a perna levantada até a altura do quadril e, em seguida, expire enquanto a leva para fora perpendicularmente ao corpo.

2. Levante o pé o mais alto possível sem mover a pelve e, em seguida, inspire enquanto alinha a perna com o tronco e a abaixa novamente. Repita 10 vezes de cada lado.

LEVANTAMENTO DA PARTE EXTERNA DA COXA • LEVANTAMENTO LATERAL COM O COTOVELO... **103**

Levantamento lateral com o cotovelo flexionado (*Side lift on bent elbow*)

Este é um exercício preparatório para A Flexão Lateral na série dos 34 exercícios originais de Joseph Pilates (ver pp. 206-09). Ele trabalha os músculos do centro de força em ambos os lados do tronco.

Enquanto estiver executando estes exercícios, pense em manter o corpo plano, como se ele estivesse imprensado entre duas vidraças. Você talvez balance um pouco no início, mas os pequenos ajustes que você fizer para manter o equilíbrio trabalharão com eficácia os músculos do centro de força. Levante e abaixe o tronco com movimentos suaves e controlados. Ficará mais fácil se você colocar o pé da perna de cima na frente do pé da perna de baixo antes de fazer o levantamento, pois isso lhe proporcionará um pouco mais de base sobre a qual se equilibrar.

Procure se levantar a partir do ombro em vez de afundar nele. Este exercício não é adequado para pessoas que tenham problemas no ombro ou no cotovelo, porque o ombro e o cotovelo estarão sustentando o peso do corpo. Interrompa o exercício se sentir qualquer desconforto.

1. Deite-se sobre o seu lado direito apoiado no cotovelo direito, com este último levemente na frente do ombro. Certifique-se de que os quadris, joelhos e pés estão alinhados. Descanse a mão esquerda na coxa esquerda. Ative os músculos abdominais e inspire.

2. Expire e faça força para baixo nos pés e no antebraço direito para levantar os quadris do chão. A sua coluna e os calcanhares devem estar numa linha diagonal. Levante o braço direito em direção ao teto, com a palma da mão voltada para a frente. Sustente a posição durante alguns segundos.

3. Inspire e faça uma curva com o braço esquerdo sobre a cabeça, virando esta última para a direita. Expire enquanto baixa o braço esquerdo, levando-o novamente para o lado do corpo. Inspire e baixe lentamente os quadris até o chão, fazendo resistência ao movimento para que os músculos trabalhem ainda mais. Repita 5 vezes de cada lado.

Músculos-alvo

- Flexores e estabilizadores laterais da coluna: oblíquos internos; oblíquos externos; quadrado lombar; eretor da coluna (espinal, longuíssimo, iliocostal); semiespinal; grupo espinal posterior profundo; reto abdominal; transverso do abdome.
- Abdutores do ombro: deltoide médio; supraespinal; deltoide anterior; peitoral maior.
- Depressores escapulares: trapézio inferior; serrátil anterior; peitoral menor.
- Abdutores escapulares: serrátil anterior; peitoral menor.

Levantamentos com a perna reta na posição deitada de lado (*Side-lying straight leg lifts*)

Este exercício não é executado na posição deitada de lado habitual, porque as pernas ficam retas, o que exige que os músculos do centro de força sejam usados para mantê-lo em posição e evitar o arqueamento da coluna lombar.

Colocar os pés ligeiramente na frente do cóccix o ajudará a manter o equilíbrio, e colocar a ponta dos dedos da mão no chão à sua frente também favorecerá o equilíbrio, mas você precisará trabalhar também os músculos posturais (como os abdominais e os latíssimos do dorso). Antes de iniciar o movimento, você deve puxar os latíssimos do dorso para baixo, ativar os músculos abdominais em ambos os lados da cintura e ativar ligeiramente os glúteos para obter a máxima estabilidade do tronco. Mantenha essa conexão durante todos os movimentos para que você não role para trás ou para a frente e a coluna mantenha a posição correta.

Não afaste as pernas abruptamente do chão. A perna de baixo inicia o levantamento, levando a perna de cima com ela. Pense em alongar a cintura e não levante a perna alto demais, caso contrário a sua cintura cederá. Os seus pés devem estar alinhados com o cóccix. Quando levantar mais a perna de cima no Nível 2, erga-a o máximo que puder sem mexer os quadris ou girar para fora.

Evite balançar para trás e para a frente enquanto as pernas se movem; mantenha os ossos dos quadris diretamente sobrepostos uns aos outros. Fique atento ao arqueamento da região lombar. Se isso acontecer, leve os pés levemente à frente e reative os músculos abdominais.

Músculos-alvo

- Flexores e estabilizadores laterais da coluna: oblíquos internos; oblíquos externos; quadrado lombar; eretor da coluna (espinal, longuíssimo, iliocostal); semiespinal; grupo espinal posterior profundo; reto abdominal; transverso do abdome.

- Adutores do quadril: quadríceps femoral; glúteo médio; músculo grácil; adutor longo.

Nível 1

1. Deite-se sobre o seu lado direito na posição deitada de lado com uma pequena toalha dobrada debaixo da cabeça, outra debaixo da cintura e um travesseiro entre as pernas. Faça uma ponta suave com os pés. Estenda o braço que está embaixo da cabeça, com a palma da mão voltada para baixo, e apoie a cabeça no braço. Coloque no chão na frente do esterno as pontas dos dedos da mão do braço que está em cima. Ative os músculos abdominais, comprima delicadamente os glúteos e o travesseiro e inspire.

LEVANTAMENTOS COM A PERNA RETA NA POSIÇÃO DEITADA DE LADO

2. Ao expirar, puxe as escápulas para baixo, faça um alongamento no corpo inteiro descendo até os calcanhares, e em seguida levante do chão a perna que está embaixo. Evite comprimir a cabeça na toalha.

3. Flexione os pés. Mantenha a posição durante alguns segundos e, em seguida, inspire enquanto volta à posição inicial. Repita 5 vezes de cada lado.

Nível 2

Depois de concluir os passos 1 e 2 acima, mantendo a perna que está embaixo na mesma posição, flexione os pés e, em seguida, alongue e levante a perna de cima o mais alto que puder enquanto mantém a estabilidade pélvica. Sustente a posição por alguns instantes, e depois baixe a perna de cima e volte à posição inicial. Repita 5 vezes de cada lado.

A rotação (The twist)

Eis um desafio para você: uma variação da Flexão Lateral (ver pp. 208-09) dos 34 exercícios originais de Joseph Pilates, concebida para aumentar a estabilidade rotacional do centro de força enquanto você mantém a pelve imóvel e gira a parte superior do corpo.

Este é um exercício avançado e não é adequado para aqueles que sofrem da síndrome do impacto nos ombros, pois estes precisam suportar grande parte do peso do corpo numa variedade de posições. Se você conseguir executá-lo, constará que ele é muito bom para fortalecer os ombros, mas é crucial que você use os músculos das costas para manter as escápulas abertas e para baixo.

No passo 3, leve a mão para baixo e passe-a pelo espaço entre o seu corpo e o chão como se estivesse enfiando uma linha na agulha. Vá apenas até onde conseguir ir sem perder o equilíbrio. Ao trazer o braço de volta, vire a cabeça e a parte superior do corpo para o teto, abrindo o peito, e faça um bom alongamento.

Assim como os músculos de equilíbrio do centro de força, os rotadores da coluna controlarão a parte de rotação do exercício no passo 3, enquanto o eretor da coluna e os músculos abdominais inverterão o movimento e, ao mesmo tempo, evitarão que a região lombar se arqueie. Mantenha o controle no passo 4 enquanto volta ao colchonete, em vez de desmoronar aliviado!

Músculos-alvo

- Flexores e estabilizadores laterais da coluna: oblíquos internos; oblíquos externos; quadrado lombar; eretor da coluna (espinal, longuíssimo, iliocostal); semiespinal; grupo espinal posterior profundo; reto abdominal; iliopsoas.
- Abdutores do ombro: deltoide médio; supraespinal; deltoide anterior; peitoral maior.
- Abdutores horizontais do ombro: infraespinal; redondo menor; deltoide posterior; deltoide médio; redondo maior; latíssimo do dorso.
- Depressores escapulares: trapézio inferior; serrátil anterior; peitoral menor.
- Abdutores escapulares: serrátil anterior; peitoral menor.

1. Sente-se sobre o quadril direito com os joelhos flexionados e juntos. Coloque a mão direita no chão, com a palma para baixo e os dedos apontando para a frente. Descanse a mão esquerda na coxa esquerda. O peso deve ser suportado pelo braço direito, pelo lado direito da pelve e pelo pé direito.

A ROTAÇÃO (*THE TWIST*) **107**

2. A partir dessa posição, inspire, faça força para baixo com o antebraço direito e levante o tronco numa linha reta, curvando o braço esquerdo sobre a cabeça para criar um arco. Sustente a posição por 4 segundos.

3. Expire e leve o braço esquerdo para baixo e depois passe-o pelo espaço entre o seu peito e o chão, deixando que a cabeça e o tronco o acompanhem, mas mantendo os quadris voltados para a frente.

4. Inspire enquanto leva o braço esquerdo para trás e o estende na direção do teto, virando a cabeça e a parte superior do corpo também para o teto. Ao expirar, leve o braço de volta por sobre a cabeça, como no passo 2, e baixe gradualmente o corpo até o chão. Repita 5 vezes de cada lado.

Exercícios de rotação dos quadris

Os exercícios de rotação dos quadris podem ajudar a aliviar a tensão na região lombar e também trabalham os músculos abdominais. Eles são uma parte importante da rotina de exercícios Pré-Pilates.

Os exercícios de rotação dos quadris descritos nesta seção são uma alternativa para os exercícios de rotação dos quadris com a bola de ginástica das pp. 92-3. É mais difícil executá-los sem a bola, de maneira que você não deve avançar para estes exercícios enquanto não tiver dominado as primeiras sequências.

Se você sofrer de uma lordose pronunciada, os exercícios de rotação dos quadris com a bola de ginástica lhe serão mais adequados, e você deve evitar completamente os exercícios que se seguem se tiver uma lesão na região lombar.

Pequena rotação dos quadris (*Small hip rolls*)

Você deve manter suave o movimento neste exercício, usando os músculos abdominais inferiores para estabilizar a pelve. Os quadris não devem se afastar do chão, mas você sentirá um alongamento no lado do qual os joelhos estão se afastando.

Os clientes invariavelmente giram em excesso, de modo que a pelve deles se levanta ou um dos ombros começa a se afastar do chão quando executam este exercício, de modo que talvez seja necessário fazer alguma correção. Em vez de pensar em mover as pernas, concentre-se em tentar sentir os músculos abdominais profundos que você tem como alvo e em deixar que eles controlem o movimento.

Músculos-alvo

- Estabilizadores da pelve: transverso do abdome; oblíquos internos; oblíquos externos.
- Extensores das costas: latíssimo do dorso; trapézio.
- Adução da perna: adutores.

1. Deite-se na posição semissupina com um pequeno bloco debaixo da cabeça. Flexione os joelhos e apoie as solas dos pés no chão. Estenda os braços para os lados no nível dos ombros, com as palmas das mãos voltadas para baixo. Ative os músculos abdominais e estabilize a pelve. Inspire.

2. Ao expirar, vire os joelhos para a esquerda, mantendo os quadris no chão. Faça uma pausa e inspire.

3. Expire e use os músculos abdominais para mover os joelhos para a direita. Repita 10 vezes em cada direção.

Grande rotação dos quadris (*Large hip rolls*)

Essas rotações dos quadris proporcionam um forte alongamento diagonal nas costelas, quadris e coxas. Elas são adequadas para quase todo mundo, mas, se você tiver problemas na região lombar, seja prudente e interrompa o exercício se sentir quaisquer pontadas.

Certifique-se de que está iniciando os movimentos dos joelhos a partir dos músculos abdominais para que a coluna esteja apoiada. Mantenha a cintura alongada durante todo o exercício, com o peito e as costas abertos e as escápulas firmemente apoiadas no chão. Se você for flexível o bastante, conseguirá levar os joelhos ao chão de cada lado sem que o ombro oposto se eleve.

Músculos-alvo

- Estabilizadores da pelve: transverso do abdome; oblíquos internos; oblíquos externos.
- Extensores das costas: latíssimo do dorso; trapézio.
- Adução da perna: adutores.

1. Deite-se na posição semissupina com os joelhos flexionados e separados na largura dos ombros. Ponha as mãos atrás da cabeça. Ative os músculos abdominais e estabilize a pelve. Inspire.

2. Ao expirar, leve o joelho direito na direção do chão, enquanto vira a cabeça para a esquerda. Alongue o joelho esquerdo diagonalmente na direção do pé direito, deixando que o quadril esquerdo se erga do chão. Sinta o alongamento nos quadríceps, quadris e oblíquos. Mantenha os ombros e a parte superior do corpo fixos no chão. Sustente o alongamento e inspire. Expire e use os músculos abdominais para levantar os joelhos até o centro e para a esquerda, virando a cabeça para a direita. Repita 10 vezes de cada lado.

Rotação elevada dos quadris (*Raised hip rolls*)

Este é um exercício avançado que requer um bom controle abdominal. Ele fortalece e estabiliza a região pélvico-lombar e ajuda a rotação da coluna.

O ponto principal a ser lembrado neste exercício é que a pelve e as pernas se movem juntas para o lado, mantendo as pernas unidas e a parte inferior das pernas numa posição levemente mais baixa do que os joelhos, para relaxar os flexores dos quadris. Manter um pequeno travesseiro entre as coxas pode ajudar. Pense que os seus ombros estão fixos no chão e as pontas dos dedos das mãos estão se afastando do centro, para que você tenha um ponto fixo a partir do qual se alongar. Pare imediatamente se sentir qualquer tipo de dor na região lombar e só volte a tentar fazer este exercício quando os seus músculos abdominais estiverem mais fortes.

1. Deite-se de costas com um pequeno bloco debaixo da cabeça. Flexione os joelhos no ar acima dos quadris de maneira a que as coxas fiquem perpendiculares ao chão. Os pés e joelhos devem estar juntos e as mãos estendidas no chão no nível do ombro, com as palmas voltadas para baixo. Ative os músculos abdominais e estabilize a pelve. Inspire.

2. Ao expirar, baixe lentamente, o máximo possível, os joelhos para a esquerda sem que a escápula direita perca o contato com o chão. Mantenha os joelhos juntos. Vire a cabeça para a direita. Sustente o alongamento e inspire.

3. Expire e use os músculos abdominais para erguer os joelhos e puxe-os de volta sobre o centro. Continue o movimento descendente dos joelhos para a direita, virando a cabeça para a esquerda. Repita 10 vezes.

Músculos-alvo

- Estabilizadores da pelve: transverso do abdome; oblíquos internos; oblíquos externos.
- Extensores das costas: latíssimo do dorso; trapézio.
- Adução da perna: adutores.

Rotação dos quadris com uma perna (Single leg hip rolls)

Você terá que manter um forte controle abdominal durante todo este exercício para sustentar o peso da perna, de modo que este exercício só é adequado para os alunos mais avançados. Se você conseguir executá-lo, ele é um alongamento fabuloso para os quadris e a coluna lombar.

Mantenha a cintura alongada e não deixe o quadril subir enquanto você move o joelho para o outro lado. Use os músculos abdominais para sustentar a perna de maneira que ela simplesmente não tombe no chão do outro lado – pense que a perna está deixando que o próprio peso dela a puxe para baixo. Sustente a posição pelo tempo que você achar necessário. Para aumentar o alongamento no passo 4, você pode flexionar o pé e empurrar o calcanhar.

Músculos-alvo

- Estabilizadores da pelve: transverso do abdome; oblíquos internos; oblíquos externos.
- Extensores das costas: latíssimo do dorso; trapézio.
- Adução da perna: adutores.

1. Deite-se na posição supina, com as costas estendidas no chão e um pequeno bloco debaixo da cabeça. Estenda os braços para os lados no nível dos ombros, com as palmas das mãos voltadas para baixo. Mantenha as pernas juntas, com os dedos dos pés suavemente em ponta. Ative os músculos abdominais e estabilize a pelve.

2. Ao inspirar, flexione o joelho direito e erga-o até que ele esteja logo acima do quadril direito e dobrado num ângulo reto.

ROTAÇÃO DOS QUADRIS COM UMA PERNA (*SINGLE LEG HIP ROLLS*)

3. Expire, ative os músculos abdominais e desloque o joelho direito por cima do corpo para a esquerda, deixando que o quadril direito se eleve do chão, mas mantendo a escápula direita em contato com o solo. Vire a cabeça para a direita. A perna esquerda permanece reta. Deixe que a perna direita fique pesada para sentir um alongamento nos glúteos.

4. Continue a expirar enquanto gradualmente endireita e estende a perna direita o máximo possível para longe do centro, ao mesmo tempo que mantém a escápula direita em contato com o chão. Em seguida, inspire e leve o joelho direito de volta à posição mostrada no passo 2, e depois para a posição mostrada no passo 1. Repita com a perna esquerda.

Exercícios na posição de quatro

Alguns exercícios de Pilates são executados na posição "de quatro", que possibilita o movimento para a frente e para trás da coluna, sem que esta sustente o peso do corpo. Isso torna essa posição mais segura do que tentar fazer os mesmos movimentos na posição vertical.

Ficar de quatro possibilita que você mova a pelve e ative os flexores e extensores da coluna, que são cruciais para manter as costas fortes. A posição quadrúpede é adequada para a maioria das pessoas, embora ela possa ser difícil para aquelas que têm lesões no pulso ou problemas como a lesão por esforço repetitivo ou a síndrome do túnel do carpo. Se você tiver problemas nos pulsos, experimente enrolar uma pequena toalha e colocá-la debaixo das palmas das mãos. Isso evitará que os pulsos se estendam tanto para trás. No entanto, se mesmo assim você ainda achar essa posição desconfortável, talvez não seja capaz de executar a série de exercícios na posição quadrúpede. Aqueles que têm problemas nos joelhos provavelmente devem evitar os exercícios nessa posição, a não ser que o ortopedista os libere para fazê-los. De resto, todo mundo deve experimentá-los. O Gato (ver p. 117) e O Cachorro (ver p. 118), os dois principais exercícios na posição quadrúpede que eu recomendo, são bastante úteis para fortalecer as costas.

A posição de quatro

Ao assumir a posição de quatro, coloque os pulsos diretamente embaixo dos ombros e os joelhos diretamente embaixo dos quadris, como as quatro pernas de uma mesa.

A coluna deve manter as suas curvas naturais na posição de quatro. Use os músculos abdominais para puxar a barriga para cima, apoiando a coluna lombar. Não deixe a barriga cair, porque isso poderia fazer as suas costas se arquearem. Desça as escápulas delicadamente em direção às costas para alongar o pescoço, estabilize os ombros e mantenha a caixa torácica alongada e apoiada. Você não deverá sentir nenhuma pressão nos ombros, pulsos ou mãos. Encontre uma posição na qual se sinta confortável, com as mãos espalmadas e os dedos apontando para a frente.

Fique de quatro com os pés e joelhos paralelos e afastados na largura dos quadris. Certifique-se de que os quadris estejam diretamente sobre os joelhos e que as articulações dos quadris e dos joelhos estejam flexionadas num ângulo reto. Posicione as mãos no chão diretamente debaixo dos ombros, separadas na largura dos ombros, com as palmas voltadas para baixo e os dedos voltados para cima. Gire com cuidado o antebraço para fora para que o peso vá para a articulação do polegar, o que ajudará a manter aberta a parte superior das costas.

Abdominais estáticos na posição de quatro (*Quadruped static abs*)

Como nos Abdominais na Posição Deitada de Lado (ver p. 98), você precisa trabalhar contra a gravidade para puxar para cima os músculos abdominais. Isso torna os Abdominais Estáticos na Posição de Quatro mais difíceis de executar do que os Abdominais Estáticos na Posição Semissupina (ver p. 58), mas realmente vale a pena fazê-los para fortalecer a região.

Quando deixar que os músculos abdominais "caiam" na direção do chão, é extremamente importante que você não deixe a pelve se inclinar e a coluna lombar se arquear. Permaneça consciente das curvas naturais da coluna: elas devem ser mantidas durante todo o exercício. O seu peso deve estar uniformemente distribuído pelas mãos e pelas pernas, e a única coisa que se move é o abdome.

Músculos-alvo

- Abdominais: transverso do abdome; reto abdominal.

1. Assuma a posição de quatro e inspire, deixando que os músculos abdominais se projetem na direção do chão, mas sem puxar a coluna lombar para fora da sua curva natural.

2. Expire e puxe os abdominais para cima na direção do teto, sem alterar a curva da coluna lombar. Mantenha a caixa torácica relaxada. Solte lentamente os músculos abdominais e repita 10 vezes.

O gato (*The cat*)

Neste exercício, você flexiona e alonga a coluna, trabalhando a partir do cóccix até o alto da cabeça usando movimentos suaves e harmoniosos. Para ter uma ideia do que estou falando, pense na maneira graciosa na qual um gato se espreguiça depois de tirar um cochilo.

A elevação posterior da pelve inicia o movimento, fazendo com que os músculos abdominais se ergam em direção ao teto e a coluna se flexione, enquanto a cabeça cai na direção do chão. Pense em expandir o púbis até o esterno e alongar a coluna.

Puxe o cóccix por baixo enquanto usa os flexores dos quadris e os músculos abdominais para inclinar a pelve para trás. Visualize os seus braços e pernas como tendo quatro pontos de apoio, como as pernas de uma mesa. Mantenha o seu peso uniformemente equilibrado entre eles o tempo todo, com os quadris sobre os joelhos e os ombros sobre as mãos. Pressione as mãos no chão.

O exercício do Gato é útil para ativar os extensores da coluna, sendo um bom exercício para ser incluído numa série entre exercícios que se concentrem particularmente no alongamento das costas, como as Flexões Torácicas (ver p. 81).

1. Fique de quatro, mantendo a coluna no alinhamento postural correto. Ative os músculos abdominais e inspire.

2. Expire e incline a pelve para trás, fazendo um alongamento curvo na coluna. Estenda a coluna torácica enquanto controla a curva da coluna lombar. Deixe o alto da cabeça cair em direção ao chão, com os olhos voltados para as coxas. Sustente o alongamento.

3. Inspire e, começando pelo cóccix, incline a pelve para a frente e arqueie o cóccix para trás para a posição inicial sem deixar que a coluna lombar se arqueie ou caia. Use os músculos abdominais para controlar o movimento. Repita 5 vezes.

Músculos-alvo

- Extensores da coluna: eretor da coluna (espinal, longuíssimo, iliocostal); semiespinal; grupo espinal posterior profundo.
- Flexores da coluna: reto abdominal; oblíquos internos; oblíquos externos.

118 EXERCÍCIOS PRÉ-PILATES: EXERCÍCIOS NA POSIÇÃO DE QUATRO

O cachorro (The dog)

O objetivo desta posição é manter as curvas naturais da coluna enquanto você levanta braços e pernas opostos. No estúdio de Pilates, costuma-se equilibrar uma pequena vara nas costas do cliente para enfatizar a ideia de que, se ela cair, ele saberá que não está fazendo corretamente o exercício!

Este exercício pode ser desmembrado para iniciantes de maneira que eles estendam um braço e uma perna de cada vez. Ele requer mais força e equilíbrio do que O Gato (ver p. 117) mas é excelente para as pessoas que têm dor na região lombar, desde que elas consigam executá-lo corretamente. Se você tiver dificuldade em sustentar a coluna lombar durante os movimentos, pode tentar fazer o exercício do Cachorro deitado numa bola de ginástica ou num banco na altura correta.

O fundamental é manter as curvas naturais da coluna durante todo o exercício. Cuidado para não transferir o seu peso para o braço ou a perna que estiver fazendo a sustentação. Manter os movimentos lentos e suaves o ajudará a conservar o controle.

Se você sentir tensão no pescoço ou nos ombros, ajuste a sua posição para que o seu peso fique uniformemente equilibrado entre os braços e as pernas, e puxe as escápulas para baixo para afastar a pressão do pescoço.

A variação introduz um nível adicional de dificuldade e requer um controle abdominal ainda maior. É difícil deixar de se apoiar na perna que serve de suporte, mas é fundamental que você não faça isso. Se você sentir que a coluna lombar está se arqueando ou tombando enquanto estende o braço e a perna, continue a praticar a primeira parte do exercício até ficar forte o bastante para executar a variação.

1. Fique de quatro. Inspire.

2. Ao expirar, ative os músculos abdominais e deslize o pé direito para trás pelo chão, ao mesmo tempo que desliza a mão esquerda para a frente. Levante devagar, simultaneamente, a mão e o pé do chão.

3. Aumente a elevação da mão e do pé, até que o braço e a perna estejam paralelos ao chão. Não deixe as costas se arquearem. Inspire enquanto volta à posição inicial. Repita os movimentos com o braço direito e a perna esquerda. Repita 5 vezes em cada diagonal.

Músculos-alvo

- Extensores da coluna: eretor da coluna (espinal, longuíssimo, iliocostal); semiespinal; grupo espinal posterior profundo.
- Flexores da coluna: reto abdominal; oblíquos internos; oblíquos externos.
- Movimentos das pernas: tendões da perna; glúteos; quadríceps.

Variação

1. Fique de quatro. Inspire, ative os músculos abdominais e flexione a coluna numa curva enquanto leva o cotovelo direito e o joelho esquerdo na direção um do outro debaixo do tronco.

2. Expire e estenda novamente o braço e a perna para fora, de maneira a ficar na mesma posição do passo 2 no exercício principal. Repita 5 vezes os passos 1 e 2 antes de voltar à posição de quatro e fazer 5 repetições com o cotovelo esquerdo e o joelho direito.

Descansando as costas (*Back rest*)

Este é um alongamento simples porém eficaz da coluna que é ideal depois de você ter praticado os exercícios do Gato e do Cachorro. Ele é adequado para quase todas as pessoas.

Quando você se inclinar para a frente e descansar a testa no chão nessa posição, sentirá um agradável puxão na parte inferior da coluna. Se quiser, você pode levar os dedos das mãos para um lado ou para o outro a fim de alongar também para os lados os músculos da região lombar. Não faça este exercício se você tiver problemas nos joelhos e seja cuidadoso se tiver problemas na região lombar, mas de resto você deverá conseguir executá-lo sem dificuldade.

Fique de quatro. Expire e mova as nádegas na direção dos calcanhares, baixando a parte superior do corpo até a sua testa descansar no chão. Deslize as mãos para a frente o máximo que puder, sentindo o alongamento na coluna. Descanse nesta posição durante um minuto, respirando tranquilamente.

Exercícios para o tronco superior na posição sentada

Você pode fazer estes exercícios para o tronco superior sentado na sua mesa no trabalho. Eles são úteis para aliviar a rigidez nos ombros. Sugiro que você sempre comece fazendo algumas vezes o exercício Encolhendo os Ombros (ver p. ao lado) a fim de relaxar os ombros antes de avançar para os outros exercícios da série.

Para este grupo de exercícios, você precisará de um banco, ou de uma cadeira sem braço, de uma altura que possibilite que você se sente com os quadris e os joelhos flexionados perpendicularmente; em outras palavras, a altura do assento deve ser equivalente à distância entre o seu joelho e o calcanhar. Se o assento for alto demais, você pode colocar um bloco debaixo dos pés de maneira que os seus quadris e joelhos formem um ângulo de 90°. Escolha um banco ou cadeira resistente que não balance e um bloco que não escorregue.

Sente-se com as solas dos pés apoiadas no chão e os joelhos separados na largura dos quadris. Mantenha as coxas paralelas e a maior parte possível dos tendões da perna no assento. Certifique-se de que o seu peso está uniformemente distribuído pelos ossos das nádegas e faça força para baixo no assento para estabilizar a coluna lombar e os músculos abdominais. Alongue a coluna até o alto da cabeça, mantendo a curva natural da coluna lombar e ativando levemente os músculos abdominais. Puxe delicadamente as escápulas para baixo na direção da caixa torácica. Esta é a posição inicial para todos os exercícios desta série. Crie uma lista de verificação mental que você possa percorrer todas as vezes até constatar que a posição de sentar correta se tornou quase instintiva.

ENCOLHENDO OS OMBROS (SHOULDER SHRUGS) **121**

Encolhendo os ombros (*Shoulder shrugs*)

Este é um exercício útil para localizar os músculos latíssimo do dorso e trapézio. Concentre-se em usar os latíssimos do dorso para puxar as escápulas para baixo em vez de empurrar a partir dos trapézios.

O exercício Encolhendo os Ombros é proveitoso para relaxar os músculos rígidos dos ombros antes de você começar a se exercitar. Os ombros devem deslizar para baixo na sua posição natural, de modo que este é um bom exercício para fazer em primeiro lugar numa série do tronco superior. Observe-se num espelho para ver se um dos ombros está mais alto do que o outro. Se estiver, corrija a posição para que ela volte a ficar simétrica.

Músculos-alvo

- Estabilizadores da escápula: latíssimo do dorso; trapézio.

1. Sente-se ereto numa cadeira ou banco com as solas dos pés apoiadas no chão ou sobre um pequeno bloco e os joelhos e quadris perpendicularmente flexionados. Os braços devem estar ao longo do corpo, levemente à frente da linha dos ombros.

2. Inspire e encolha os ombros até a altura dos ouvidos, mas não os arqueie em excesso. Expire e deslize-os lentamente de volta usando os latíssimos do dorso. Mantenha a coluna alongada e visualize o esterno se erguendo. Repita algumas vezes os movimentos.

Compressão do travesseiro (*Pillow squeeze*)

Muitos exercícios de Pilates pedem que você mantenha as escápulas abertas em vez de deixar que elas se comprimam. Este exercício fortalece os músculos serráteis anteriores que puxam as escápulas para a frente e para fora, alargando as costas.

Você pode sentir os músculos serráteis anteriores trabalhando nas suas laterais se você colocar a mão debaixo da axila do lado oposto e comprimir o braço para dentro. Esse exercício simples o ajudará a identificar e fortalecer esses músculos para que eles possam trabalhar com eficácia quando você precisar deles em exercícios mais complicados. O exercício Compressão do Travesseiro também é útil se você tiver rigidez nos ombros, bem como para as pessoas cujas escápulas se projetam para fora.

Músculo-alvo

- Movimento escapular: serrátil anterior.

1. Sente-se numa cadeira ou banco com as solas dos pés apoiadas no chão ou sobre um pequeno bloco. Dobre um travesseiro ao meio debaixo de um dos braços e segure-o na lateral do corpo entre as costelas e o cotovelo. Inspire.

2. Ao expirar, comprima delicadamente o travesseiro com o braço. Sustente a posição enquanto conta até 5, e depois relaxe. Repita 10 vezes de cada lado.

… EXERCÍCIO PARA OS LATÍSSIMOS… 123

Exercício para os latíssimos do dorso na posição sentada (*Sitting lats*)

Este exercício se resume em aprender a isolar os latíssimos do dorso e usá-los para controlar o movimento. Você deve senti-los trabalhando logo abaixo das escápulas e poderá usar essa sensação para criar uma memória muscular.

É fundamental manter uma postura sentada adequada durante todo o exercício. Mantenha os músculos abdominais contraídos e a coluna alongada. Os ombros devem permanecer abaixados – certifique-se de que eles não se arqueiem para a frente. Leve as pontas dos dedos das mãos ao chão e evite empurrar os braços excessivamente para trás ou para cima no passo 2 – uma distância mais ou menos igual à envergadura da sua mão é suficiente. Mantenha o olhar fixo à frente, com o pescoço alongado. Sinta o peito se abrindo enquanto move os braços atrás de você.

1. Sente-se ereto numa cadeira ou num banco com as solas dos pés apoiadas no chão ou sobre um pequeno bloco. Flexione perpendicularmente os joelhos e quadris e deixe os braços caírem ao lado do corpo, com as palmas das mãos voltadas para trás.

2. Ao expirar, ative os músculos abdominais e puxe os braços para trás, mantendo os ombros no lugar. Quando os braços se moverem atrás dos quadris, gire-os para dentro para que os latíssimos do dorso trabalhem mais. Inspire enquanto volta à posição inicial. Repita 10 vezes.

Variação

Uma vez que você tenha certeza de que consegue fazer corretamente, com segurança, o exercício, experimente executá-lo segurando alguns halteres de mão com não mais de 2 kg cada um, com as palmas das mãos voltadas para trás durante os movimentos.

Músculo-alvo

- Movimento escapular: latíssimo do dorso.

Abertura dos braços (*Arm openings*)

Este exercício é extremamente eficaz para abrir o peito, estabilizar os ombros e melhorar a postura. Há duas posições básicas e cada uma delas ativa uma área diferente dos músculos do tronco superior.

Examine a sua postura antes de começar. Você está sentado com os quadris e joelhos perpendiculares, a coluna alongada e os ombros abaixados? Flexione os cotovelos de maneira que formem um ângulo reto, levemente à frente da linha dos ombros, para que os antebraços fiquem paralelos ao chão.

Ao começar o movimento, os cotovelos permanecem em posição e atuam como dobradiças enquanto você abre os antebraços para fora. Imagine que você está abrindo um triângulo com a base passando entre os ombros e o vértice no centro do esterno. Conserve os ombros abaixados com o pescoço alongado, e mantenha a postura correta da coluna. Concentre-se nos músculos que estão trabalhando nas suas costas. Não deixe que o seu pescoço fique tenso; virar levemente a cabeça enquanto abre os braços pode ajudar a mantê-lo relaxado.

Músculos-alvo

- Manguito rotador: supraespinal; infraespinal; redondo menor; subescapular; redondo maior.
- Estabilização escapular: trapézio; latíssimo do dorso; músculo serrátil anterior.
- Movimentos dos braços: peitoral maior; deltoides; romboides.

Com as palmas das mãos voltadas para dentro

1. Sente-se ereto numa cadeira ou num banco com as solas dos pés no chão ou sobre um pequeno bloco. Flexione os cotovelos num ângulo reto ao lado do corpo, ligeiramente na frente dos ombros, com as palmas voltadas para dentro.

2. Ao expirar, ative os músculos abdominais, puxe os latíssimos do dorso para baixo e mova lentamente os braços para fora, mantendo os cotovelos na mesma posição. Continue o movimento até onde você conseguir.

3. Inspire e vire as palmas das mãos para o teto.

ABERTURA DOS BRAÇOS (*ARM OPENINGS*) **125**

4. Expire e gire os braços de maneira que as palmas das mãos fiquem viradas para a frente.

5. Inspire enquanto leva os braços de volta à posição inicial. Repita 10 vezes.

Com as palmas das mãos viradas para baixo

1. Assuma a posição inicial do passo 1, na página ao lado, mas com as palmas das mãos viradas para baixo, como se os seus braços estivessem sobre uma mesa.

2. Inspire enquanto abre os antebraços para fora como no passo 2, na página ao lado, ativando os romboides. Expire enquanto volta à posição inicial. Repita 10 vezes.

Extensão torácica (*Thoracic extension*)

Este é um alongamento maravilhoso que mobiliza a coluna torácica e a cervical e solta os ombros e peitorais rígidos.

Quando os músculos trapézios se aglomeram nos ombros, eles se estendem para a frente e os músculos peitorais no tórax ficam mais rígidos e menos flexíveis. Se um cliente com esse problema me procura, peço que ele trabalhe bastante o tronco superior para abrir o peito, puxar as escápulas para baixo e movimentar a coluna superior. Este é um dos melhores exercícios para o tronco superior, junto com o exercício Abertura dos Braços (ver pp. 124-25). Geralmente vejo uma melhora na postura e mais flexibilidade na parte superior do corpo algumas semanas depois de o cliente começar a fazer regularmente esses dois exercícios. Lembre-se de manter as escápulas abaixadas ao mover os braços.

Músculos-alvo

- Manguito rotador: supraespinal; infraespinal; redondo menor; subescapular; redondo maior.
- Estabilização escapular: trapézio; latíssimo do dorso; músculo serrátil anterior.
- Movimentos dos braços: peitoral maior; deltoides; romboides.

1. Sente-se ereto numa cadeira ou num banco com as solas dos pés no chão ou sobre um pequeno bloco, de maneira que os joelhos e quadris estejam num ângulo reto. Flexione os cotovelos num ângulo reto e posicione-os ao lado do corpo, ligeiramente na frente dos ombros, com as palmas para baixo.

2. Inspire e abra os antebraços para os lados, mantendo os cotovelos na mesma posição.

EXTENSÃO TORÁCICA (*THORACIC EXTENSION*) 127

3. Continue a inspirar e erga os cotovelos para fora de maneira que eles fiquem diretamente atrás das suas mãos.

4. Expire e leve os cotovelos para trás.

5. Inspire, endireite os braços e levante o peito, mantendo o pescoço alinhado com a parte superior do corpo. A sua linha de visão se deslocará para cima, mas não incline a cabeça para trás.

6. Expire e leve os braços à frente para envolver o seu peito, como se você estivesse se abraçando. Segure a borda das escápulas e puxe delicadamente a parte superior das costas. Volte à posição inicial. Repita 10 vezes.

128 EXERCÍCIOS PRÉ-PILATES: EXERCÍCIOS PARA O TRONCO SUPERIOR NA POSIÇÃO SENTADA

Flexão torácica lateral (*Thoracic side bend*)

Este exercício proporciona um bom alongamento lateral à coluna torácica e alonga o lado da cintura. Todo alongamento precisa de um apoio do qual você possa se afastar e, neste caso, você o cria pressionando a palma da mão abaixo da axila.

Certifique-se de manter a coluna reta, com os quadris em ângulo reto, os pés voltados para a frente e os ombros relaxados. Não se incline para a frente ou para trás quando se curvar.

1. Sente-se ereto numa cadeira ou num banco com as solas dos pés no chão ou sobre um pequeno bloco. Pressione a palma da mão esquerda logo abaixo da axila esquerda. Ative os músculos abdominais e inspire.

2. Ao expirar, levante o braço direito, arqueando-o por cima da cabeça.

3. Enquanto continua a expirar, volte a cabeça para a esquerda e curve-se para o lado esquerdo. A mão que está logo abaixo da axila impedirá que você vá longe demais. Inspire e volte ao centro. Repita 5 vezes em cada direção.

Braços de cossaco (*Cossack arms*)

Muitos dos meus clientes ficam surpresos ao constatar quanto estão rígidos quando tentam fazer uma rotação no centro da região torácica. Na vida diária, nós não fazemos esse movimento com a mesma frequência que nos inclinamos para a frente e para trás, mas é importante fazê-lo para permanecer flexíveis.

Neste exercício, a coluna atua como um eixo central ao redor do qual você gira, e a pelve, os joelhos e os pés permanecem completamente imóveis. É importante manter a coluna lombar apoiada pelos músculos abdominais enquanto os ombros ficam relaxados e nivelados. Certifique-se de que o nariz permaneça alinhado com os dedos das mãos.

Frequentemente peço aos iniciantes que façam este exercício com uma vara atrás das costas e enfiada através dos braços para estimular uma boa postura. Isso é particularmente útil se eles tiverem a tendência de arquear os ombros para cima e trabalhar a partir dessa posição em vez de usar os músculos do centro da região torácica.

Você pode respirar de três maneiras quando faz este exercício. Pode inspirar enquanto se curva e expirar quando volta à posição inicial. Pode expirar quando se curva e inspirar quando volta. Ou pode fazer uma respiração dupla: inspirar quando se curva, fazer uma pausa e depois expirar, se curvar um pouco mais e inspirar, e expirar quando volta à posição inicial. Experimente as três maneiras e verifique qual o padrão respiratório que funciona melhor para você. Descrevo o método da respiração dupla nas instruções passo a passo abaixo, e o segundo método na variação com a vara (ver o quadro abaixo).

1. Sente-se ereto numa cadeira ou num banco com as solas dos pés no chão ou sobre um pequeno bloco. Flexione os cotovelos para fora e toque a frente do esterno com a ponta dos dedos das mãos com os nós dos dedos se tocando. Ative os músculos abdominais e puxe as escápulas para baixo.

2. Ao inspirar, vire a parte superior do corpo para a esquerda. Mantenha os ombros relaxados e a pelve, os quadris e joelhos voltados para a frente. Faça uma pausa e expire. Vire um pouco mais. Inspire. Expire e volte para o centro. Repita 5 vezes em cada direção.

Variação com a vara

Coloque uma vara com aproximadamente 1 metro de comprimento atrás das costas no nível da cintura. Enrosque os braços ao redor da vara e coloque as mãos na cintura com os dedos apontando na direção do umbigo. Inspire. Expire e gire a parte superior do corpo para a direita como um só bloco, imaginando que as extremidades da vara estão criando o movimento. Mantenha imóvel a parte inferior do corpo. Faça uma pausa e vire um pouco mais. Inspire enquanto volta à posição inicial. Repita 5 vezes em cada direção.

Músculos-alvo

- Manguito rotador: supraespinal; infraespinal; redondo menor; subescapular; redondo maior.
- Estabilização escapular: trapézio; latíssimo do dorso; músculo serrátil anterior.
- Movimentos dos braços: peitoral maior; deltoides.

Exercitando-se com halteres de mão

Os halteres são úteis para aumentar a intensidade de um exercício, mas não recomendo que você compre halteres de mão ou caneleiras com mais de 2 quilos cada. Os pesos muito pesados causam tensão e criam músculos volumosos, quando o objetivo de Pilates é desenvolver músculos longos, magros e fortes.

Uma boa ideia é experimentar os halteres de mão antes de comprá-los, para sentir se você os considera confortáveis. Se você tiver alguma fraqueza no pulso, no cotovelo ou no ombro, comece fazendo os exercícios sem segurar nenhum haltere e vá incluindo-os gradualmente. E se você achar os exercícios fáceis, aumente o número de repetições em vez de aumentar o peso.

Ao usar halteres de mão, é particularmente importante que você estabilize firmemente o tronco ativando os músculos abdominais e latíssimos do dorso, para que você não seja arrastado do centro e a sua coluna não abandone as curvas naturais. Mesmo que um exercício não diga especificamente que você deve ativar os músculos abdominais antes de começar, você deve sempre fazer isso. É algo que deve se tornar automático. Certifique-se de que a sua pelve está neutra e sempre puxe as escápulas para baixo, para não ficar tentado a usar os músculos do pescoço e dos ombros.

Você provavelmente não deve usar halteres de mão se sofrer de cotovelo de tenista, síndrome do túnel do carpo ou lesão por esforço repetitivo. Antes de usar halteres de mão, verifique com o seu ortopedista se você tem alguma fraqueza no tronco superior ou no braço.

Exercício para o tríceps na posição deitada (*Lying triceps*)

Este exercício tem como alvo os braços fracos, uma área problemática para muitas pessoas. Tríceps fortes também ajudarão a proteger a articulação do cotovelo de lesões, mantendo-a no alinhamento correto.

Na posição inicial, visualize os seus braços criando um retângulo. Esta é uma estrutura sólida a partir da qual o movimento ocorrerá, sem envolver qualquer outra parte do corpo. Relaxe os ombros no chão e puxe os latíssimos do dorso para baixo de maneira que nenhuma parte do trabalho vá para o pescoço. Se, em qualquer momento, você sentir tendões sobressaindo no pescoço, interrompa imediatamente o exercício e puxe as escápulas para baixo.

Se você tiver dificuldade em manter os braços nesse ângulo, devido a problemas no pescoço ou nos ombros, você pode fazer uma variação desse exercício sentado numa mesa com uma caixa posicionada debaixo do braço para que este fique paralelo ao chão. Se você flexionar o cotovelo num ângulo reto, e depois endireitá-lo, esse movimento trabalhará o músculo tríceps sem causar nenhuma tensão em outro lugar.

Músculos-alvo

- Flexores e extensores dos cotovelos: tríceps, bíceps.

1. Deite-se de costas na posição semissupina. Segure um haltere na mão direita e estenda o braço na direção do teto. Coloque as costas da mão esquerda atrás do cotovelo direito para criar um retângulo no espaço entre os braços e o peito. Puxe as escápulas para baixo e relaxe os ombros no chão.

2. Inspire e flexione o braço direito de maneira que o cotovelo e o ombro fiquem perpendiculares, o braço forme um ângulo reto com o chão e o antebraço esteja paralelo ao chão. Ao expirar, endireite lentamente o cotovelo direito, mantendo o braço na mesma posição. Repita 10 vezes com cada braço.

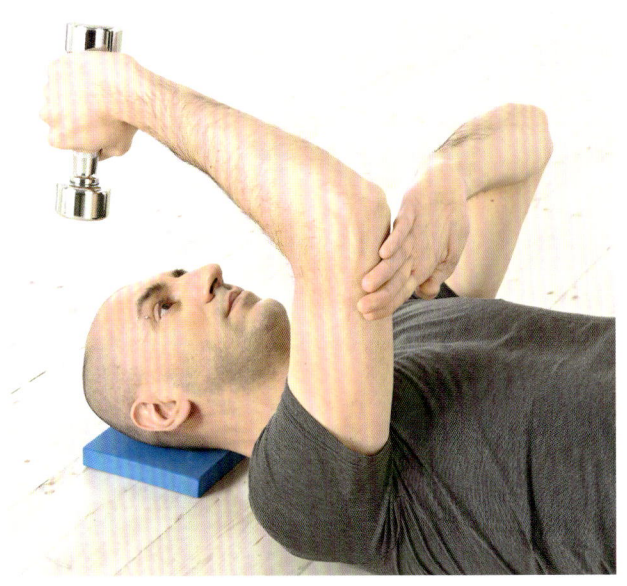

Exercício para o bíceps na posição sentada (Sitting biceps)

Quase todos nós temos os bíceps mais fortes do que os tríceps, de modo que você não precisa incluir exercícios para os bíceps em todas as sessões nas quais trabalhar os tríceps, o grupo muscular oposto. Os Exercícios para os Bíceps na Posição Sentada são importantes para desenvolver força nas pessoas que têm braços particularmente fracos.

Para executar este exercício, sente-se com uma boa postura num banco ou numa cadeira sem braços, com as solas dos pés apoiadas no chão, os quadris e joelhos flexionados num ângulo reto, e tudo alinhado. Ative ligeiramente os músculos abdominais para manter as curvas naturais da coluna, e puxe para baixo as escápulas para estabilizar o tronco superior. Você precisa estar firmemente apoiado para que o movimento dos halteres não o desestabilize, e para que apenas o seu braço esteja trabalhando.

Durante os movimentos, mantenha os cotovelos diretamente embaixo dos ombros e não deixe que eles sejam arrastados na direção da cintura. Os braços não devem se mover. Não tente fazer uma flexão tão extensa a ponto de o haltere tocar o ombro; a eficácia máxima do exercício é alcançada quando os antebraços formam um ângulo de cerca de 45° com os braços. Expire enquanto levanta os halteres e inspire quando os trouxer novamente para baixo, e trabalhe num ritmo suave e harmonioso. Lembre a si mesmo durante todo o exercício que você deve manter as escápulas abaixadas. Interrompa imediatamente o exercício se sentir qualquer tensão no pescoço e experimente executá-lo sem segurar nenhum haltere.

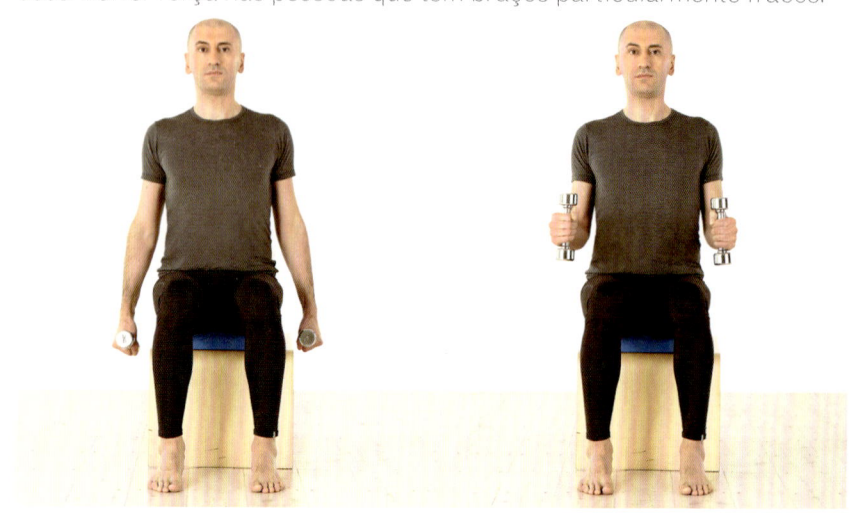

1. Segure um haltere em cada mão e sente-se num banco com os braços estendidos retos ao lado do corpo e as palmas das mãos voltadas para dentro.

2. Ao expirar, flexione os cotovelos para erguer os halteres até a altura da cintura. Mantenha os cotovelos na mesma posição.

3. Gire os antebraços de maneira que as palmas das mãos fiquem voltadas para o teto.

4. Leve agora os halteres até a altura dos ombros. Inspire enquanto endireita lentamente os braços. Repita 10 vezes.

Músculos-alvo

- Flexores e extensores do cotovelo: bíceps; tríceps.

Exercício para os deltoides na posição sentada (*Sitting deltoids*)

Deltoides com um bom tônus muscular conferem uma forma atraente aos ombros e o ajudam a evitar lesões quando você levanta e carrega coisas.

Assim como em todos os exercícios na posição sentada, verifique a sua postura antes de começar e ative os músculos posturais para estabilizar o tronco. Puxar para baixo as escápulas o ajudará a evitar usar os músculos do pescoço durante os movimentos de elevação, e a ativação dos músculos abdominais protegerá a coluna lombar.

Você levantará os halteres de mão para fora em três ângulos diferentes, cada um dos quais ativa uma área ligeiramente diferente dos músculos deltoides, de modo que deve incluí-los todos na sua sessão de treinamento.

1. Sente-se num banco na posição ereta com os braços ao longo do corpo, segurando um haltere em cada mão com as palmas voltadas para dentro. Inspire.

2. Ao expirar, levante os braços para os lados até que eles estejam ligeiramente mais baixos do que os ombros, com os cotovelos levemente flexionados e as palmas voltadas para baixo.

3. Endireite os braços diante de você na altura dos ombros, com as palmas das mãos voltadas para baixo, juntando os halteres. Inspire e leve os braços de volta à posição ao longo do corpo, como no passo 1.

4. Expire e leve os braços para trás a uma distância aproximadamente igual à envergadura da mão, certificando-se de que a articulação dos ombros não gire para a frente. Leve novamente os braços à frente como no passo 1. Repita 10 vezes toda a sequência.

Músculos-alvo

- Extensores dos ombros: deltoides.

Exercício para os peitorais na posição deitada (*Lying pecs*)

Músculos peitorais rígidos e excessivamente desenvolvidos puxam os ombros para a frente e destroem o equilíbrio da coluna torácica e da cervical. Trabalhar os peitorais junto com as costas o ajudará a abrir o peito e melhorar a postura e a respiração.

Ative os músculos abdominais e puxe as escápulas para baixo antes de começar o movimento. Se você tiver dificuldade em segurar os halteres de mão acima de você, pratique o exercício sem eles para começar, juntando simplesmente as pontas dos dedos das mãos na posição inicial. No passo 3, visualize os seus braços fazendo um círculo, com os halteres logo acima do esterno. Ao abrir os braços no passo 4, você deve mantê-los na mesma forma curva. Assim que os seus braços tocarem o chão, expire e volte à posição inicial. O exercício não consiste em levar os halteres até o chão, o que faria as costelas se erguerem e as costas se arquearem.

1. Deite-se de costas na posição semissupina com um pequeno bloco debaixo da cabeça. Segure um haltere em cada mão e levante os braços diretamente acima dos ombros com as palmas das mãos voltados para fora.

2. Ao expirar, baixe os cotovelos para que descansem no chão ao lado dos ombros, com os antebraços perpendiculares ao chão. Inspire enquanto ergue novamente os braços. Repita 10 vezes.

EXERCÍCIO PARA OS PEITORAIS NA POSIÇÃO DEITADA (*LYING PECS*)

Músculos-alvo

- Músculos que abrem o tórax: peitoral maior.

3. Deite-se na posição inicial como explicado no passo 1, na página ao lado, mas gire os braços de maneira que as palmas das mãos fiquem voltadas para dentro. Flexione levemente os cotovelos.

4. Ative os músculos abdominais e expire enquanto leva os halteres em direção ao chão ao lado dos ombros, traçando no ar a forma de um arco enquanto faz o movimento. Não deixe que as suas costas se arqueiem ou as costelas se levantem. Pare imediatamente antes de as suas costelas se levantarem e inspire enquanto ergue novamente os braços. Repita 10 vezes os passos 3 e 4.

Trabalho com as pernas

De uma maneira ou de outra, as pernas são usadas na maioria dos exercícios de Pilates. No entanto, nesta seção, você encontrará exercícios que têm como alvo grupos específicos de músculos das pernas.

Ao programar uma sessão de treinamento para as pernas, escolha exercícios que equilibrem grupos musculares opostos – adutores e abdutores, tendões da perna e quadríceps – e tenha em vista a tonificação e o fortalecimento das pernas de um modo geral.

Compressão dos adutores (*Adductor squeeze*)

Há um exercício de Compressão do Travesseiro para o tronco superior (ver p. 122). A Compressão dos Adutores é semelhante, mas dessa vez trabalha a parte interna das coxas. Ele é útil para ajudá-lo a aprender onde estão os músculos da parte interna das coxas e como ativá-los.

Você pode simplesmente comprimir a toalha dobrada como no passo 1 do exercício, mas para intensificar o trabalho, ative os músculos abdominais e erga o tronco superior do chão como numa Flexão Torácica (ver p. 81).

1. Deite-se de costas na posição semissupina com um pequeno bloco debaixo da cabeça e coloque uma toalha enrolada ou um travesseiro entre as coxas. Ao expirar, aproxime a parte interna das coxas e sustente a compressão durante 8 segundos. Inspire e solte. Repita 5 vezes

2. Ative os músculos abdominais, expire e, conduzindo com o esterno, levante a parte superior do corpo enquanto comprime a toalha enrolada ou o travesseiro com a parte interna das coxas. Estenda os braços retos para a frente no nível dos quadris. Sustente a posição durante 8 segundos, e em seguida inspire enquanto volta à posição inicial. Repita 5 vezes este passo.

Músculos-alvo

- Adução das pernas: adutores

Exercício para os adutores na posição sentada (*Sitting adductors*)

Este é um simples fortalecedor da parte interna das coxas que é útil nos primeiros dias quando você está aprendendo a identificar e isolar os músculos adutores. Se você executar o exercício com a perna nua, conseguirá efetivamente ver os músculos trabalhando.

Há um exercício adutor na posição deitada de lado, semelhante ao Levantamento da Parte Externa da Coxa (ver p. 102), mas eu não o considero tão eficaz quanto este na posição sentada, que possibilita uma maior amplitude de movimento.

Na posição inicial, o ângulo entre as suas pernas deve ser o mais aberto que você consiga sustentar de uma maneira confortável. Não force a posição. Se ajudar, você pode se encostar na parede ou num móvel pesado para manter as costas retas. Leve a perna reta o máximo possível além da linha central do corpo, mas não force o movimento. Este exercício não é adequado para as pessoas que tenham se submetido à cirurgia de substituição do quadril, pois fazer uma adução além da linha central é contraindicado para elas.

Não use caneleiras, porque elas impedirão o movimento. Faça repetições adicionais se desejar um desafio maior. Também é proveitoso fazer este exercício com a perna que se move levemente girada para fora, pois assim ele tem como alvo uma área diferente dos adutores. E se você achar mais fácil fazer o exercício com uma das pernas, faça repetições adicionais com a perna mais fraca.

Músculos-alvo

- Adução das pernas e rotação lateral: adutor breve e longo.
- Abdução: reto femoral.

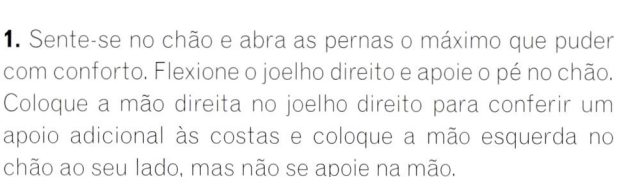

1. Sente-se no chão e abra as pernas o máximo que puder com conforto. Flexione o joelho direito e apoie o pé no chão. Coloque a mão direita no joelho direito para conferir um apoio adicional às costas e coloque a mão esquerda no chão ao seu lado, mas não se apoie na mão.

2. Ao expirar, deslize a perna esquerda pelo chão indo além da linha central, aproximando-a o máximo possível da perna direita. Inspire quando voltar à posição inicial. Repita 8 vezes com cada perna.

Variação com as pernas retas

1. Sente-se com as pernas retas e bem abertas. Coloque as mãos de leve no chão logo atrás das coxas.

2. Expire enquanto arrasta a perna esquerda pelo chão até logo depois da linha central. Inspire enquanto volta à posição inicial. Repita 8 vezes com cada perna.

Quadríceps

O ponto principal nos exercícios para os quadríceps é garantir que o joelho esteja corretamente alinhado, com a patela voltada diretamente para a frente o tempo todo, quer a perna esteja reta ou flexionada.

Não fazemos muitos exercícios para os quadríceps no estúdio porque, na maioria das pessoas, os quadríceps tendem a ser mais fortes do que os tendões da perna. Não obstante, aquelas que estão fracas – talvez se recuperando de uma doença ou lesão – podem precisar trabalhar os quadríceps. Tenha muito cuidado quando fizer exercícios para os quadríceps se você tiver qualquer tipo de problema nos joelhos e não use caneleiras. Mantenha os movimentos numa amplitude média e pare se sentir qualquer desconforto.

Experimente fazer o exercício com uma toalha enrolada ou alguns travesseiros para criar um apoio da altura certa, de modo que a parte posterior da coxa possa se apoiar neles enquanto o calcanhar direito chega ao chão do outro lado. Certifique-se de que o pé cuja sola está rente ao chão está apoiado tanto nos calcanhares quanto nos dedos dos pés. À medida que os quadríceps se tornarem mais fortes, você poderá adicionar uma rotação da perna para fora na dorsiflexão final.

Um exercício alternativo dos quadríceps é se sentar numa mesa com uma pequena toalha enrolada debaixo da parte de trás dos joelhos e com os pés dependurados sobre a lateral. Endireite uma perna de cada vez, fazendo uma ponta suave no pé, e depois flexione para baixá-la novamente. No entanto, não tente fazer esta versão se você tiver qualquer tipo de fraqueza nos joelhos.

1. Deite-se de costas com um pequeno bloco debaixo da cabeça e uma toalha enrolada ou alguns travesseiros debaixo do joelho direito. Flexione a perna esquerda ao lado da toalha, com o pé completamente apoiado no chão. Descanse os braços ao lado do corpo.

2. Ao inspirar, levante o pé direito, mantendo-o suavemente flexionado. Endireite o joelho e faça uma dorsiflexão com o pé.

3. Coloque agora os dedos do pé em ponta. Flexione novamente o pé. Expire enquanto baixa a perna até o chão. Repita 5 vezes com cada perna.

Músculos-alvo

- Extensores do joelho: reto femoral; grupo vasto.

Developpé

Baseada em movimentos de balé, esta sequência de exercícios requer que você estenda a perna para a frente, para trás e para cima até onde a flexibilidade do quadril o permitir.

Este exercício contém quatro partes. Nas partes na posição deitada de lado, tenha em mente todas as regras a respeito dessa posição (ver p. 97) e mantenha os ombros e quadris alinhados, usando os músculos do centro de força para evitar rolar para a frente ou para trás. Visualize o resto do corpo como estando completamente imóvel e somente a perna de cima se movendo. Não afunde na cintura. Mantenha o pescoço alongado. Os dedos da mão do braço que está por cima descansam levemente no chão diante de você, mas você não deve se apoiar neles; em vez disso, use os músculos do centro de força para manter o equilíbrio.

Ao mover a perna levantada, mantenha-a alongada e reta, e sustente-a na mesma altura. Os abdutores dos quadris a manterão em cima, enquanto os flexores dos quadris a levarão para a frente e os extensores dos quadris a levarão de volta novamente. Mantenha uma linha longa e elegante, e conserve os movimentos suaves e harmoniosos. Vá diretamente para a sequência seguinte sem fazer nenhuma pausa. Visualize bailarinos executando os seus exercícios na barra (embora seja compreensível que os seus quadris não sejam tão flexíveis quanto os deles). Flexionar o pé e fazer um alongamento empurrando o calcanhar lhe proporcionará um bom alongamento do tendão da perna.

Developpé semissupino

1. Deite-se de costas na posição semissupina com um pequeno bloco debaixo da cabeça e os braços ao lado do corpo.

2. Inspire, ative os músculos abdominais, vire a perna direita para fora e levante o joelho direito em direção ao peito, mantendo-a flexionada mais ou menos num ângulo reto no joelho. Faça ponta com o pé.

3. Endireite a perna direita, mantendo o pé em ponta.

4. Flexione o pé e faça um alongamento empurrando no calcanhar. Mantenha os músculos abdominais firmemente ativos. Expire enquanto baixa a perna reta em direção ao chão. Vá somente até onde conseguir sem arquear a região lombar.

Músculos-alvo

- Flexores e estabilizadores laterais da coluna: oblíquos internos; oblíquos externos; quadrado lombar; eretor da coluna (espinal, longuíssimo, iliocostal); semiespinal; grupo espinal posterior profundo; reto abdominal; transverso do abdome.
- Adutores do quadril: glúteo médio; glúteo mínimo; tensor da fáscia lata; sartório.
- Flexores dos quadris: iliopsoas; reto femoral.
- Extensores dos quadris: glúteo máximo, tendões da perna.

5. Faça ponta com o pé e inspire enquanto ergue o joelho para trás na direção do peito como no passo 2. Repita os passos de 2 a 5 cinco vezes com cada perna antes de avançar para o Developpé na Posição Deitada de Lado, abaixo.

Developpé na posição deitada de lado (*Side-lying developpé*)

1. Deite-se sobre o seu lado direito na posição deitada de lado com uma pequena toalha dobrada debaixo da cabeça e as pernas retas, com os pés em ponta.

2. Vire a perna esquerda para fora e inspire enquanto flexiona o joelho, levando os dedos do pé esquerdo para baixo de maneira que toquem a panturrilha direita.

3. Expire e pressione o calcanhar esquerdo na panturrilha direita e aumente a rotação da perna para fora. Inspire e faça novamente ponta com o pé esquerdo.

>>

142 *EXERCÍCIOS PRÉ-PILATES*: TRABALHO COM AS PERNAS

4. Inspire e erga o joelho esquerdo na direção do ombro esquerdo, parando quando o quadril e o joelho estiverem perpendiculares.

5. Ainda inspirando, estenda a perna esquerda o mais alto e o mais reto que você puder, com os dedos do pé em ponta.

6. Flexione o pé esquerdo e faça um alongamento no calcanhar. Expire e volte a baixar a perna de maneira que o pé esquerdo fique sobre o pé direito, fazendo novamente ponta com os dedos do pé, como no passo 1. Faça ponta com o pé e repita 5 vezes os passos 1 a 6.

Developpé para trás

1. Repita os passos 1 a 3 do Developpé na Posição Deitada de Lado (ver p. 141) e em seguida, inspirando, levante a perna esquerda flexionada atrás de você, mantendo a rotação para fora.

2. Mantendo os pés em ponta, endireite a perna esquerda atrás de você, ao mesmo tempo que estende o braço esquerdo para a frente para ajudar o equilíbrio. Cuidado para não rolar para trás no quadril ou para a frente no ombro. Inspire, flexione o pé e depois baixe-o sobre a panturrilha direita e traga o braço de volta para o lado do corpo. Repita 5 vezes.

Developpé para a frente

1. Repita os passos 1 a 3 do Developpé na Posição Deitada de Lado (ver p. 141) e, em seguida, inspirando, leve a perna esquerda flexionada para a frente, mantendo a rotação para fora, com os dedos do pé em ponta.

2. Endireite a perna de cima. Alongue o calcanhar o máximo que puder sem rolar para a frente nos quadris. Inspire, flexione o pé e volte à posição inicial do passo 1 da p. 141. Repita 5 vezes os movimentos. Ao terminar, vire sobre o seu outro lado e repita os exercícios Developpé na Posição Deitada de Lado, Developpé para Trás e Developpé para a Frente.

Alongamentos

Consulte a p. 33 para recomendações sobre por que os alongamentos são importantes para os músculos e quando você deve fazê-los. Nunca deixe de fazer um alongamento num grupo muscular no final de uma sessão. Sustente cada alongamento durante cerca de 30 segundos, ou pelo tempo que você julgar necessário. Se você tiver qualquer tipo de problemas nas articulações ou na coluna, consulte o seu ortopedista antes de fazer estes exercícios.

Alongamentos do pescoço (*Neck stretches*)

1. Sente-se ereto numa cadeira ou banco com os braços ao longo do corpo. Comprima ligeiramente os glúteos e, em seguida, incline a cabeça, até onde conseguir, na direção do ombro esquerdo. Sustente a posição durante alguns segundos, respirando uniformemente. Repita o exercício do lado esquerdo.

Para tornar o alongamento mais intenso, coloque a palma da mão esquerda no lado direito da cabeça e puxe delicadamente a cabeça na direção do ombro esquerdo. Sustente a posição durante alguns segundos, respirando uniformemente. Repita o passo com a mão direita no lado esquerdo da cabeça.

2. Gire lentamente a cabeça para a direita sem mover os ombros. Coloque a mão direita no alto da cabeça e puxe delicadamente. Sustente a posição durante 30 segundos, respirando uniformemente. Repita o passo do outro lado.

3. Vire a cabeça para a frente e flexione-a para adiante, mantendo o tronco reto. Apoie uma das mãos no alto da cabeça para intensificar o alongamento. Sustente a posição durante 30 segundos, respirando uniformemente.

4. Incline a cabeça para trás, cerrando delicadamente a mandíbula. Sustente a posição durante 30 segundos, respirando uniformemente.

Alongamento da parte da frente dos ombros e do tórax (Front of shoulder and chest stretch)

Sente-se numa cadeira ou banco com uma perna de cada lado, entrelaçando as mãos nas costas. Erga lentamente as mãos o mais alto que puder sem arquear a coluna lombar. Sustente a posição durante 20 segundos, respirando uniformemente. Se você tiver dificuldade em entrelaçar as mãos nas costas, segure uma toalha ou lenço de pescoço.

Variação

Fique de pé perto do vão de uma porta com o ombro esquerdo adjacente à moldura da porta e o pé direito mais ou menos a um pé de distância à frente do esquerdo. Flexione o braço esquerdo num ângulo reto e erga-o à altura do ombro. Coloque a mão direita na cintura. Pressione o ombro esquerdo contra a parede ao lado da porta e apoie-se nela. Sustente a posição durante 30 segundos, respirando uniformemente. Repita o exercício com o ombro direito.

Alongamento da parte de trás do ombro (Back of shoulder stretch)

Sente-se ereto numa cadeira ou banco e flexione o braço direito ao longo do peito no nível do ombro. Use a mão esquerda para apertar delicadamente o cotovelo direito e você sentirá um alongamento no ombro direito. Sustente a posição durante 30 segundos, respirando uniformemente, e depois troque de braço e alongue o ombro esquerdo.

Variação

Fique em pé perto do vão de uma porta com um dos pés ligeiramente na frente do outro. Coloque a mão direita na cintura. Flexione ligeiramente o braço esquerdo e estenda-o no nível do ombro, pressionando-o contra a parede ao lado da porta. Gire delicadamente o tronco superior para a direita e vire a cabeça para a direita, sentindo um alongamento na parte esquerda do tórax superior. Sustente a posição durante 30 segundos, respirando uniformemente, e em seguida repita o exercício com o braço direito alongando o tórax superior direito.

Tríceps

Sente-se ereto numa cadeira ou banco com as solas dos pés apoiadas no chão e flexione o braço direito atrás da cabeça. Segure o cotovelo direito com a mão esquerda e leve-o delicadamente para a esquerda atrás da cabeça até conseguir sentir um alongamento no músculo tríceps direito. Sustente a posição durante 30 segundos, respirando uniformemente, e depois repita os movimentos do outro lado.

Alongamento do flexor do pulso (Wrist flexor stretch)

Sente-se ereto numa cadeira ou banco com as solas dos pés apoiadas no chão. Estenda o braço direito à sua frente na altura do ombro, com o pulso flexionado, a palma da mão voltada para fora e os dedos estendidos para cima. Use a mão esquerda para segurar a mão direita e puxe as costas da mão na sua direção enquanto afasta a palma no outro sentido. Sustente a posição durante 30 segundos, respirando uniformemente, e depois repita o exercício do outro lado.

Alongamento da cintura (Waist stretch)

Sente-se numa cadeira ou banco com uma perna de cada lado, ambas flexionadas num ângulo reto, e as solas dos pés apoiadas no chão. Levante os braços acima da cabeça e entrelace os dedos, com as palmas das mãos voltadas para cima. Mantendo os quadris nivelados e firmemente assentados no banco para que não balancem, curve-se para a direita até onde conseguir e sustente a posição durante 30 segundos. Endireito o corpo e repita o exercício para a esquerda.

Alongamento da cintura e da região lombar (Waist and lower-back stretch)

Sente-se numa cadeira ou banco com uma perna de cada lado, ambas flexionadas num ângulo reto, e as solas dos pés apoiadas no chão. Apoie as costas do pulso esquerdo na parte externa do joelho direito e faça uma rotação a partir da cintura para que você consiga colocar a mão direita atrás de você. Vire a cabeça de maneira a olhar para trás de você. Sustente a posição durante 20 segundos, respirando uniformemente, e depois repita o exercício do outro lado.

Alongamento dos músculos rotadores (Rotator muscles stretch)

Este exercício é semelhante à Rotação Elevada dos Quadris (ver p. 111). Deite-se de costas na posição semissupina com um pequeno bloco debaixo da cabeça e os braços para fora nas laterais. Levante as pernas de maneira que os joelhos fiquem flexionados em ângulo reto diretamente acima dos quadris. Gire a cabeça para a direita e baixe as pernas para a esquerda, levando-as suavemente até o chão. Sustente a posição durante 20 segundos e depois repita o exercício do outro lado.

Alongamento das costas e dos músculos abdominais (*Back and abdominals stretch*)

Este exercício é semelhante ao da Cobra (ver pp. 78-9) mas não trabalha os músculos das costas. Deite-se de bruços com os braços flexionados e as mãos espalmadas no chão debaixo dos ombros. Pressione as mãos contra o chão e endireite os braços para erguer o tronco superior. O seu objetivo é formar um ângulo reto entre o tronco superior e os braços. Sustente a posição durante 30 segundos, respirando uniformemente.

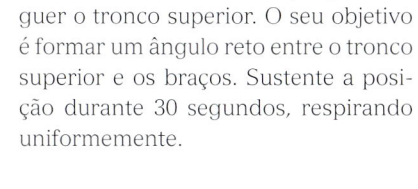

Variação

Deite-se de costas sobre uma bola de ginástica com os joelhos flexionados e as solas dos pés apoiadas no chão. Alongue os braços retos sobre a cabeça. Baixe lentamente as nádegas até o chão, alongando os braços para longe do tronco. Sustente a posição durante 30 segundos, respirando uniformemente.

< Alongamento do psoas (*Psoas stretch*)

Apoie o pé esquerdo numa escada ou bloco, com o joelho esquerdo flexionado perpendicularmente. Descanse as mãos no joelho esquerdo. Mantendo o tronco bem reto, flexione o joelho direito para baixar o corpo na direção do chão, deixando que o calcanhar direito se erga do solo. Sustente a posição durante 30 segundos, respirando uniformemente, e depois repita o exercício do outro lado.

Alongamento dos latíssimos do dorso na posição sentada > (*Seated lats stretch*)

Sente-se numa cadeira ou banco com os braços estendidos para cima na direção do teto. Entrelace os dedos e vire as mãos ao contrário de maneira que as palmas fiquem voltadas para o teto. Faça força para cima. Sustente a posição durante 30 segundos, respirando uniformemente.

Alongamento da região lombar (*Lower-back stretch*)

Sente-se sobre uma bola de ginástica com as solas dos pés apoiadas no chão e segure as mãos de um instrutor ou se agarre a algum móvel firme à sua frente. Role para trás na bola de maneira a sentir um alongamento na região lombar. Deixe que os seus pés se ergam do chão. Sustente a posição durante 30 segundos.

Alongamento dos quadris na posição sentada (Sitting hip stretch)

Sente-se num banco com o calcanhar direito debaixo da nádega esquerda. Flexione a perna esquerda e coloque o pé esquerdo no chão. Cruze os braços para que a mão esquerda esteja tocando os dedos do pé direito e o cotovelo direito esteja ligeiramente atrás do joelho esquerdo. Incline-se para a frente, mantendo a cabeça alinhada com o corpo. Sustente a posição durante 20 a 30 segundos, e repita o exercício com o calcanhar esquerdo debaixo da nádega direita.

Alongamento dos quadris, das nádegas e do psoas (Hips, buttocks and psoas stretch)

Sente-se no chão com o joelho direito flexionado e a perna esquerda estendida atrás de você em alinhamento com o tronco. Incline-se para a frente e apoie-se no chão sobre os antebraços flexionados. Sustente a posição durante cerca de 30 segundos, respirando de uma maneira lenta e regular. Repita o exercício do outro lado.

Alongamento de um quadríceps (Single quad stretch)

Deite-se de costas com as pernas retas e os braços estendidos para os lados, com as mãos para baixo. Flexione a perna direita para o lado esquerdo, não deixando que as costas se arqueiem. Use a mão esquerda para puxar a perna para o outro lado. Sustente a posição durante 30 segundos, respirando uniformemente. Repita o exercício do outro lado.

Alongamento dos dois quadríceps (Double quad stretch)

Ajoelhe-se e coloque as mãos no chão atrás de você, com as palmas para baixo e os dedos apontando para longe de você. Comprima os glúteos e sustente o alongamento durante 30 segundos, respirando uniformemente.

Para intensificar, flexione os cotovelos e apoie os antebraços no chão atrás de você, com os cotovelos debaixo dos ombros. Comprima os glúteos com força. Sustente a posição durante 30 segundos, respirando uniformemente.

ALONGAMENTOS **149**

Alongamento dos adutores na posição sentada (*Seated adductor stretch*)

Sente-se no chão com os joelhos flexionados para fora e com as solas dos pés juntas. Incline-se para a frente e segure os pés com as mãos durante 30 segundos, respirando uniformemente.

Para intensificar o alongamento, comece o exercício na mesma posição, mas mantenha as costas retas e use as mãos para empurrar os joelhos para baixo, com os dedos das mãos apontando para dentro. Sustente a posição durante 30 segundos, respirando uniformemente.

Alongamento dos tendões da perna e dos adutores na posição em pé (*Standing hamstring and adductor stretch*)

Fique em pé com o calcanhar esquerdo sobre uma cadeira ou banco e com as pernas retas. Mantendo os quadris perpendiculares, flexione o joelho direito para alongar os tendões da perna e os adutores. Sustente a posição durante 30 segundos e depois repita o exercício com a outra perna.

Alongamento das nádegas na posição sentada (*Sitting buttock stretch*)

Sente-se no chão com a perna esquerda reta diante de você e a perna direita flexionada. Faça uma rotação a partir da cintura e coloque a mão direita no chão atrás de você. Erga o pé direito para o outro lado e coloque-o do lado de fora da coxa esquerda. Ponha o braço esquerdo ao longo da parte externa do joelho direito, com as costas dos dedos da mão tocando a panturrilha esquerda. Sustente a posição durante 30 segundos, respirando uniformemente, e depois repita o exercício do outro lado.

Alongamento da panturrilha (*Calf stretch*)

Coloque um bloco sob os dedos do pé direito, mantendo o calcanhar no chão. Dê um passo para trás com o pé esquerdo, mantendo o tronco em linha reta. Ative os glúteos e músculos abdominais para manter as costas estáveis enquanto flexiona mais o joelho direito e deixa que o calcanhar esquerdo se erga do chão. Sustente a posição por 30 segundos, respirando uniformemente, e repita o exercício do outro lado.

Nota

Todos os exercícios desta seção são avançados, e você não deve tentar fazê-los se não tiver executado e praticado todos os Exercícios Pré-Pilates (ver pp. 54-149). Se você tiver qualquer fraqueza nas costas ou nas articulações, estiver grávida ou possuir um problema crônico de saúde, consulte o seu médico antes de executar qualquer um dos 34 exercícios.

Os 34 exercícios originais

Joseph Pilates desenvolveu a sua série de 34 exercícios no solo para que fossem executados como uma sequência fluente. No entanto, eu não os utilizo dessa maneira; em vez disso, incorporo exercícios individuais ou grupos de dois ou três em sessões de treinamento que também contêm outros movimentos. Nesta seção, modifiquei vários dos 34 exercícios originais para torná-los mais adequados ao nosso corpo do século XXI.

1. The hundred 152
2. Rolar para cima (The roll-up) 154
3. Tração do pescoço (The neck pull) 156
4. Rotação da coluna (The spine twist) 158
5. O serrote (The saw) 160
6. Rolar por cima do corpo (The roll-over) 162
7. Rolar como uma bola (Rolling like a ball) 164
8. Balanço com as pernas separadas (The open-leg rocker) 166
9. Desafiador (The teaser) 168
10. Círculo com a perna (The leg circle) 170
11. Alongamento de uma perna (Single leg stretch) 172
12. Alongamento das duas pernas (Double leg stretch) 176
13. Alongamento da coluna para a frente (Spine stretch forward) 178
14. O saca-rolhas (The corkscrew) 180
15. O nado (Swimming) 182
16. Mergulho do cisne modificado (Modified swan dive) 184
17. Chute com uma perna (Single leg kick) 186
18. Chute com as duas pernas (Double leg kick) 188
19. A tesoura (The scissors) 190
20. A bicicleta (The bicycle) 192
21. A ponte de ombros (The shoulder bridge) 194
22. O canivete (The jackknife) 196
23. Chute lateral (The side kick) 198
24. Rotação dos quadris com os braços estendidos (The hip twist with stretched arms) 200
25. Elevação da perna com apoio frontal (The leg pull front) 202
26. Elevação da perna com apoio posterior (The leg pull back) 204
27. Chute lateral de joelhos (Kneeling side kick) 206
28. Flexão lateral (The side bend) 208
29. O bumerangue (The boomerang) 210
30. A foca (The seal) 212
31. Controle do equilíbrio (Control balance) 214
32. Flexão dos braços (Push-up) 216
33. O caranguejo (The crab) 218
34. O balanço (The rocking) 219

1. The hundred

Este é um dos exercícios mais conhecidos de Joseph Pilates. Ao longo dos anos, introduzi nele algumas modificações para tornar o padrão respiratório mais eficiente e apoiar as pernas, de modo que elas não forcem os quadris.

Quando você levanta a cabeça para a frente, como na versão de *The Hundred* de Joseph Pilates, talvez não seja capaz de manter uma respiração fácil – a maioria das pessoas fica ofegante e se esforça para acompanhar o padrão respiratório. Recomendo que você expire enquanto arqueia o corpo para a frente e inspire quando voltar, como faz nas Flexões Torácicas (ver p. 81). Dessa maneira, a respiração está apoiando o movimento em vez de obstruí-lo.

Sugiro também que você comece flexionando perpendicularmente as pernas nos quadris e joelhos, mantendo a parte interna das coxas, os joelhos e os pés juntos para que o peso das pernas não force os quadris. Quando você se sentir forte o bastante, deve sem dúvida tentar fazer o exercício com as pernas retas. Na versão de Pilates, as pernas estão paralelas, mas sugiro uma leve rotação para fora para que as pernas tenham o apoio dos tendões da perna, dos glúteos e dos adutores.

Os cem movimentos de bombeamento exigidos pelo exercício original destinam-se simplesmente a fazer com que você trabalhe os músculos abdominais durante um período prolongado, mas, na minha opinião, eles trabalham esses músculos de uma maneira muito estática – sinta-se à vontade para fazer uma quantidade menor. Fique atento a qualquer arqueamento da região lombar ou tensão no pescoço e, caso uma das duas coisas aconteça, baixe o corpo para a posição inicial e reative os músculos abdominais antes de continuar.

Músculos-alvo

- Flexores da coluna: reto abdominal; oblíquos internos; oblíquos externos.

- Flexores dos quadris: iliopsoas; reto femoral; sartório; tensor da fáscia lata; pectíneo.

1. Deite-se de costas com os joelhos flexionados perpendicularmente acima dos quadris. Junte a parte interior das coxas e sustente as pernas de maneira que os joelhos e os pés estejam se tocando. Levante os braços diretamente para cima, acima dos ombros, com as palmas das mãos voltadas para os pés.

1. **THE HUNDRED** 153

2. Expire, ative os músculos abdominais, levante a cabeça e os ombros do chão e arqueie o corpo para a frente. Baixe os braços ao lado do corpo até o nível dos ossos dos quadris, com as palmas das mãos voltadas para baixo.

3. Endireite as pernas de maneira que formem um ângulo de aproximadamente 60° com o chão, com os pés flexionados e virados levemente para fora. Marcando o compasso com os braços no chão, inspire enquanto conta até 5 e depois expire enquanto conta até 5. A cada exalação, puxe os músculos do estômago mais para baixo. Faça até 10 repetições, perfazendo um total de 100 marcações com os braços. Inspire enquanto baixa o corpo ao chão.

2. Rolar para cima (*The roll-up*)

Este é um exercício muito útil para trabalhar os músculos abdominais, que alonga os tendões da perna e lhe ensina como coordenar um movimento ondulante suave e controlado.

Quando você rolar para cima, puxe as escápulas para baixo na direção da caixa torácica e imagine que está arqueando a parte superior do corpo em volta de uma bola de ginástica para obter uma bonita curva uniforme. As costas não devem se achatar enquanto você puxar o umbigo na direção da coluna, e os calcanhares devem permanecer firmes no chão. Quando você começar a se inclinar para a frente sobre as pernas, os extensores dos quadris e os extensores da coluna assumem o controle do movimento. Mantenha a cabeça entre os braços enquanto se estende em direção aos dedos dos pés. Mantenha os braços alongados e não permita que os ombros se encolham na direção dos ouvidos.

Quando você rola para baixo novamente, os flexores dos quadris controlam inicialmente o movimento, e em seguida os músculos abdominais entram em ação, enquanto os flexores dos ombros são usados para manter os braços em cima e trazê-los por cima da cabeça.

Tenho várias modificações para este exercício, as quais introduzo dependendo das necessidades do cliente. Se uma pessoa tem uma coluna muito rígida, peço a ela que pratique a Flexão Inversa em vez dele (ver p. 83); é muito mais fácil fazer uma flexão para a frente com as pernas flexionadas do que retas. Se a pessoa tiver problemas nas costas, posso pedir que ela faça a parte de rolar para baixo deste exercício e depois usar as mãos para levar o corpo novamente para cima. Se ela tiver dificuldade em levantar a cabeça, eu posso apoiá-la com almofadas. Às vezes, pode ser útil segurar uma vara curta durante a execução deste exercício para ter um foco. E se você verificar que os seus calcanhares estão se erguendo, peça a alguém que os segure para você. No estúdio, podemos passar os pés por baixo de uma tira para mantê-los abaixados.

Músculos-alvo

- Flexores da coluna: reto abdominal; oblíquos internos; oblíquos externos.

1. Deite-se de costas no chão com as pernas retas e os pés suavemente em ponta. Estenda os braços no chão ao lado da cabeça com as palmas das mãos voltadas para cima, afastadas na largura dos ombros.

2. ROLAR PARA CIMA (*THE ROLL-UP*)

2. Expire, ative os músculos abdominais, levante os braços para a frente acima do tronco e erga a cabeça e os ombros do chão, flexionando simultaneamente os pés.

3. Continue a arquear a parte superior do corpo para a frente, com os dedos das mãos indicando o caminho, até estar inclinado sobre as coxas. Se você for flexível o bastante, toque as laterais dos pés com as palmas das mãos.

4. Inspire e role de volta para baixo até a parte posterior do cóccix entrar em contato com o chão. Em seguida, expire enquanto desce lentamente rolando até o chão e leve os braços por sobre a cabeça até a posição inicial. Repita 10 vezes.

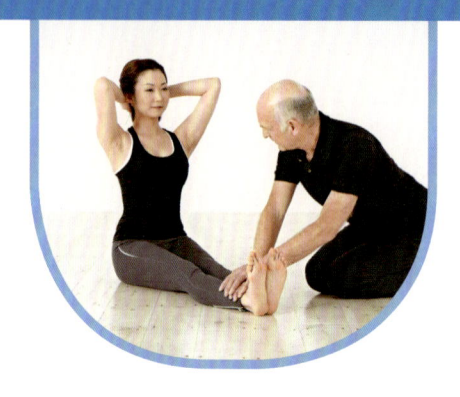

3. Tração do pescoço (*The neck pull*)

Este exercício é semelhante ao Rolar para Cima, porém ligeiramente mais desafiante porque as mãos ficam atrás da cabeça. Essa posição das mãos cria mais resistência enquanto você rola para cima, de modo que você trabalha mais os músculos abdominais, e ela proporciona um alongamento maior nos tendões da perna e nos extensores da coluna enquanto você rola novamente para baixo.

Tração do Pescoço não é um bom nome para um exercício, porque, é claro, não é o que você deve fazer: os músculos abdominais criam a maior parte do movimento e você certamente não deve usar as mãos para puxar a cabeça para a frente. Quando feito corretamente, este exercício é bom para aliviar a rigidez na coluna torácica, mas, se feito da maneira errada, ele pode causar ainda mais rigidez!

Quando você começar a arquear o corpo para cima, visualize os músculos abdominais puxando a frente da parte inferior da caixa torácica para baixo e para trás. Os cotovelos permanecem abertos para os lados e não devem ser usados para conduzir o movimento. Enquanto estiver erguendo a parte superior do corpo, puxe o umbigo para trás e mantenha os quadris colados no chão enquanto se alonga para a frente – porém sem encolher os ombros para cima. Experimente também fazer este exercício com diferentes posições das pernas e dos pés: pernas separadas, pés flexionados ou delicadamente em ponta. Se você tiver dificuldade em manter os pés em posição, pode ser interessante pedir a alguém que os mantenha abaixados. No estúdio, temos tiras atravessadas em algumas das mesas de exercícios que usamos para essa finalidade.

1. Deite-se de costas com as mãos entrelaçadas atrás da cabeça e as pernas retas. Flexione os pés e imagine que os seus calcanhares estão colados no chão. Certifique-se de que as suas costas estão niveladas e a pelve neutra. Ative os músculos abdominais.

3. TRAÇÃO DO PESCOÇO (*THE NECK PULL*) 157

2. Inspire e comece a rolar a parte superior do corpo para cima e para a frente.

3. Quando você chegar à posição ereta, expire enquanto arqueia o corpo de volta para baixo com a espinha curva. Repita 10 vezes.

Músculos-alvo

- Flexores da coluna: reto abdominal; oblíquos internos; oblíquos externos.

4. Rotação da coluna (*The spine twist*)

Esta não é a ordem na qual Joseph Pilates organizou os seus 34 exercícios, mas eu acho que a Rotação da Coluna vem naturalmente depois da Tração do Pescoço e antes do Serrote, se você estiver fazendo esses exercícios em sequência, porque todos são executados na posição sentada.

A flexibilidade de rotação da coluna é muito importante para nós nas atividades do dia a dia, quer estejamos nos virando para o lado para colocar a louça lavada no escorredor ou aperfeiçoando as nossas tacadas no golfe. A rotação a partir dos ombros força o meio das costas e a região lombar podendo causar lesões, particularmente se você estiver levantando ou carregando alguma coisa pesada na ocasião. Este exercício o treina para usar os músculos do centro de força para a rotação da coluna em vez de usar os ombros.

Concentre-se em alongar a coluna até o alto da cabeça na posição inicial. Ao se virar, imagine que a sua coluna está ficando mais longa, como um parafuso espiralado que gira e sai para fora do seu orifício. Mantenha a pelve firmemente no chão e pressione também os joelhos contra o chão.

Os abdutores dos ombros são os principais músculos que mantêm os braços estendidos neste exercício, mas aproxime as escápulas para ativar os latíssimos do dorso. Mantenha a cabeça exatamente alinhada com o esterno quando você virar: não deixe que ela conduza o movimento ou fique para trás.

Músculos-alvo

- Rotadores da coluna: oblíquos internos; oblíquos externos; eretor da coluna (longuíssimo, iliocostal); semiespinal; grupo espinal posterior profundo (especialmente os multifidos).

1. Sente-se no chão com as pernas retas, os joelhos e os pés juntos, e os pés flexionados. Ative os músculos abdominais, certificando-se de que as costas estejam completamente retas, e sinta o alongamento descendo até os calcanhares.

4. ROTAÇÃO DA COLUNA (*THE SPINE TWIST*) 159

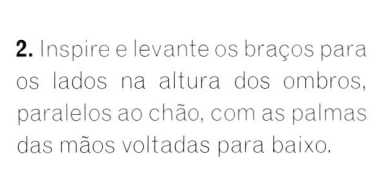

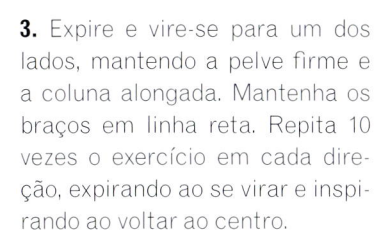

2. Inspire e levante os braços para os lados na altura dos ombros, paralelos ao chão, com as palmas das mãos voltadas para baixo.

3. Expire e vire-se para um dos lados, mantendo a pelve firme e a coluna alongada. Mantenha os braços em linha reta. Repita 10 vezes o exercício em cada direção, expirando ao se virar e inspirando ao voltar ao centro.

5. O serrote (*The saw*)

Gosto deste exercício e o faço com frequência. O segredo é manter os quadris firmes no chão, erguer o corpo a partir deles e usar os músculos do centro de força para girar o tronco antes de fazer o alongamento para o outro lado. Este exercício é excelente para a articulação e o limite de alcance da coluna.

O Serrote é um dos exercícios que o ajudarão a ter uma cintura bem definida, pois você usa os oblíquos e o transverso do abdome para virar e se alongar. Mas é preciso ficar atento a alguns pontos. Um erro particularmente comum é conduzir o movimento com a cabeça, especialmente no passo 3. Mantenha o pescoço alongado durante todo o exercício e deixe que a linha dos olhos siga a direção da curva. A coluna deve permanecer nas suas curvas naturais durante os passos 1 e 2. Não gire demais – mantenha a parte superior do corpo e os braços no alinhamento normal.

Quando você fizer o alongamento para um dos lados, o quadril oposto tentará se erguer, de modo que você deve empurrá-lo para baixo para manter os dois lados da pelve nivelados. Imagine que as nádegas estão coladas no chão!

Dessa maneira, você fará um bom alongamento nos tendões da perna. As patelas devem apontar diretamente para o teto durante todo o exercício, com os pés suavemente flexionados nos tornozelos.

O padrão respiratório é o seguinte: inspire ao girar o tronco e estender a mão em direção ao pé oposto; expire enquanto se estende um pouco mais para a frente num movimento "de serrote" e traz o tronco de volta para cima na posição inicial; inspire enquanto gira para o outro lado. Mantenha o movimento suave e harmonioso.

Você obterá um alongamento adicional se colocar a mão de trás no chão atrás de você. Experimente para ver o que estou querendo dizer!

1. Sente-se com o tronco ereto, as pernas retas e os pés afastados na largura ligeiramente maior do que a dos ombros e flexionados. Mantenha os braços estendidos para os lados na altura dos ombros, levemente para trás, com as palmas das mãos voltadas para baixo.

Músculos-alvo

- Rotadores da coluna: oblíquos internos; oblíquos externos; transverso do abdome; eretor da coluna (longuíssimo, iliocostal); semiespinal; grupo espinal posterior profundo.
- Extensores da coluna: eretor da coluna (espinal, longuíssimo, iliocostal); semiespinal; grupo espinal posterior profundo.

5. O SERROTE (*THE SAW*) **161**

2. A partir dos quadris, com as costas retas porém flexíveis, inspire e gire para a direita, erguendo-se.

3. Leve a cabeça e a coluna superior para a frente e para baixo de maneira que a mão esquerda alcance o lado de fora do pé direito, enquanto o braço direito gira para dentro e se estende para trás. Apoie a ponta dos dedos da mão no chão atrás do quadril direito. Volte à posição inicial e repita os movimentos para a esquerda. Repita 5 vezes de cada lado.

6. Rolar por cima do corpo (*The roll-over*)

Não tente fazer este exercício rápido demais. Em vez disso, tenha como objetivo um ritmo regular, tornando-o um movimento fluente, do corpo inteiro. O exercício Rolar por Cima do Corpo proporciona um excelente alongamento do estômago e da coluna.

Joseph Pilates começava este exercício com as pernas estendidas no chão, mas você pode sacudir e forçar as costas ao levantar as pernas a partir dessa posição. Recomendo que você se deite de costas, flexione os joelhos acima dos quadris, e depois endireite-os para que formem um ângulo entre 45° e 60° com o chão, e use essa posição como inicial.

A outra modificação que você pode fazer no exercício original é girar as pernas para fora enquanto rolar por cima do corpo, o que confere mais impulso, e depois girá-las para dentro de maneira que fiquem paralelas para voltar.

Inicie o exercício Rolar por Cima do Corpo usando os músculos da região pélvica, o que ajudará a articular a região inferior da coluna. Use os músculos abdominais para manter a estabilidade e evitar o arqueamento da região lombar enquanto os flexores dos quadris sustentam as pernas e as conduzem à posição vertical. Pressione os braços contra o chão. Não deixe que a parte do meio e de cima das costas caia demais quando você baixar as pernas até o chão atrás da cabeça. Interrompa o exercício se sentir qualquer desconforto nas costas nessa posição; ele pode não ser adequado para você. Ao voltar à posição inicial, conserve as pernas perto do peito para manter o arqueamento na região lombar o maior tempo possível.

1. Deite-se de costas com as pernas retas num ângulo de 45° a 60° com o chão, os pés suavemente em ponta e os braços ao longo do corpo. Inspire.

2. Expire, ative os músculos abdominais e levante as pernas até os seus pés estarem acima da cabeça.

6. ROLAR POR CIMA DO CORPO (*THE ROLL-OVER*) 163

3. Inspire e baixe lentamente as pernas até o chão atrás da cabeça, tocando o chão com os dedos dos pés se você for flexível o bastante, de maneira que o seu peso esteja apoiado nos ombros e nos braços. Faça pressão com as palmas das mãos.

4. Gire os calcanhares na direção um do outro. Separe as pernas de maneira que fiquem afastadas na largura dos ombros e paralelas.

5. Expire e role lentamente de volta por cima do corpo. Quando você chegar à posição inicial, junte novamente as pernas. Repita 10 vezes.

Músculos-alvo

- Flexores da coluna: reto abdominal; oblíquos internos; oblíquos externos.
- Flexores dos quadris: iliopsoas; reto femoral; sartório; tensor da fáscia lata; pectíneo.

7. Rolar como uma bola (*Rolling like a ball*)

Divertido e revigorante, este exercício é uma maneira maravilhosa de mobilizar a coluna e ajudá-lo a aprender a coordenar o movimento. Imagine que você está dentro de uma bola de ginástica que está rolando suavemente para trás e para a frente!

O objetivo é criar uma curva uniforme na coluna a partir do cóccix até o alto da cabeça, e mantê-la enquanto você rola. No passo 1, aproxime o mais que você puder os joelhos do peito e a cabeça dos joelhos. Puxe os músculos abdominais para trás para começar a rolar e tenha em vista um impulso controlado. Não role sobre o pescoço – pare no alto das escápulas – e certifique-se de que os seus ombros não estejam encolhidos para cima.

Para inverter a direção do movimento, afaste ligeiramente as coxas do peito e use os ombros para puxar os pés para baixo.

No entanto, essas mudanças devem ser muito pequenas, porque o objetivo é manter os ângulos nos quadris, joelhos e cotovelos mais ou menos os mesmos durante todo o exercício.

Músculos-alvo

- Flexores e estabilizadores anteriores da coluna: reto abdominal; oblíquos internos; oblíquos externos; transverso do abdome.

1. Sente-se no chão com os joelhos flexionados, as pernas juntas, e coloque as mãos na frente dos tornozelos, com os cotovelos abertos. Ative os músculos abdominais enquanto ergue os pés do chão e se equilibra sobre o cóccix.

7. ROLAR COMO UMA BOLA (*ROLLING LIKE A BALL*)

Advertência

Não faça o exercício no chão sobre um piso duro, e não o execute se a sua coluna for muito nodosa ou tiver partes achatadas. Pare de rolar quando estiver sobre as escápulas, para que o exercício não force o seu pescoço.

2. Inspire e role para trás sobre as escápulas. Expire enquanto rola novamente para a frente. Não deixe que os seus pés toquem o chão. Repita 10 vezes, conservando o impulso.

Variações

Se você tiver dificuldade em rolar de volta para a posição inicial, talvez esteja com os quadris ou a região lombar muito rígidos. Se for este o caso, experimente rolar com as mãos na parte de trás das coxas logo abaixo do joelho.

Se você achar fácil rolar com as mãos acima dos tornozelos, experimente dobrar os braços em volta das pernas, ligeiramente mais para cima, para que o seu corpo assuma uma forma de bola ainda mais justa.

8. Balanço com as pernas separadas (*The open-leg rocker*)

Sugiro que você faça os exercícios Rolar Como uma Bola (ver pp. 164-65), o Balanço com as Pernas Separadas e depois o Desafiador (ver pp. 168-69) em sequência, porque as posições iniciais e finais fluem a partir uma da outra, mas eles trabalham músculos ligeiramente diferentes de cada vez.

Dos 34 exercícios originais, O Balanço com as Pernas Separadas é um dos mais difíceis de aperfeiçoar, mas ele não tem a probabilidade de lhe causar qualquer dano enquanto você estiver tentando, de modo que eu gosto de desafiar os meus clientes com ele. Eles podem não executá-lo maravilhosamente bem no início, mas podem praticar e progredir com o tempo, o que é bom para lhes transmitir confiança em si mesmos. O exercício trabalha o equilíbrio e a coordenação, e solicita os músculos do centro de força, os tendões da perna e os adutores.

No passo 1, contraia os músculos abdominais para que a pelve fique com uma inclinação levemente posterior. Isso impedirá que a região lombar se arqueie enquanto você endireita as pernas no passo 2. Quando você rolar de volta, mantenha os cotovelos abertos e use os latíssimos do dorso para evitar que os seus ombros se encolham até os ouvidos. Não role sobre o pescoço no passo 3; pare e inverta o movimento de balanço usando os extensores dos quadris para afastar as pernas do peito. Use os músculos abdominais para puxar para baixo a frente da caixa torácica e rolar você para a frente.

Mantenha as pernas alongadas e conserve o mesmo ângulo no V formado entre elas durante todo o exercício.

Se os seus tendões da perna estiverem rígidos demais para que você faça este exercício, tente segurar as panturrilhas em vez dos tornozelos. Se ainda assim você tiver problemas, faça o exercício com os joelhos levemente flexionados e se esforce para endireitar as pernas à medida que a sua flexibilidade for aumentando.

> **Advertência**
> Não faça o exercício no chão sobre um piso duro, e não o execute se a sua coluna for muito nodosa ou tiver partes achatadas. Pare de rolar quando estiver sobre as escápulas, para que o exercício não force o seu pescoço.

1. Sente-se com os joelhos flexionados, afastados na largura dos ombros, e segure os tornozelos. Ative os músculos abdominais e erga os pés do chão, com os dedos em ponta, de maneira que você se equilibre sobre o cóccix.

Músculos-alvo

- Flexores e estabilizadores anteriores da coluna: reto abdominal; oblíquos internos; oblíquos externos; transverso do abdome.
- Flexores dos quadris: iliopsoas; reto femoral; sartório; tensor da fáscia lata; pectíneo.

8. BALANÇO COM AS PERNAS SEPARADAS (*THE OPEN-LEG ROCKER*)

2. Ao expirar, endireite as pernas numa posição em V, mantendo as panturrilhas o mais perto possível dos tornozelos.

3. Sustentando a posição em V, inspire e role para trás sobre a base das escápulas. Expire enquanto rola novamente para a frente. Repita 10 vezes o balanço para trás e para a frente.

9. Desafiador (*The teaser*)

Este é um exercício fundamental que é bom para o equilíbrio, a força e a coordenação. A única mudança que eu faço na versão de Joseph Pilates é ter as pernas levemente viradas para fora para ativar os adutores.

Sugiro que você levante as pernas num ângulo de cerca de 60° com o chão, mas você pode experimentar para encontrar o ângulo que o ajudará a manter o equilíbrio com mais facilidade. Se as pernas estiverem altas demais para a flexibilidade dos seus tendões da perna, a parte superior do corpo cairá para trás, e se o corpo estiver alto demais, as pernas tombarão. Sugiro que você nem mesmo tente fazer este exercício se tiver qualquer problema nas costas, porque a não ser que você seja capaz de usar os músculos abdominais para manter a pelve completamente estável, o peso das pernas forçará a região lombar. Mantenha os joelhos colados um no outro o tempo todo, numa leve rotação para fora.

Você encontrará uma série de variações do Desafiador. Depois de ter alcançado a forma em V no passo 2, você pode tentar manter a parte superior do corpo completamente imóvel enquanto baixa as pernas até o chão, usando os músculos abdominais, os glúteos e a parte interna das coxas para controlar o movimento. Inspire enquanto baixa as pernas e depois expire enquanto as leva de volta para o V.

Outra variação envolve baixar as pernas e a parte superior do corpo ao chão e depois levá-las de novo simultaneamente para cima. Erga as mãos acima da cabeça para endireitar a coluna superior e ampliar a forma em V. No entanto, essas variações são progressões do que já é um exercício avançado, de modo que você não deve experimentá-las enquanto não estiver seguro de que dominou o Desafiador básico.

1. Deite-se de costas com as pernas retas para cima e perpendiculares ao chão, com os dedos dos pés apontando para o teto. Estenda os braços no chão atrás da cabeça, fazendo ponta com dos dedos das mãos.

9. DESAFIADOR (*THE TEASER*) **169**

2. Expire, ative os músculos abdominais e baixe as pernas de maneira que elas formem um ângulo de cerca de 60° com o chão. Inspire e levante os braços, e depois erga do chão a parte superior do corpo de modo que os seus braços fiquem paralelos às pernas. Sustente essa posição em V, equilibrando-se sobre o seu cóccix. Baixe devagar as pernas novamente até o chão e role de volta para o chão, vértebra por vértebra. Repita 5 vezes.

Músculos-alvo

- Flexores e estabilizadores anteriores da coluna: reto abdominal; oblíquos internos; oblíquos externos.
- Flexores dos quadris: iliopsoas; reto femoral; sartório; tensor da fáscia lata; pectíneo.

10. Círculo com a perna (*The leg circle*)

O segredo neste exercício é manter uma absoluta estabilidade nos quadris enquanto você faz um círculo com cada perna quase como se ela estivesse suspensa numa corda e estivesse sendo controlada a partir de cima por um marionetista. Ele é uma progressão do exercício Pequenos Círculos com a Perna (ver pp. 86-7).

Praticamente todo mundo pode experimentar este exercício mas se você tem dificuldade em manter a estabilidade pélvica, comece flexionando a perna que permanece no chão e faça pequenas rotações, aumentando em seguida o círculo até se acostumar com o exercício. Não baixe muito a perna, caso contrário você perderá o controle do movimento e as costas se arquearão. Pare antes de chegar a esse ponto.

Ao erguer a perna no passo 1, pense em se levantar na frente e atrás da pelve, usando os músculos abdominais e os extensores da coluna para evitar uma excessiva inclinação anterior ou posterior da pelve. Ao mover a perna além da linha central, o seu quadril se erguerá do solo, e depois descerá de novo quando você trouxer a perna de volta. Pense nesse movimento como um suave rolar de um lado para o outro.

No passo 2, você usará os abdutores dos quadris para levar a perna para o outro lado do corpo, os extensores dos quadril para criar a parte descendente do círculo, e depois os abdutores para evitar que a perna caia demais. No passo 3, os flexores dos quadris criam a parte ascendente do círculo e os abdutores a levam para o lado. Mantenha os movimentos suaves e coordenados durante todo o exercício.

Músculos-alvo

- Rotadores e estabilizadores anteriores da coluna: reto abdominal; oblíquos internos; oblíquos externos; transverso do abdome.

- Rotadores e estabilizadores posteriores da coluna: eretor da coluna (iliocostal, longuíssimo, espinal); semiespinal; grupo espinal posterior profundo.

1. Deite-se com as costas estendidas no chão, as pernas retas e os braços ao longo do corpo, com as palmas das mãos voltadas para baixo. Flexione a perna direita para cima de maneira que o joelho forme um ângulo reto acima do quadril.

10. CÍRCULO COM A PERNA (*THE LEG CÍRCLE*) **171**

2. Endireite a perna em direção ao teto de maneira que ela fique perpendicular ao corpo. Faça uma ponta suave com o pé direito e flexione o esquerdo.

3. Ative os músculos abdominais, alongue a perna direita sobre o quadril esquerdo, e depois leve-a em círculo para baixo, e depois para cima voltando à posição perpendicular. Expire enquanto a perna se afastar de você e depois inspire quando ela voltar. Faça uma breve pausa no alto antes de começar o círculo seguinte. Repita 5 vezes com cada perna.

11. Alongamento de uma perna (*Single leg stretch*)

Este exercício usa os músculos abdominais profundos para apoiar a coluna lombar e manter a estabilidade pélvica. Ele é um dos exercícios clássicos de Pilates que o ajudam a perder a barriga.

A minha versão é diferente da versão original de Joseph Pilates, porque na posição original dele um dos joelhos era levado até o peito, enquanto na minha os dois joelhos estão afastados na largura dos ombros e logo acima da parte inferior da caixa torácica. Constatei que essa posição faz com que os músculos abdominais trabalhem mais intensamente, porque você pode arquear o tronco mais para cima. Você precisará de uma forte ativação abdominal para manter a parte superior do corpo erguida na mesma altura sem que ela caia quando você trocar de perna, e também para manter a estabilidade da pelve e da coluna enquanto você move as pernas. Ao alongar cada perna, mantenha a posição da pelve e não levante a perna demais a ponto de arquear a região lombar. A canela que não está trabalhando permanece paralela ao chão.

Os movimentos das mãos requerem inicialmente um pouco de concentração. Lembre-se de que a mão que está do lado de fora fica sobre o tornozelo enquanto a que está do lado de dentro fica sobre o joelho. Você logo chegará ao estágio em que fará isso sem pensar.

Uma variação, conhecida como Alongamento de uma Perna Estendida (ver pp. 174-75), se encaixou nos 34 exercícios ensinados nos estúdios modernos de Pilates, embora não faça parte da sequência original de Joseph Pilates. Essa variação proporciona um incrível alongamento dos tendões da perna, exigindo também um bom controle abdominal. As pernas permanecem retas o tempo todo e se abrem e se fecham como um par de tesouras.

Músculos-alvo

- Flexores da coluna: reto abdominal; oblíquos internos; oblíquos externos.

1. Deite-se de costas com os joelhos flexionados acima da pelve. Coloque as mãos nas panturrilhas, com os cotovelos apontando para fora. Arqueie a parte superior do corpo para a frente. Inspire e sinta a respiração expandindo o seu peito.

11. ALONGAMENTO DE UMA PERNA (*SINGLE LEG STRETCH*) 173

2. Ao expirar, puxe os músculos abdominais para dentro e mova a mão direita para a parte interna do joelho esquerdo e estenda a perna direita reta para fora, enquanto desliza a mão esquerda para baixo em direção ao tornozelo esquerdo. A perna direita deverá formar um ângulo de cerca de 30° com o chão – aproximadamente alinhada com o ombro.

3. Ao inspirar, flexione a perna direita e leve as mãos de volta à posição inicial e, em seguida, expire e afunde mais o umbigo em direção ao chão antes de trocar o braço e a perna – a mão esquerda no joelho direito e a perna esquerda estendida para fora. Repita 10 vezes, sempre expirando quando alternar as pernas.

Variação (Alongamento de uma Perna Estendida) (*Single Straight Leg Stretch*)

1. Deite-se de costas com os joelhos flexionados num ângulo reto acima dos quadris. Coloque as mãos nas panturrilhas, mantendo os cotovelos abertos. Expire, ative os músculos abdominais e erga a parte superior do corpo do chão.

2. Endireite as pernas, levante-as e estenda os braços para cima.

3. Agora, segure a panturrilha direita com as mãos, o mais perto possível do tornozelo.

11. ALONGAMENTO DE UMA PERNA (*SINGLE LEG STRETCH*) **175**

Músculos-alvo

- Flexores da coluna: reto abdominal; oblíquos internos; oblíquos externos.
- Flexores dos quadris: iliopsoas; reto femoral; sartório; tensor da fáscia lata; pectíneo.

4. Estenda a perna esquerda para baixo e para longe do corpo, mantendo-a a uma distância de cerca de 5 cm acima do chão ou do colchonete. Puxe a perna direita na direção da cabeça pela contagem de duas pulsações – um, dois.

5. Troque de perna com um movimento de tesoura, levando a perna esquerda na direção da cabeça e baixando a perna direita até o chão. Repita 10 vezes os passos 4 e 5.

12. Alongamento das duas pernas (*Double leg stretch*)

Este é um exercício abdominal mais avançado do que o Alongamento de uma Perna e requer uma maior estabilização do tronco. Mantenha a região lombar firmemente apoiada no colchonete, com a pelve estável durante todo o exercício.

A versão deste exercício de Joseph Pilates tem um ritmo rápido um-dois, um-dois. Eu ensino a minha versão como um exercício com uma contagem de quatro (cada passo é uma contagem) com uma amplitude maior de movimento do braço, e prefiro um ritmo mais lento e suave.

Os músculos abdominais permanecem ativos durante todo o exercício e você precisará aumentar a atividade deles, puxando o umbigo com mais firmeza para o chão, à medida que você avança pelos movimentos e repetições. Se você perder essa conexão, o umbigo saltará para fora, a região lombar se arqueará e a pelve sofrerá uma inclinação. Sugiro que você estenda as pernas num ângulo de cerca de 60° com o chão, mas você deve variá-lo para encontrar o ângulo no qual tem facilidade para manter a pelve estável.

A parte superior do corpo e a cabeça ficam curvadas para a frente na mesma posição durante todo o exercício. Tenha como meta mantê-los imóveis, com os olhos voltados para os pés. Faça círculos com os braços como você faria se estivesse nadando de costas, mantendo-os mais ou menos na altura do peito. Execute lentamente o exercício para dominar a coordenação dos movimentos e da respiração e manter tudo suave e harmonioso. Pratique primeiro com os braços e as pernas separadamente se precisar, antes de reunir todos os movimentos.

Músculos-alvo

- Flexores da coluna: reto abdominal; oblíquos internos; oblíquos externos.
- Flexores dos quadris: iliopsoas; reto femoral; sartório; tensor da fáscia lata; pectíneo.

1. Deite-se de costas com os joelhos flexionados acima do peito, segurando-os frouxamente com as mãos nas panturrilhas. Ative os músculos abdominais e arqueie o tronco superior para longe do chão.

12. ALONGAMENTO DAS DUAS PERNAS (*DOUBLE LEG STRETCH*)

2. Inspire e estenda as pernas em linha reta num ângulo de aproximadamente 60° com o chão, ao mesmo tempo que estende os braços para cima, paralelos às pernas.

3. Ao expirar, gire as pernas levemente para fora e flexione os pés. Gire as palmas das mãos de maneira que fiquem voltadas para os lados, afastadas da linha central.

4. Inspire e faça círculos com os braços para baixo e para os lados, e depois estenda-os para trás de maneira que fiquem ao longo dos ouvidos. Traga os braços de volta na direção dos pés para que fiquem paralelos às pernas como no passo 2. Expire, faça ponta com os pés e flexione os joelhos para voltar à posição inicial. Repita 10 vezes num movimento contínuo e fluente.

13. Alongamento da coluna para a frente (*Spine stretch forward*)

Estamos sempre curvando a coluna torácica para a frente na vida diária, mas este exercício o ensina a curvar também a coluna lombar e escavar os músculos abdominais numa curva côncava.

Este é um bom alongamento que você deve fazer quando sentir que as suas costas estão rígidas. Com a prática, você descobrirá que pode intensificá-lo, descendo a cabeça até os joelhos, mas para começar vá apenas até onde conseguir.

Quando você começar a rolar para a frente no passo 2, pense que está deslizando a base da sua caixa torácica para baixo e para trás. Imagine que a gravidade está puxando a sua coluna para a frente, vértebra por vértebra, mas que você está controlando o movimento com os músculos extensores da coluna. Imagine uma tira em volta da sua cintura sendo puxada a partir de trás, enquanto os seus braços e pernas se estendem para a frente. Só deixe que a pelve se incline para a frente no ponto mais distante do alongamento, e mesmo assim apenas ligeiramente.

Quando você rolar de volta para cima, faça-o vértebra por vértebra, com a tira imaginária ainda puxando a sua cintura para trás. Os músculos abdominais não devem ficar pendurados para fora em nenhum momento, devendo permanecer firmemente escavados. Mantenha as escápulas para baixo e os cotovelos retos.

1. Sente-se com o tronco ereto, as pernas retas diante de você, afastadas na largura dos quadris, e os pés flexionados. Eleve os braços à sua frente na altura dos ombros, com as palmas das mãos voltadas para baixo e dos dedos para a frente. Inspire.

13. ALONGAMENTO DA COLUNA PARA A FRENTE (*SPINE STRETCH FORWARD*)

2. Ao expirar, puxe o umbigo de volta na direção da coluna e role a parte superior do corpo para a frente, alongando a coluna na direção dos pés. Mantenha os braços paralelos às pernas. Certifique-se de que os ombros permaneçam abaixados e não estejam encolhidos até os ouvidos. Inspire enquanto rola novamente para cima. Repita 5 vezes.

Músculos-alvo

- Extensores da coluna: eretor da coluna (espinal, longuíssimo, iliocostal); semiespinal; grupo espinal posterior profundo.
- Flexores da coluna: reto abdominal; oblíquos internos; oblíquos externos.

14. O saca-rolhas (*The corkscrew*)

Este exercício é como o Rolar por Cima do Corpo (ver pp. 162-63), mas com uma rotação para o lado, de modo que ele proporciona um forte treinamento para os oblíquos. Ele definitivamente não é um exercício para as pessoas que sofram de alguma fraqueza na região lombar.

No meu estúdio, tendemos a fazer este exercício com os braços atrás de nós agarrando-se a um objeto compacto capaz de proporcionar estabilidade. Experimente fazê-lo dessa maneira pelo menos nas primeiras vezes. Quando fizer o exercício com os braços estendidos para os lados, pressione o corpo contra o chão para ajudar os movimentos, e mantenha as escápulas abaixadas o tempo todo.

Mantenha as pernas no alinhamento normal em relação à linha central da pelve. Faça os círculos bem pequenos e controle suficientemente os músculos abdominais para impedir que a região lombar se arqueie ou a pelve se incline para a frente. Comprima a parte interna das coxas para ativar os adutores dos quadris e faça uma ponta suave com os pés. Imagine que você está traçando círculos no ar com os pés.

Este exercício tem duas progressões avançadas, caso você se sinta confiante o bastante para experimentá-las. Na primeira, os quadris são elevados ligeiramente do colchonete para que os círculos sejam maiores. Na segunda, você lança as pernas sobre a cabeça, abaixa-as na direção do quadril direito e passa-as, em círculo, para o outro lado do corpo na direção do quadril esquerdo, repetindo em seguida o movimento na direção oposta, fazendo com que o seu corpo se retorça como um saca-rolhas. Nem mesmo pense em experimentar essas progressões enquanto não conseguir fazer a versão básica com um controle perfeito!

Músculos-alvo

- Flexores e rotadores anteriores da coluna: reto abdominal; oblíquos internos; oblíquos externos.

- Flexores dos quadris: iliopsoas; reto femoral; sartório; tensor da fáscia lata; pectíneo.

1. Deite-se de costas com as pernas levantadas e perpendiculares ao chão, com os braços estendidos para os lados.

14. O SACA-ROLHAS (*THE CORKSCREW*) **181**

2. Expire, ative os músculos abdominais e baixe as pernas para a direita, mantendo-as juntas. Inspire e gire as pernas para baixo, circule e volte para o centro.

3. Expire e baixe as pernas para a esquerda e para baixo, circule e volte para cima. Mantenha a pelve e a coluna firmemente apoiadas no chão. Repita 5 vezes em cada direção.

15. O nado (*Swimming*)

Incluí uma versão modificada do Nado no capítulo dos exercícios Pré-Pilates (ver p. 73), mas este você precisará executar de uma maneira rápida e contínua – quase como se estivesse tentando decolar! Ele funciona bem logo antes do Mergulho do Cisne Modificado (ver pp. 184-85).

Quando olho para fotografias de Joseph Pilates fazendo este exercício, vejo que a cabeça dele está inclinada para trás de uma maneira que eu não inclinaria agora. Recomendo que você mantenha a cabeça abaixada e o pescoço alongado de modo a não prejudicar o pescoço de nenhuma maneira. Puxe as escápulas para baixo também e não tente se erguer demais do chão. Pense em alongar em vez de levantar.

Da mesma forma, nos passos 2 e 3, estenda para fora os braços e pernas opostos em vez de sentir que precisa erguê-los muito. É difícil determinar isso para si mesmo, mas se você estiver corrigindo outra pessoa, certifique-se de que ela está levantando os braços e as pernas na mesma altura.

Os músculos extensores da coluna estarão trabalhando arduamente para mantê-lo em posição e impedir que o tronco gire enquanto os braços e as pernas se levantam. É crucial que você mantenha os músculos abdominais ativos, caso contrário você sentirá tensão na região lombar por levantar ao mesmo tempo as partes superior e inferior do corpo.

1. Deite-se de bruços com as pernas retas e separadas na largura dos quadris. Estenda os braços acima da cabeça, com as palmas das mãos para baixo. Faça ponta com os dedos das mãos.

2. Ative os músculos abdominais, erga a cabeça e o peito e levante os braços e as pernas ligeiramente do chão.

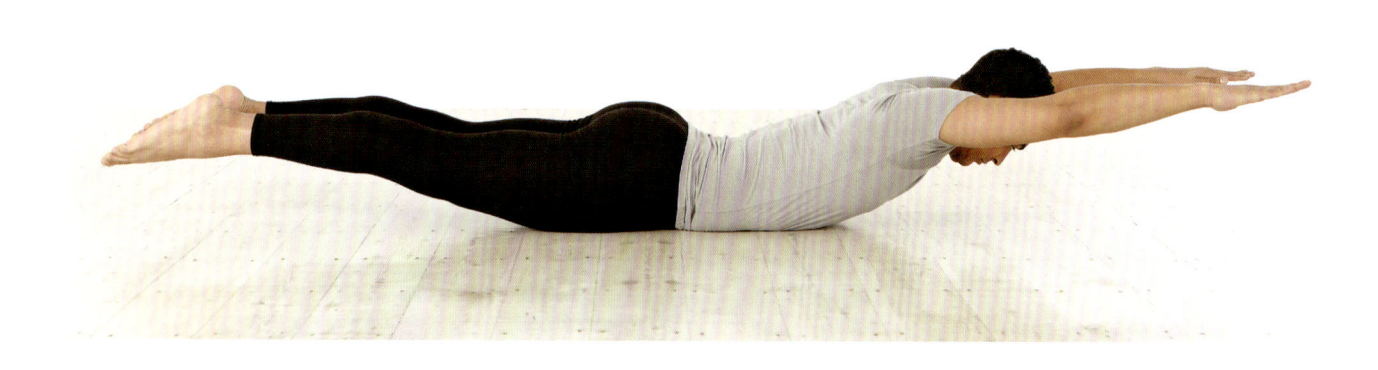

15. O NADO (*SWIMMING*)

3. Inspire e eleve o braço direito e a perna esquerda à mesma distância do chão, mantendo o pescoço alongado. Expire enquanto volta à posição do passo 2.

Músculos-alvo

- Extensores e rotadores da coluna: eretor da coluna (espinal, longuíssimo, iliocostal); semiespinal; grupo espinal posterior profundo.
- Extensores dos quadris: glúteo máximo; tendões da perna (semimembranoso, semitendinoso, bíceps femoral).

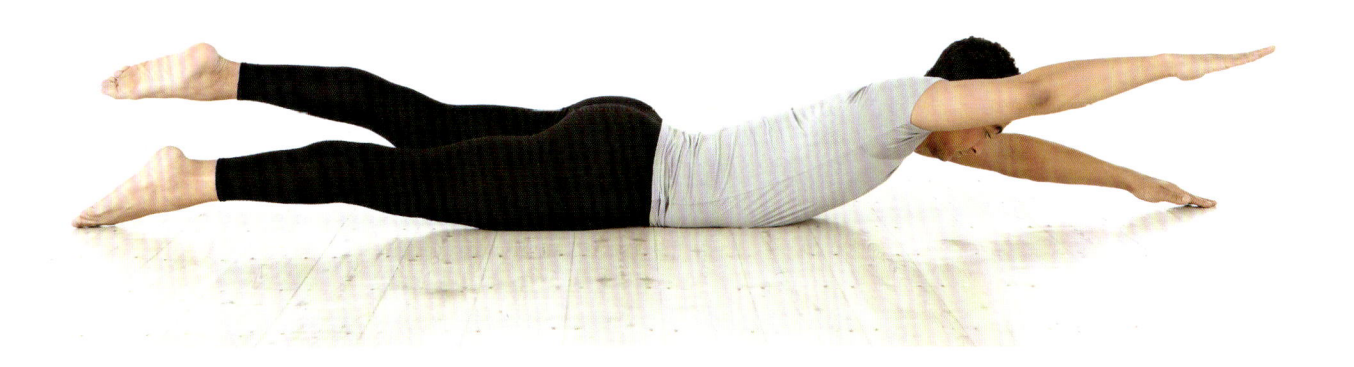

4. Inspire enquanto ergue o braço esquerdo e a perna direita. Continue a trocar de braço e de perna num movimento rápido e contínuo, semelhante ao nado. Repita 10 vezes de cada lado.

16. Mergulho do cisne modificado (*Modified swan dive*)

A versão do Mergulho do Cisne de Joseph Pilates me parece bastante desajeitada. Ela machuca os ossos dos quadris quando você rola sobre a parte da frente do corpo no chão, e pode forçar o pescoço durante o arqueamento. A minha versão é como uma preparação para um Mergulho do Cisne completo, mas mesmo assim você só deve tentar fazer o exercício se for forte.

Antes de tentar fazer o Mergulho do Cisne, certifique-se de que não tem a tendência de usar em excesso um dos lados do corpo, pois isso o tirará do centro. Esta versão modificada é semelhante ao exercício A Cobra (ver pp. 78-9). Você não precisa fazer o passo 4 se o achar desconfortável: os exercícios de Pilates nunca devem causar dor! Se você resolver experimentar, imagine que há cordas amarradas em volta dos seus tornozelos, erguendo os seus pés enquanto você rola para a frente. As instruções originais de Joseph Pilates dizem "corpo rígido" e "costas travadas", que são termos que eu jamais usaria no meu estúdio. Manter as costas hiperestendidas dessa maneira requer um excelente controle dos extensores da coluna em combinação com os músculos abdominais. Mesmo assim, este exercício simplesmente não é adequado para todo mundo e você certamente não deve fazê-lo se tiver qualquer histórico de problemas nas costas. No entanto, para os puristas que desejam experimentar os 34 exercícios, esta é uma versão que eu considero útil.

1. Deite-se de bruços com os cotovelos flexionados e as palmas das mãos no chão logo à frente dos ombros. Comprima as coxas uma contra a outra e pressione o peito do pé contra o colchonete.

2. Erga a parte superior do corpo do colchonete, mantendo o pescoço alongado.

16. MERGULHO DO CISNE MODIFICADO (*MODIFIED SWAN DIVE*)

Advertência

O movimento de balanço deste exercício pode ser desconfortável para os ossos dos quadris. Por conseguinte, é uma boa ideia usar um colchonete em vez de executar o exercício diretamente sobre um piso duro.

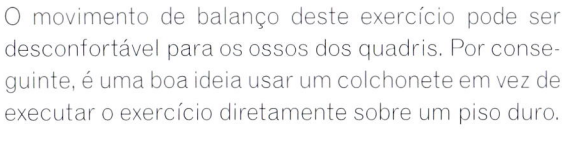

3. Inspire, ative os músculos abdominais e erga os braços de maneira que eles fiquem ao longo dos ouvidos, com as palmas das mãos voltadas para a frente.

4. Inspire e balance para a frente sobre o esterno, mantendo as pernas retas e deixando que elas se elevem. Balance de volta para a posição do passo 3, e depois balance para a frente e para trás 5 vezes, expirando para ir para a frente e inspirando para voltar.

Músculos-alvo

- Extensores da coluna: eretor da coluna (espinal, longuíssimo, iliocostal); semiespinal; grupo espinal posterior profundo.
- Extensores dos quadris: glúteo máximo; tendões da perna (semimembranoso, semitendinoso, bíceps femoral).

17. Chute com uma perna (*Single leg kick*)

O exercício Flexão dos Tendões da Perna (ver pp. 74-5), que eu ensino na parte Pré-Pilates, é uma versão mais controlada deste exercício. A versão de Joseph Pilates pode prejudicar a coluna lombar e o pescoço se você não for forte o suficiente, de modo que deve tomar cuidado ao experimentá-la.

A esta altura, você provavelmente já percebeu que não sinto muito entusiasmo por exercícios na posição de bruços nos quais as costas são hiperestendidas pelo levantamento simultâneo da parte superior do corpo e das pernas. Prefiro manter as pernas embaixo quando o peito está levantado e vice-versa. Se você sentir o mais leve desconforto na região lombar quando estiver fazendo o exercício Chute com uma Perna, simplesmente baixe a testa e apoie-a nas mãos.

Ative firmemente os músculos abdominais durante todo o exercício para evitar que a pelve se incline para a frente. Pense no resto do corpo como estando imóvel e as articulações dos joelhos fazendo todo o trabalho. Na realidade, você está tonificando e fortalecendo os extensores dos quadris e os tendões da perna enquanto alonga os quadríceps, mas mantenha o seu foco nos movimentos das pernas.

Músculos-alvo

- Extensores da coluna: eretor da coluna (espinal, longuíssimo, iliocostal); semiespinal; grupo espinal posterior profundo.
- Extensores dos quadris: glúteo máximo; tendões da perna (semimembranoso, semitendinoso, bíceps femoral).

1. Deite-se de bruços, apoiado nos antebraços, com a parte superior do corpo erguida do chão e as mãos entrelaçadas na sua frente. Comprima as nádegas e a parte interior das coxas umas contras as outras, e faça uma ponta suave com os pés.

17. CHUTE COM UMA PERNA (*SINGLE LEG KICK*) **187**

2. Inspire e flexione o joelho direito de modo que o calcanhar suba na direção da nádega direita. Pare quando a perna estiver flexionada num ângulo reto.

3. Expire e endireite o joelho direito enquanto flexiona o joelho esquerdo e leva o calcanhar para cima de modo que a perna fique flexionada num ângulo reto. Entre num ritmo com uma dupla pulsação – um, dois – para cada chute. Faça 10 repetições, mantendo os ombros abaixados e comprimindo as nádegas o tempo todo.

18. Chute com as duas pernas (*Double leg kick*)

Existem semelhanças entre este exercício e A Flecha (ver pp. 76-7), que eu ensino na parte Pré-Pilates. Os mesmos cuidados relacionados com o Chute com uma Perna (ver pp. 186-87) são pertinentes aqui: não levante o peito e as pernas ao mesmo tempo se isso lhe causar qualquer desconforto na região lombar.

Os Chutes com as Duas Pernas são mais difíceis do que os Chutes com uma Perna, porque você não se apoia nos braços e os músculos abdominais precisam trabalhar mais para levantar as pernas ao mesmo tempo. No entanto, ele é um exercício proveitoso para as pessoas que têm os flexores dos ombros rígidos e constatam que os seus ombros rolam para a frente, conferindo a elas uma postura encurvada. O exercício também proporciona um bom alongamento aos extensores dos joelhos e fortalece os extensores da coluna.

Assim como nos Chutes com uma Perna, use os músculos abdominais para evitar que a pelve se incline para a frente enquanto você levanta as pernas. Mantenha os joelhos fora do chão durante todo o exercício. Os tornozelos e os pés permanecem juntos, mas os joelhos podem se separar ligeiramente, dependendo do formato específico das suas pernas. Não é interessante que ocorra uma rotação da perna para dentro antes que você flexione os joelhos; elas devem estar na sua posição natural.

Quando você endireitar novamente as pernas, use os adutores dos quadris para juntar as pernas e alongá-las até os pés. Use os extensores da coluna para voltar à posição inicial de uma maneira suave e controlada.

Eu não faria este exercício todos os dias, ou mesmo uma vez por semana, mas decididamente vale a pena fazê-lo se você quiser dominar o conjunto dos 34 exercícios e for forte o bastante para consegui-lo.

Músculos-alvo

- Extensores da coluna: eretor da coluna (espinal, longuíssimo, iliocostal); semiespinal; grupo espinal posterior profundo.

- Extensores dos quadris: glúteo máximo; tendões da perna (semimembranoso, semitendinoso, bíceps femoral).

1. Deite-se de bruços com a cabeça virada de lado no chão. Entrelace as mãos atrás das costas o mais alto que conseguir enquanto a parte da frente dos ombros toca o chão. As pernas devem estar retas no chão com os pés ligeiramente em ponta.

18. CHUTE COM AS DUAS PERNAS (*DOUBLE LEG KICK*)

2. Expire, comprima as nádegas e a parte interior das coxas umas contra as outras e chute os dois calcanhares para cima de modo que formem um ângulo reto e depois baixe-os até quase tocarem o chão. Repita vigorosamente 3 vezes os movimentos.

3. Inspire, puxe as escápulas para baixo e erga o peito e a cabeça do chão, virando a cabeça para o centro. Endireite os braços e estenda-os para trás na direção dos pés. Expire e volte à posição inicial com a cabeça virada do lado oposto àquele com o qual você começou. Faça 6 repetições, alternando o lado no qual você descansa a cabeça.

19. A tesoura (*The scissors*)

Eu gosto do exercício A Tesoura. Ele é realmente um exercício agradável e harmonioso que mantém tudo no seu lugar natural e trabalha uma vasta gama de grupos musculares ao mesmo tempo.

Flexores dos quadris rígidos podem causar todos os tipos de problemas posturais, como lordose (ver p. 49) e uma inclinação anterior da pelve. Este é um dos poucos exercícios que proporcionam um alongamento realmente proveitoso para os músculos iliopsoas na frente dos quadris sem puxar a pelve para a frente. Você pode começar elevando a perna da posição inicial até um ângulo de 60°; mas elevá-las a um ângulo de 90°, como é mostrado aqui, torna mais fácil manter a estabilidade pélvica.

Quando você assumir a posição inicial, pense em puxar para cima a parte da frente e a parte de trás da pelve ao mesmo tempo, de modo que haja um arco muito leve na região lombar. Puxe as escápulas para baixo e pressione os braços no chão. O tronco deve permanecer completamente imóvel enquanto você fizer os movimentos com a perna, de modo que você precisa estar numa posição estável e confortável, com todos os músculos de estabilidade ativos.

Mantenha os joelhos retos e os pés suavemente em ponta durante todos os movimentos de tesoura das pernas. Você usará os flexores dos quadris para elevar a perna e os extensores dos quadris para começar a baixar a coxa. Quando as pernas passam pela posição vertical, o conjunto oposto de músculos entra em ação. Você alongará os tendões da perna de cima e os flexores dos quadris da perna de baixo ao mesmo tempo. A eficiência disso me agrada – como dois produtos pelo preço de um em oferta na loja de sua preferência!

Músculos-alvo

- Estabilizadores posteriores da coluna: eretor da coluna (espinal, longuíssimo, iliocostal); semiespinal; grupo espinal posterior profundo.
- Estabilizadores anteriores da coluna: reto abdominal; oblíquos internos; oblíquos externos; transverso do abdome.
- Flexores dos quadris: iliopsoas; reto femoral; sartório; tensor da fáscia lata; pectíneo.
- Extensores dos quadris: glúteo máximo; tendões da perna (semimembranoso, semitendinoso, bíceps femoral).

1. Deite-se de costas com as pernas juntas e os pés em ponta. Ative os músculos abdominais e comprima as nádegas enquanto eleva as pernas retas de maneira que formem um ângulo de 90° com o chão. Coloque as mãos na região lombar, logo acima dos quadris, para que você possa apoiar parcialmente o seu peso nos cotovelos. Os dedos das mãos apontam na direção do cóccix.

19. A TESOURA (*THE SCISSORS*) **191**

2. Inspire e faça os splits! Estenda a perna direita para trás na direção da cabeça enquanto baixa a perna esquerda até que ela forme um ângulo de cerca de 60° com o chão.

3. Expire enquanto troca de perna num movimento no estilo de tesoura, de modo que a perna esquerda vá para trás na direção da cabeça e a direita forme um ângulo de 60° com o chão. Repita 10 vezes o movimento de tesoura. Quando terminar, mantenha as pernas na posição vertical para avançar para o próximo exercício.

20. A bicicleta (*The bicycle*)

Este talvez seja um dos exercícios mais conhecidos de Pilates, mas você precisa de bastante força abdominal para fazê-lo corretamente enquanto mantém tudo no lugar.

A Bicicleta usa a mesma posição inicial de A Tesoura (ver pp. 190-91), porém o seu aperfeiçoamento apresenta um desafio maior por causa da amplitude de movimento requerida nas pernas. Quando adequadamente executado, ele é um excelente alongamento para os tendões da perna e os flexores dos quadris. O movimento das pernas deve ser suave, harmonioso e coordenado. Estenda a perna de baixo para baixo o mais que você puder sem inclinar a pelve, e estenda a perna de cima sobre a cabeça, realmente alongando-a. Isso ajudará a impedir que o peso da perna de baixo puxe a perna de cima para baixo.

Se os músculos do seu centro de força o estiverem apoiando com eficiência, você não deverá ter a impressão de que o seu peso está afundando nas suas mãos. Você dever estar se soltando delas enquanto trabalha. Mas isso requer prática, portanto persista!

Depois que você tiver dominado o exercício, tente tocar os dedos do pé da perna mais baixa no chão enquanto estende a outra perna sobre a cabeça – mas pare imediatamente se sentir qualquer desconforto na região lombar. (Ver também o Controle do Equilíbrio nas pp. 214-15, que funciona de uma maneira semelhante.)

Músculos-alvo

- Estabilizadores posteriores da coluna: eretor da coluna (espinal, longuíssimo, iliocostal); semiespinal; grupo espinal posterior profundo.
- Estabilizadores anteriores da coluna: reto abdominal; oblíquos internos; oblíquos externos; transverso do abdome.
- Flexores dos quadris: iliopsoas; reto femoral; sartório; tensor da fáscia lata; pectíneo.
- Extensores dos quadris: glúteo máximo; tendões da perna (semimembranoso, semitendinoso, bíceps femoral).

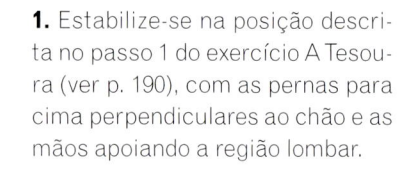

1. Estabilize-se na posição descrita no passo 1 do exercício A Tesoura (ver p. 190), com as pernas para cima perpendiculares ao chão e as mãos apoiando a região lombar.

20. A BICICLETA (*THE BICYCLE*)

2. Estenda a perna direita para baixo em direção ao chão e traga o joelho esquerdo na direção do peito, e em seguida flexione o joelho direito e leve o calcanhar em círculo para trás na direção das nádegas – como se você estivesse andando de bicicleta.

3. Pedale para a frente 10 vezes e em seguida inverta os movimentos e pedale para trás 10 vezes. Role a coluna lentamente de volta para baixo até ficar deitado de costas no chão.

21. A ponte de ombros (*The shoulder bridge*)

Neste exercício, você primeiro forma uma ponte, depois faz alguns levantamentos com as pernas. Se quiser torná-lo mais difícil, experimente descansar os braços no chão em vez de apoiar a cintura com as mãos.

No passo 1, pressione os pés contra o chão e pense em erguer a base da pelve na direção do teto. Pressione também os braços para baixo, para levantar o peito e ativar os músculos extensores dos ombros e extensores da coluna. Use os músculos abdominais para evitar que a pelve se incline demais para a frente e para mantê-la estável. A coluna lombar reterá o seu arco natural, mas não deverá se arquear mais do que é natural, de modo que você precisa manter a pelve imóvel enquanto o peso da perna levantada exerce pressão sobre ela. Se você sentir que está afundando nas mãos, use os músculos do centro de força para se erguer. Você também achará mais fácil manter a estabilidade pélvica se não baixar demais a perna no passo 3.

Músculos-alvo

- Estabilizadores posteriores da coluna: eretor da coluna (espinal, longuíssimo, iliocostal); semiespinal; grupo espinal posterior profundo.
- Estabilizadores anteriores da coluna: reto abdominal; oblíquos internos; oblíquos externos; transverso do abdome.
- Extensores dos quadris: glúteo máximo; tendões da perna (semimembranoso, semitendinoso, bíceps femoral).
- Flexores dos quadris: iliopsoas; reto femoral; sartório; tensor da fáscia lata; pectíneo.

1. Deite-se de costas com os joelhos flexionados e as solas dos pés apoiadas no chão, afastados na largura dos quadris. Use as nádegas, os tendões da perna e os braços para levantar os quadris do chão, de modo que você possa colocar a mão em cada lado da cintura e apoiar os cotovelos diretamente embaixo delas.

21. PONTE DE OMBROS (*THE SHOULDER BRIDGE*) 195

Variação
Se você não conseguir manter a pelve estável, pratique fazendo alguns levantamentos da perna na posição semissupina com a pelve com uma inclinação ligeiramente posterior, como no exercício A Ponte (ver pp. 68-9). Não use as mãos para apoiar a cintura nessa versão, mas flexione o pé quando ele estiver na posição elevada para aumentar o alongamento nos tendões da perna.

2. Inspire e estenda a perna direita para cima na direção do teto, fazendo ponta com os dedos do pé.

3. Expire enquanto baixa a perna até que ela esteja numa linha reta e paralela à outra coxa. Inspire e eleve novamente a perna. Repita 5 vezes os passos 2 e 3, e depois baixe o pé direito ao chão para voltar à posição inicial e repita o exercício com a perna esquerda.

22. O canivete (*The jackknife*)

Este exercício é como o Rolar por Cima do Corpo (ver pp. 162-63) que continua subindo pelos ombros, antes que você lentamente role para baixo, mantendo os pés alinhados com a cabeça. No estúdio, frequentemente fazemos o exercício com parceiros para oferecer apoio e resistência adicionais.

O Canivete é um excelente exercício para a articulação e o equilíbrio da coluna, bem como para ensinar a coordenação de vários movimentos diferentes, mas ele pode forçar o pescoço, de modo que você não deve experimentá-lo se tiver qualquer fraqueza na coluna cervical. Certifique-se de que o chão esteja bem acolchoado antes de começar – ao contrário do que é mostrado aqui!

No passo 2, use os músculos abdominais para inclinar a pelve e erguê-la do colchonete. Pense em manter o movimento gradual e controlado em vez de dar um grande impulso para cima. Pressione os braços para baixo para ativar os extensores dos ombros. Comprima a parte interna das coxas uma contra a outra para ativar os adutores dos quadris e mantenha as pernas juntas durante todo o exercício. Os pés devem estar alongados e suavemente em ponta.

Se você estiver trabalhando com um parceiro, peça que ele se coloque atrás da sua cabeça e segure os seus pés no final do passo 3. Quando você começar a rolar para baixo, o seu parceiro deve puxar delicadamente as suas pernas, oferecendo assim resistência ao movimento descendente. Isso o ajudará a manter o equilíbrio enquanto, ao mesmo tempo, faz com que os músculos do centro de força trabalhem mais intensamente.

Músculos-alvo

- Flexores da coluna: reto abdominal; oblíquos internos; oblíquos externos.
- Extensores da coluna: eretor da coluna (espinal, longuíssimo, iliocostal); semiespinal; grupo espinal posterior profundo.
- Flexores dos quadris: iliopsoas; reto femoral; sartório; tensor da fáscia lata; pectíneo.
- Extensores dos quadris: glúteo máximo; tendões da perna (semimembranoso, semitendinoso, bíceps femoral).

1. Deite-se na posição supina com os braços ao longo do corpo e as palmas das mãos voltadas para baixo. Levante as pernas juntas até que elas formem um ângulo de cerca de 60° com o chão. Faça uma ponta suave com os dedos dos pés.

22. CANIVETE (*THE JACKKNIFE*) **197**

2. Inspire e afaste a pelve e a região lombar do chão, mantendo as pernas retas e apontando os pés para trás sobre a cabeça para ajudar a conduzir o movimento. Role sobre os ombros, usando os músculos do centro de força e pressionando os braços contra o chão para fazer isso.

3. Pare quando os seus pés estiverem retos para cima e o seu peso equilibrado sobre as escápulas. Este é o estágio no qual um parceiro pode entrar para segurar os seus pés, se você quiser.

4. Ao expirar, role lentamente para baixo, vértebra por vértebra, mantendo os pés acima da cabeça. Quando o cóccix tocar no chão, leve as pernas para um ângulo de 60° com o chão, prontas para recomeçar. Repita 5 vezes.

23. Chute lateral (*The side kick*)

Este exercício é uma progressão dos Levantamentos com a Perna Reta na Posição Deitada de Lado que fizemos na seção Pré-Pilates (ver pp. 104-05). Ele é um forte treinamento para os músculos do centro de força e, especialmente, para os adutores dos quadris, que precisam manter a perna de cima para o alto.

Deitar-se de lado enquanto dá chutes para trás e para a frente com uma perna apresenta um bom desafio para todos os músculos abdominais das laterais e da frente, bem como para os da parte de trás da coluna. Procure manter a mesma distância entre a caixa torácica e a pelve durante todo o exercício: em outras palavras, não afunde na cintura ou nos ombros. Mantenha os quadris estáveis, com um osso do quadril em cima do outro, e não deixe que eles balancem para trás e para a frente.

Quando você mover a perna para a frente e para trás, tenha a intenção de mantê-la na mesma altura; você realmente sentirá um puxão nos abdutores do quadril, mas não deixe essa perna cair. No passo 4, leve a perna apenas ligeiramente para trás, porque você não deseja criar uma inclinação anterior na pelve. O trabalho mais eficiente é feito apenas com um pequeno movimento. Procure pensar no seu quadril balançando livremente para trás e para diante. O chute não é um movimento violento, como chutar uma bola; é mais como um leve recuo, como se os dedos do pé estivessem ricocheteando numa barreira invisível.

Mantenha a leve rotação para fora das pernas enquanto balança a perna para trás e para a frente. Se quiser, você pode flexionar o pé quando atingir o ponto mais distante para aumentar o alongamento do tendão da perna. (Você encontrará um desafio ligeiramente diferente na minha série Developpé nas pp. 140-43.)

Músculos-alvo

- Flexores e estabilizadores laterais da coluna: oblíquos internos; oblíquos externos; quadrado lombar; eretor da coluna (espinal, longuíssimo, iliocostal); semiespinal; grupo espinal posterior profundo; reto abdominal; transverso do abdome.

- Abdutores dos quadris: glúteo médio; glúteo mínimo; tensor da fáscia lata; sartório.

1. Deite-se sobre o lado direito com as pernas retas e descansando uma sobre a outra levemente à frente do tronco do corpo. Apoie o braço direito no chão e insira uma toalha enrolada entre o braço e a cabeça. Descanse os dedos da mão esquerda levemente no chão diante de você.

23. CHUTE LATERAL (*THE SIDE KICK*)

2. Expire, ative os músculos abdominais e erga a perna esquerda até a altura do quadril, virando-a ligeiramente para fora.

3. Agora, traga a perna esquerda para a sua frente. Leve-a para trás um pouco, e em seguida leve-a mais à frente, como se você estivesse dando dois pequenos chutes. Leve a perna o mais à frente que puder sem perder a estabilidade nos quadris. Inspire.

4. Expire e leve a perna para trás, traga-a ligeiramente para a frente, e depois novamente para trás, como se estivesse dando dois chutes atrás de você. Repita a sequência 5 vezes, e depois vire o corpo e faça o mesmo deitado sobre o lado esquerdo e levantando a perna direita.

24. Rotação dos quadris com os braços estendidos (*The hip twist with stretched arms*)

Este exercício é como uma versão na posição sentada do Saca-Rolhas (ver pp. 180-81), porém é mais difícil porque requer mais equilíbrio, e você precisa ter mais força para sustentar o peso das pernas.

Este é um exercício avançado que exige um forte controle dos músculos do centro de força para proteger a região lombar. Se você tiver tendões da perna fracos, ou se tiver dificuldade em manter a região lombar estável, pule este exercício ou experimente fazê-lo apoiado nos antebraços, como na variação. Mantenha as pernas bem elevadas. Se você as deixar cair muito, não conseguirá controlá-las. Os círculos devem ser pequenos, e você deve ter como objetivo fazê-los do mesmo tamanho nos dois lados.

A parte superior do corpo é um contrapeso para o peso das pernas, mas ela não deve se mover. Mantenha os ombros voltados para a frente o tempo todo, de modo que a rotação seja apenas no tronco inferior. Os seus pés devem estar alinhados com o ponto central da pelve o tempo todo enquanto os seus quadris giram com o movimento das pernas.

Pense em ativar delicadamente os músculos da parte interior das coxas durante todo o exercício, ao mesmo tempo que mantém as pernas alongadas e os pés com uma ponta suave.

Músculos-alvo

- Flexores e rotadores anteriores da coluna: reto abdominal; oblíquos internos; oblíquos externos.
- Flexores dos quadris: iliopsoas; reto femoral; sartório; tensor da fáscia lata, pectíneo.

1. Sente-se no chão com as pernas retas estendidas à sua frente, os dedos dos pés em ponta, e apoie as mãos no chão atrás de você, com as palmas viradas para baixo e os dedos apontando para trás e levemente para os lados.

24. ROTAÇÃO DOS QUADRIS COM OS BRAÇOS ESTENDIDOS... 201

Variação

Se você achar difícil fazer este exercício apoiando as mãos no chão atrás de você, experimente se apoiar nos antebraços.

2. Ative os músculos abdominais e levante as pernas até que elas formem um ângulo de 45° com o chão, de modo que você se equilibre no cóccix. Junte as pernas, mantendo-as levemente viradas para fora, com os pés em ponta. Faça um círculo com as pernas para baixo e para a direita. Inspire enquanto continua para o centro e sobe para a esquerda, voltando para o centro num movimento contínuo. Troque de direção e faça um círculo para baixo e para a esquerda, e depois para a direita. Faça 10 círculos em cada direção, inspirando para começar e expirando para completar.

25. Elevação da perna com apoio frontal (*The leg pull front*)

Este é realmente um excelente exercício para o equilíbrio e a força do centro, e também proporciona um intenso treinamento para os músculos da cintura escapular. No entanto, você deve pular este exercício se tiver os pulsos fracos.

As instruções originais de Joseph Pilates para este exercício diziam o seguinte: "Erga a perna para cima e para trás o mais alto possível", mas não recomendo que você o faça, pois isso pode fazer com que a pelve se incline para a frente. Você obterá os mesmos benefícios se parar no nível dos quadris. Procure manter a pelve de frente para o chão durante todo o exercício. Imagine que o seu corpo é uma estrutura sólida e imóvel, e apenas as pernas se movem para cima e para baixo. É difícil manter o corpo imóvel quando você está de frente para o chão dessa maneira, porque a gravidade trabalha contra você e os músculos do seu centro de força terão que trabalhar mais arduamente para manter tudo em sincronia.

Faça força contra o chão e mantenha as escápulas para baixo de modo a não afundar nos ombros, e sim se erguer a partir deles. Esta é uma ótima prática para quando você experimentar a Flexão dos Braços (ver pp. 216-17). A posição de prancha de bruços, conhecida como Apoio Frontal, pode fazer com que as suas escápulas se juntem na direção da coluna e você precisará usar os músculos serráteis anteriores para mantê-las abertas, caso contrário o exercício não será nem de longe tão eficaz.

Músculos-alvo

- Estabilizadores anteriores da coluna: reto abdominal; oblíquos internos; oblíquos externos; transverso do abdome.
- Extensores dos quadris: glúteo máximo; tendões da perna (semitendinoso, semimembranoso, bíceps femoral).
- Abdutores escapulares: serrátil anterior; peitoral menor.

1. Deite-se de bruços com as palmas das mãos no chão debaixo dos ombros e os dedos dos pés virados para dentro.

25. ELEVAÇÃO DA PERNA COM APOIO FRONTAL (*THE LEG PULL FRONT*)

2. Ative os músculos abdominais e empurre o corpo para cima de maneira a apoiar o seu peso nas mãos e na parte inferior frontal dos pés. Certifique-se de que as laterais dos seus tornozelos, bem como os joelhos, a pelve, os ombros e os ouvidos estão aproximadamente em linha reta. Balance para trás, pressionando os calcanhares contra o chão, e depois role para a frente novamente sobre a parte inferior frontal dos pés. Faça 2 ou 3 repetições.

3. Inspire e levante uma das pernas até ela estar alinhada com o quadril. Balance para trás e para a frente como você fez no passo 2. Expire enquanto baixa a perna levantada até o chão. Faça 5 repetições com cada perna.

26. Elevação da perna com apoio posterior (*The leg pull back*)

Este exercício é o inverso da Elevação da Perna com Apoio Frontal, mas ele usa um conjunto inteiramente novo de músculos estabilizadores da coluna e flexores e extensores dos quadris. É outro excelente exercício para o vigor do centro de força.

Para obter uma impecável linha reta no passo 2, pressione os pés contra o chão e levante a base da pelve na direção do teto. Pressione também as mãos contra o chão e deslize para baixo as escápulas para ajudá-lo a ativar o músculo serrátil anterior e levantar a parte superior do corpo enquanto expande a caixa torácica. A coluna deverá manter as suas curvas naturais. Tenha em mente evitar afundar na cintura ou nos ombros durante todo o exercício: mantenha a cintura alongada e erga-se a partir dos ombros. O seu tronco é uma linha cheia e a perna que se move sobe e desce como se estivesse presa a uma corda que estivesse sendo puxada por um marionetista!

Faça ponta com os pés no trajeto ascendente para manter a perna numa impecável linha alongada, e depois flexione o peito do pé para intensificar o alongamento do tendão da perna. Os extensores e flexores dos quadris terão que trabalhar arduamente para proporcionar um movimento suave e controlado. Inspire no movimento ascendente e expire no movimento descendente.

Este exercício é contraindicado se você tiver problemas nos pulsos, e você deve evitá-lo se os seus músculos abdominais não forem fortes o bastante para manter a pelve estável enquanto as pernas se movem.

Músculos-alvo

- Estabilizadores posteriores da coluna: eretor da coluna (espinal, longuíssimo, iliocostal); semiespinal; grupo espinal posterior profundo.
- Estabilizadores anteriores da coluna: reto abdominal; oblíquos internos; oblíquos externos; transverso do abdome.
- Extensores dos quadris: glúteo máximo; tendões da perna (semitendinoso, semimembranoso, bíceps femoral).
- Flexores dos quadris: iliopsoas; reto femoral; sartório; tensor da fáscia lata; pectíneo.
- Extensores dos ombros: latíssimo do dorso; redondo maior; deltoide posterior.
- Depressores escapulares: trapézio inferior; serrátil anterior.
- Adutores escapulares: trapézio; romboides; levantador das escápulas.

1. Sente-se com as pernas juntas diante de você e as mãos apoiadas no chão logo atrás da pelve, com os dedos das mãos apontando para a frente.

26. ELEVAÇÃO DA PERNA COM APOIO POSTERIOR (*THE LEG PULL BACK*) 205

2. Afaste os quadris do chão, juntando as pernas e fazendo ponta com os dedos, de modo que o seu corpo fique numa linha reta apoiado nos calcanhares e nas mãos.

3. Inspire e levante uma das pernas. Cuidado para não afundar na cintura.

4. Flexione o pé e expire enquanto o baixa lentamente até a posição inicial. Inspire e erga a outra perna, descendo em seguida para o chão. Repita 5 vezes os movimentos com cada perna, fazendo ponta com os dedos do pé ao subir e flexionando o pé ao descer.

27. Chute lateral de joelhos (*Kneeling side kick*)

Neste exercício clássico, tome cuidado com a maneira como o peso é forçado sobre o joelho e o pulso. O Chute Lateral (ver pp. 198-99) tem benefícios semelhantes sem os riscos – mas se você quiser experimentar os 34 exercícios, sem dúvida deve incluir este.

Coloque blocos no chão debaixo do ombro para que possa se apoiar quando se inclinar para o lado ou, se você conseguir alcançar, quando levar a mão até o chão no passo 2. Pressione para baixo a mão que está apoiando o movimento e erga-se a partir dos ombros. Use o músculo serrátil anterior e o trapézio inferior para evitar afundar nos ombros. Mantenha o cotovelo do braço que está em cima apontando para o teto nos passos 3 e 4.

Use os músculos oblíquos e o eretor da coluna no lado que está mais perto do chão para evitar afundar na cintura. A sua intenção deve ser manter o tronco e o braço e a perna que dão apoio ao movimento completamente estáveis, com apenas a outra perna se movendo. Inspire enquanto leva a perna para a frente, a fim de balançá-la para trás. O pé deve permanecer suavemente em ponta o tempo todo.

1. Ajoelhe-se no chão com as pernas paralelas e afastadas na largura dos quadris, os braços estendidos para os lados na altura dos ombros, as palmas para baixo.

2. Incline-se para a direita e coloque a palma direita sobre blocos posicionados diretamente debaixo do ombro direito e alinhados com os quadris. Os dedos da mão devem estar apontando para longe do corpo. Arqueie o braço esquerdo para cima com a palma para a frente.

Músculos-alvo

- Flexores e estabilizadores laterais da coluna: oblíquos internos; oblíquos externos; quadrado lombar; eretor da coluna (espinal, longuíssimo, iliocostal); semiespinal; grupo espinal posterior profundo; serrátil anterior; trapézio; reto abdominal; transverso do abdome.
- Abdutores dos quadris: glúteo médio; glúteo mínimo; tensor da fáscia lata; sartório.

27. CHUTE LATERAL DE JOELHOS (*KNEELING SIDE KICK*)

3. Ative os músculos abdominais e levante a perna esquerda, endireitando-a para fora mais ou menos na altura do quadril, com os dedos do pé em ponta. Coloque a mão esquerda atrás da cabeça, com o cotovelo apontando na direção do teto.

4. Inspire e balance a perna esquerda para a frente, sem perder o equilíbrio ou oscilar nos quadris. Flexione o pé esquerdo, expire e balance a perna novamente para trás. Faça 5 repetições, e depois troque de lado e faça 5 repetições com a perna direita.

28. Flexão lateral (*The side bend*)

Este é um exercício avançado que não é adequado para iniciantes – porém, não obstante, ele é mais fácil do que parece se você tiver músculos fortes nas costas. O segredo é se erguer a partir do ombro e do braço em vez de afundar neles.

A Flexão Lateral tem particularmente como alvo os músculos que sustentam a coluna, ajudando a protegê-la quando você se torce ou se vira. Mais do que tudo, ele é excelente para desenvolver o equilíbrio. À medida que for fazendo pequenos ajustes para manter o equilíbrio, você fortalecerá os músculos da cintura, a parte de dentro das coxas e o abdome, além das costas, do ombro e do braço. Pode ser proveitoso colocar o pé da perna de cima na frente do pé da perna de baixo antes se erguer, pois isso lhe propiciará um pouco mais de base sobre a qual se equilibrar.

A maneira de alcançar e manter o alinhamento correto é imaginar que você está comprimido entre duas paredes de vidro, de modo que não tem escolha a não ser manter o ombro, o tronco e as pernas alinhadas. Cuidado para não rolar para a frente. Permaneça dentro dessas paredes! No passo 4, crie uma curva suave com a linha superior do corpo, como um arco-íris.

As escápulas precisam ficar para baixo e abertas o tempo todo, mesmo quando o movimento do exercício as estiver puxando para cima. Use os músculos serráteis anteriores para manter as escápulas em posição. O exercício é excelente para fortalecer os músculos, mas pare se sentir qualquer desconforto nos ombros. Se você quiser uma variação, consulte A Rotação nas pp. 106-07.

Músculos-alvo

- Flexores e estabilizadores laterais da coluna: oblíquos internos; oblíquos externos; quadrado lombar; eretor da coluna (espinal, longuíssimo, iliocostal); semiespinal; grupo espinal posterior profundo; reto abdominal; transverso do abdome.
- Abdutores dos ombros: deltoide médio; supraespinal; deltoide anterior; peitoral maior.
- Depressores escapulares: trapézio inferior; serrátil anterior; peitoral menor.
- Abdutores escapulares: serrátil anterior; peitoral menor.

1. Sente-se sobre o quadril direito com os joelhos flexionados e as pernas juntas. Coloque a mão direita no chão, com a palma voltada para baixo e os dedos apontando para longe da pelve. Descanse a mão esquerda na panturrilha esquerda. Sustente o seu peso com o braço direito, o lado direito da pelve e o pé direito.

28. FLEXÃO LATERAL (*THE SIDE BEND*)

2. Pressione a mão direita no chão e erga o tronco de modo que o corpo inteiro forme uma linha reta. Mantenha o braço esquerdo encostado no lado esquerdo do corpo. Sustente a posição durante 4 segundos.

3. Inspire, volte a cabeça na direção do ombro esquerdo e baixe a pelve e as pernas até que a panturrilha direita entre em contato com o chão. O braço direito permanece reto.

4. Expire, erga novamente o tronco, e depois levante o braço esquerdo por cima da cabeça com a palma da mão voltada para baixo e a cabeça para a frente. Flexione os joelhos para voltar à posição inicial. Repita 5 vezes de cada lado.

29. O bumerangue (*The boomerang*)

Você vai gostar do Bumerangue – ele é muito divertido! Eu faço uma pequena modificação na versão de Joseph Pilates ao levar os braços para os lados antes de balançá-los para trás.

Este é um exercício complicado e, antes de experimentá-lo, você deve ter certeza de que está confiante ao executar os exercícios Rolar por Cima do Corpo (ver pp. 162-63) e O Desafiador (ver pp. 168-69). Você precisará ter um controle abdominal firme e estável para impedir que a região lombar se arqueie quando você erguer as pernas do chão. Enquanto você rolar para trás no passo 2, tente manter uniforme o ângulo no qual os quadris estão arqueados. Não role o seu peso sobre o pescoço – pare nas escápulas.

Use os abdutores dos quadris para manter as pernas afastadas do chão na mesma altura – não deixe que elas caiam – e use os músculos do centro para tornar os movimentos lentos e controlados. Faça uma ponta suave com os dedos dos pés.

Ao girar os braços para trás e para cima, certifique-se de que consegue sentir os músculos latíssimos do dorso. Entrelace as mãos atrás das costas no passo 5, o que ajudará a puxar as escápulas para baixo e abrir o peito enquanto faz um bom alongamento nos flexores dos ombros.

É fácil ver de onde vem o nome do exercício: você está posicionado na forma de um arco e se move numa única direção, revertendo depois o movimento para voltar. No entanto, você não deve sentir que tem que voar. O melhor modo de fazer os movimentos é de uma forma lenta e controlada.

Músculos-alvo

- Flexores da coluna: reto abdominal; oblíquos internos; oblíquos externos; latíssimo do dorso.
- Flexores dos quadris: iliopsoas; reto femoral; sartório; tensor da fáscia lata; pectíneo.

1. Sente-se no chão com as pernas retas à sua frente, com um dos tornozelos cruzado sobre o outro e os pés em ponta. Posicione as mãos no chão nos dois lados dos quadris, com os dedos apontando para a frente.

2. Expire e role para trás sobre as escápulas, balançando as pernas sobre o tronco e pressionando os braços contra o chão. Sustente essa posição enquanto abre e fecha as pernas 3 vezes.

29. O BUMERANGUE (*THE BOOMERANG*)

3. Inspire e role para cima para se equilibrar numa posição em V sobre o cóccix, com os braços estendidos à frente e paralelos às pernas.

4. Leve os braços retos para os lados, ainda equilibrado na posição em V.

5. Gire os braços de maneira que eles fiquem atrás das costas e entrelace as mãos. Expire e baixe muito gradualmente as pernas ao chão, inclinando o nariz na direção dos joelhos. Erga as mãos o mais alto que puder nas costas, e então solte as mãos e gire-as para a frente de modo que toquem os dedos dos pés. Volte à posição inicial e repita o exercício com o outro tornozelo em cima.

30. A foca (*The seal*)

Há muita flexão neste exercício, mas eu o considero divertido, particularmente quando você bate os pés como uma foca; portanto, experimente! Mas cuidado para não perder o equilíbrio quando bater os pés.

O macete é tentar manter a mesma curva no corpo o tempo todo, do alto da cabeça ao cóccix. Escave o umbigo na direção da coluna e mantenha as coxas perto do peito e os calcanhares perto das coxas, de modo a ficar enrolado como uma bola apertada. Você criará o movimento de balanço para trás usando os músculos abdominais para inclinar a pelve para trás. Balance para a frente afastando levemente os quadris do peito e puxando as pernas para baixo com as mãos.

Se você não tiver flexibilidade suficiente para assumir a posição da Foca, pode tentar segurar a parte de trás das coxas, logo atrás dos joelhos, e manter os joelhos mais longe dos ombros. Você ainda será uma bola, só que mais frouxa!

1. Sente-se no chão com os joelhos flexionados e os pés juntos. Deslize os braços debaixo dos joelhos e escorregue as mãos em curva de modo a segurar a parte de fora dos tornozelos, juntando o mais possível as solas dos pés. Levante os pés do chão e equilibre-se sobre o cóccix.

2. Inspire e role para trás, ainda segurando os tornozelos.

30. A FOCA (*THE SEAL*) **213**

Músculos-alvo

- Flexores e estabilizadores anteriores da coluna: reto abdominal; oblíquos internos; oblíquos externos; transverso do abdome.

Advertência

Assim como em todos os exercícios de rolamento, não trabalhe sobre um piso duro, e evite completamente o exercício se você tiver uma coluna muito nodosa ou se ela contiver seções achatadas. Interrompa o rolamento quando estiver nas escápulas, para não forçar o pescoço.

3. Role completamente para trás sobre as escápulas. Recupere o equilíbrio e depois "bata" os calcanhares 3 vezes um contra o outro.

4. Expirando, contraia o queixo na direção do peito para rolar novamente para a frente, puxando os tornozelos. Equilibre-se no cóccix e bata os calcanhares 3 vezes. Repita o balanço para trás e para a frente 10 vezes, inspirando para ir para trás e expirando para vir para a frente, e então termine equilibrando-se no cóccix na posição inicial.

31. Controle do equilíbrio (*Control balance*)

Este alongamento agradável e instigante começa com o exercício Rolar por Cima do Corpo (ver pp. 162-63). Em seguida, você levanta uma perna de cada vez em direção ao teto enquanto mantém outra embaixo.

Repare no nome do exercício: controle e equilíbrio são as palavras-chave. Quando você assumir a posição do passo 2, deve estar com uma curva suave na coluna e uma leve inclinação posterior da pelve. Procure manter essa forma o tempo todo enquanto as pernas estiverem se movendo. Ao estender a perna na direção do teto, o tronco terá a tendência de querer rolar de volta para o chão, e você precisará usar uma gama complexa de ações musculares para evitar que isso aconteça. Será útil usar os flexores dos ombros enquanto puxa com firmeza a perna que está embaixo.

Mantenha as pernas alongadas e os pés suavemente em ponta o tempo todo. Este exercício proporciona um bom alongamento aos tendões da perna, mas se estes estiverem rígidos demais para que você consiga fazer com perfeição o exercício, mantenha o pé da perna de baixo acima do chão, porém sem tocá-lo. Pratique o exercício Rolar por Cima do Corpo (ver pp. 162-63) para aumentar a sua flexibilidade e você achará este exercício mais fácil.

Não tente fazer o Controle do Equilíbrio se você tiver qualquer problema na coluna cervical, porque o peso do corpo se apoia na parte superior das costas. Ao contrário do que mostra a foto no livro, certifique-se de que o piso esteja bem acolchoado.

Músculos-alvo

- Flexores da coluna: reto abdominal; oblíquos internos; oblíquos externos.
- Extensores da coluna: eretor da coluna (espinal, longuíssimo, iliocostal); semiespinal; grupo espinal posterior profundo.
- Extensores dos quadris: glúteo máximo; tendões da perna (semitendinoso, semimembranoso, bíceps femoral).

1. Deite-se de costas com os braços ao longo do corpo, as palmas das mãos viradas para baixo. Inspire e levante as pernas de modo que elas sejam mantidas num ângulo de mais ou menos 60° com o chão.

2. Expire e erga a pelve na direção dos ombros enquanto traz as pernas sobre a cabeça para que se apoiem no chão atrás dela.

31. CONTROLE DO EQUILÍBRIO (*CONTROL BALANCE*) 215

3. Faça um círculo com as mãos para os lados e por cima da cabeça para agarrar os lados dos pés.

4. Mude a posição das mãos de modo que a mão direita segure o tornozelo direito enquanto a esquerda segura a panturrilha direita.

5. Expire e levante a perna esquerda na direção do teto, com a intenção de torná-la perpendicular ao chão.

6. Inspire e troque de perna, de modo que a perna direita se estenda em direção ao teto e você tenha a mão esquerda sobre o tornozelo esquerdo e a direita sobre a panturrilha esquerda. Faça 3 repetições com cada perna e, em seguida, leve os dois pés ao chão atrás da cabeça. Role de volta para baixo até a posição inicial.

32. Flexão dos braços (*Push-up*)

Como seria de se esperar, a Flexão dos Braços de Pilates é um movimento cuidadoso e controlado que usa muitos grupos musculares diferentes. Ele é bem diferente das flexões de braços que você vê sendo executadas nos cursos de ataque no estilo do exército, em que os soldados se esforçam para concluir dezenas delas de uma vez enquanto um subtenente conduz o exercício aos gritos!

Você poderá pensar que o exercício envolve apenas o fortalecimento dos braços – e ele de fato trabalha fortemente os flexores dos ombros e os extensores dos cotovelos enquanto estes músculos erguem o peso da parte superior do corpo. No entanto, ele também oferece um forte desafio aos músculos do centro de força enquanto mantém o corpo em linha reta e conserva a estabilidade da pelve quando na posição de flexão. A sua pelve deve estar alinhada com os tornozelos e ombros nos passos 4 e 5.

Na parte superior do corpo, você precisará manter as escápulas abertas e os cotovelos próximos dos lados do corpo. Dessa maneira, os extensores dos cotovelos têm mais controle sobre o arqueamento e o estiramento dos cotovelos, os flexores dos ombros são capazes de controlar o movimento para trás e para a frente dos braços.

Se você tiver dificuldade em fazer as flexões, continue a praticar o afastamento (passo 3), e depois caminhe novamente de volta. Você também pode ajudar a aumentar a força da parte superior do seu corpo ficando em pé diante de uma parede a uma distância de mais ou menos 60 centímetros, e fazendo força para se afastar da parede a partir dessa posição. Coloque as palmas das mãos na parede na altura dos ombros, com os cotovelos flexionados e próximos aos lados do corpo. Ative os músculos abdominais e faça força contra a parede para endireitar os braços. Faça isso regularmente e depois tente novamente fazer as flexões quando se sentir mais forte.

Músculos-alvo

- Estabilizadores anteriores da coluna: reto abdominal; oblíquos internos; oblíquos externos; transverso do abdome.
- Flexores dos ombros: deltoide anterior; peitoral maior; coracobraquial; bíceps braquial.
- Adutores escapulares: serrátil anterior; peitoral menor.
- Extensores do cotovelo: tríceps braquial; ancôneo.

1. Fique ereto com os pés e pernas juntos, e os braços ao longo do corpo.

2. Ative os músculos abdominais e desça lentamente as mãos deslizando pela frente das pernas até que as palmas estejam no chão (ou o mais perto dele que você consiga chegar). Sinta o alongamento na parte de trás das pernas.

32. FLEXÃO DOS BRAÇOS (*PUSH-UP*) **217**

3. Inspire e caminhe com as mãos para longe de você até formar com o corpo uma forma em V invertido.

4. Expire e caminhe com as mãos para mais longe ainda de você, baixando os quadris, até que o seu corpo esteja em linha reta, apoiado nas mãos e na parte de trás dos dedos dos pés.

5. Inspire e flexione os cotovelos para baixar o peito ao chão. Expire, endireite os cotovelos e caminhe com as mãos para trás enquanto ergue o corpo para a posição do passo 3.

6. Inspire e caminhe com as mãos para trás na direção dos pés, e em seguida expire e role o corpo novamente para a posição em pé. Repita 5 vezes.

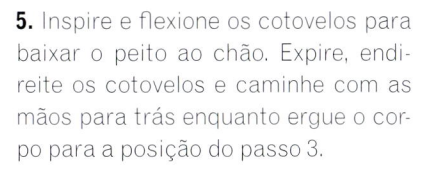

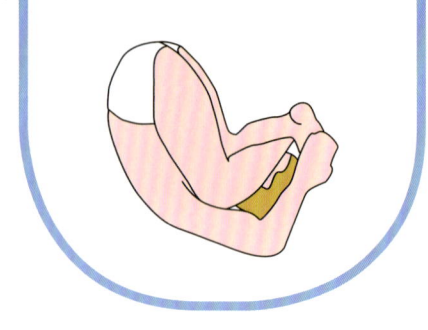

33. O caranguejo (*The crab*)

Este é um exercício ardiloso e você só deve tentá-lo se estiver exímio na execução do Rolar como uma Bola (ver pp. 164-65) e A Foca (ver pp. 212-13), que usam movimentos semelhantes, porém de uma maneira menos desafiante.

Procure manter a coluna mais ou menos com a mesma forma curva durante todo o exercício e use uma inclinação posterior da pelve como o impulso para rolar para trás. Para inverter a direção, mova as coxas para a frente, afastando-as do peito, e puxe os pés na direção das nádegas. Ao rolar sobre os joelhos, imagine que você está se erguendo na sua pelve, mas mantenha um bom controle e prossiga lentamente à medida que descer sobre a cabeça – por motivos óbvios!

Músculos-alvo

- Flexores e estabilizadores anteriores da coluna: reto abdominal; oblíquos internos; oblíquos externos; transverso do abdome.

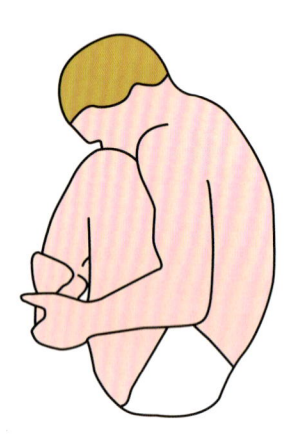

1. Sente-se no chão com os joelhos flexionados, os pés levantados do chão e um tornozelo cruzado sobre o outro. Curve os braços de maneira a segurar o pé direito com a mão esquerda e o pé esquerdo com a mão direita.

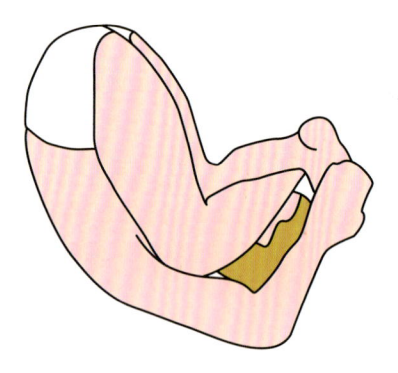

2. Role para trás sobre as escápulas enquanto inspira, fazendo com que os seus joelhos se posicionem em cada lado dos ouvidos.

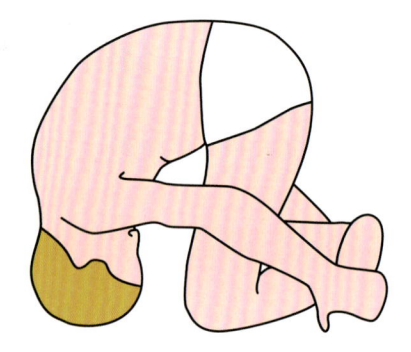

3. Role para a frente passando pela posição inicial enquanto expira, elevando a pelve sobre os joelhos para baixar a cabeça ao chão diante de você, ainda segurando os pés. Role de volta para a posição inicial. Repita 5 vezes.

O rolamento de Pilates

Joseph Pilates recomendava que deveríamos comprimir o queixo contra o peito e rolar a coluna, vértebra por vértebra, como uma roda que rolasse para trás e para a frente no chão. Ele acreditava que esse movimento ondulante purificava os pulmões, o que significava que o ar viciado era forçado para fora e ar puro oxigenado entrava nos pulmões. Ele dizia que, se feitos regularmente 4 vezes por semana, esses exercícios ondulantes devolveriam à coluna o nível de flexibilidade que ela tinha quando estávamos enroscados no útero e depois percorríamos o canal do parto para nascer. Nos exercícios de Pilates no século XXI, temos a tendência de ser um tanto mais cautelosos com a nossa coluna.

34. O balanço (*The rocking*)

Este é outro exercício no qual você deve proceder com cuidado por causa da posição da cabeça jogada para trás, da pressão sobre a região lombar e do balanço sobre os ossos dos quadris. Você só deve experimentá-lo se for muito forte e não tiver lesões.

A hiperextensão das costas neste exercício é bastante extrema e inadequada para qualquer pessoa com problemas nas costas. Experimente-o se achar que é forte o suficiente, mas pare imediatamente se sentir qualquer desconforto.

Para iniciar o movimento de balanço para a frente, levante os joelhos do chão usando os músculos extensores dos quadris e puxe-os para cima com os flexores dos ombros. Inverta o movimento para balançar para trás, usando os extensores da coluna para erguer o tronco superior. Balance suavemente para trás e para a frente como uma cadeira de balanço.

Músculos-alvo

- Extensores da coluna: erector da coluna (espinal, longuíssimo, iliocostal); semiespinal; grupo espinal posterior profundo.
- Extensores dos quadris: glúteo máximo; tendões da perna (semimembranoso, semitendinoso, bíceps femoral).

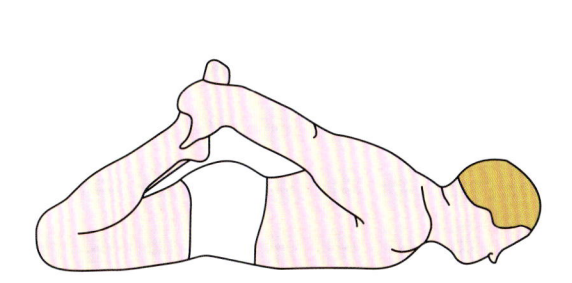

1. Deite-se de bruços com os joelhos flexionados para trás. Segure com firmeza o pé esquerdo com a mão esquerda e o pé direito com a mão direita.

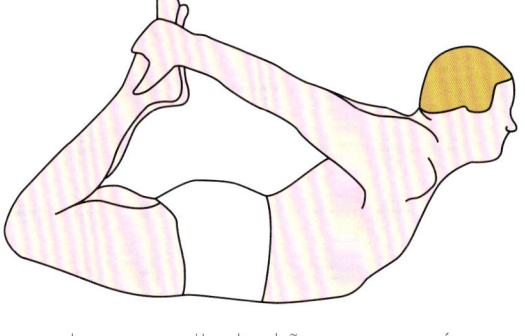

2. Erga a cabeça e o peito do chão e puxe os pés para levantar as coxas.

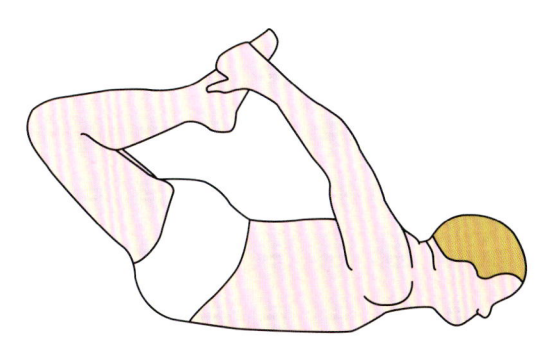

3. Balance o corpo para a frente sobre a parte frontal dos quadris enquanto inspira. Balance de volta sobre os quadris enquanto expira. Repita 10 vezes o movimento de balanço.

Advertência

De um modo geral, não recomendo O Caranguejo e O Balanço – motivo pelo qual não mostramos aqui fotos dos exercícios –, já que eles são contraindicados se você tiver problemas nas costas ou nas articulações. Se você estiver determinado a experimentar os 34 exercícios, recomendo que você o faça com cautela. Quando rolar sobre as costas ou balançar sobre a frente do corpo, use um colchonete para proteger os ossos em vez de trabalhar diretamente sobre um piso duro (este conselho é especialmente relevante se a sua coluna for muito nodosa ou tiver partes achatadas). Ao fazer O Caranguejo, interrompa o rolamento quando estiver sobre as escápulas, para não forçar o pescoço.

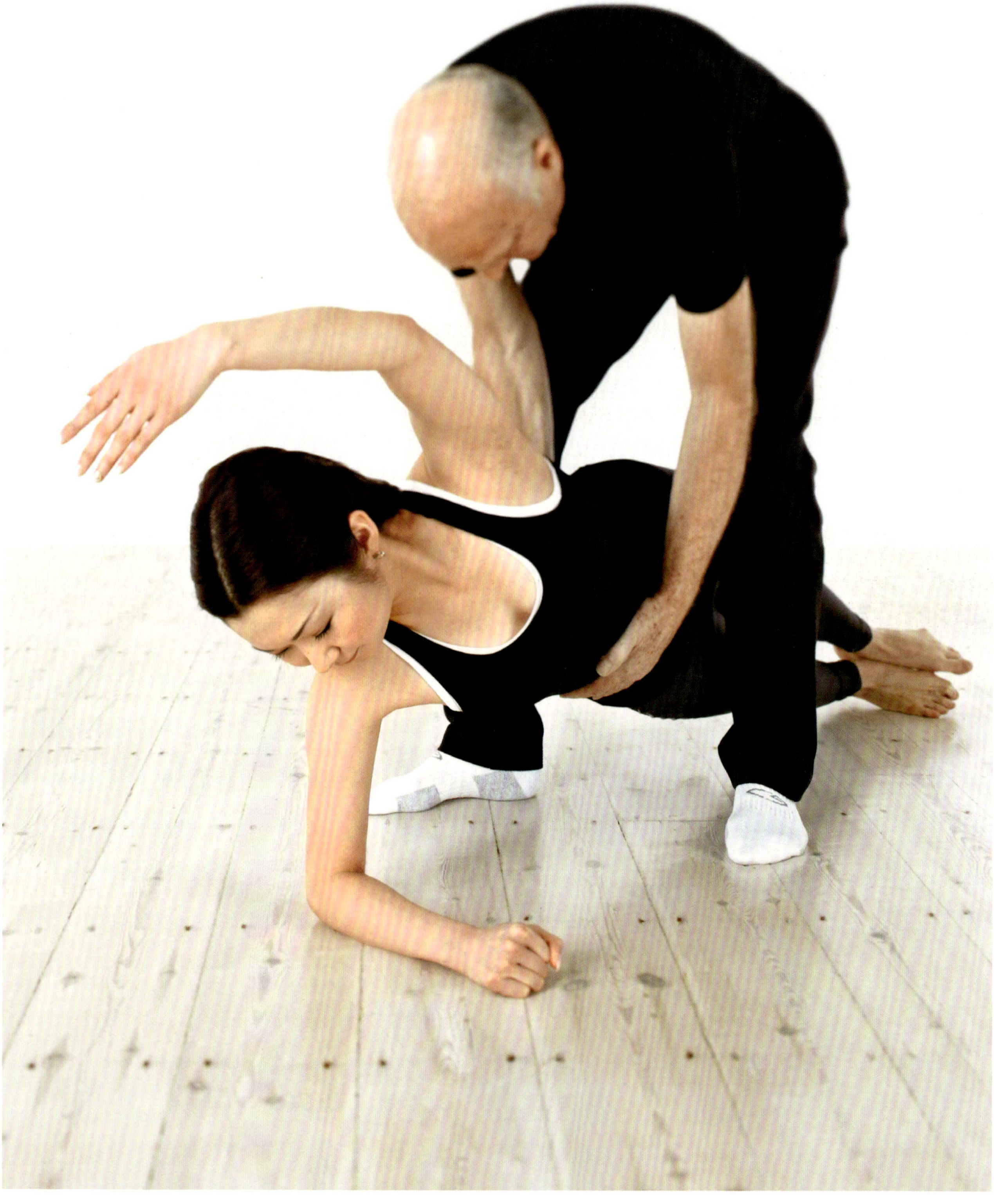

Como gerenciar um estúdio de Pilates

Se você gosta de Pilates e acha que seria capaz de motivar e inspirar outras pessoas como instrutor, isso é excelente. Mas tenha consciência de que se quiser abrir o seu próprio estúdio, você também precisará ter boas habilidades comerciais e de negociação, uma mente bem organizada e muito charme. Neste capítulo, examino os conceitos básicos envolvidos na instalação do seu estúdio, no trabalho com grupos ou clientes particulares, e também como planejar programas para pessoas com os mais diferentes níveis de capacidade.

Os conceitos básicos envolvidos na organização de um estúdio	222
Avaliação dos clientes	228
Como conduzir uma aula no solo	231
O seu relacionamento com os clientes	232
Programa para iniciantes	234
Programa para problemas na região lombar	238
Programa para problemas nos quadris	240
Programa para problemas nos joelhos	242
Aula de abdominais	244
Série de treinamento para as pernas	246
Pilates durante a gravidez	248
Série de treinamento avançada para os muito aptos	249
O futuro do Pilates	252

Os conceitos básicos envolvidos na organização de um estúdio

Se você chegar à conclusão de que gostaria de trabalhar profissionalmente como instrutor de Pilates, primeiro você deve concluir um curso de treinamento adequado (ver p. 254), e depois pensar no tipo de negócio que deseja dirigir.

Recomendo com veemência que você trabalhe para um estúdio de Pilates de renome durante pelo menos um ano antes de se aventurar por conta própria. Isso possibilitará que você aprenda como funciona o lado comercial e lhe proporcionará uma experiência inestimável nas relações com os clientes e com o trabalho com pessoas com diferentes problemas físicos. Mesmo assim, provavelmente faz sentido começar com um negócio pequeno e ir aumentando-o aos poucos à medida que a sua lista de clientes for crescendo. Por exemplo, você pode começar alugando por hora uma sala adequada e dar uma aula de solo uma vez por semana. Algumas pessoas dão aulas particulares na residência dos clientes, onde podem ensinar Pilates no solo, e também podem ter o seu próprio *reformer*. Qualquer uma dessas abordagens o ajudaria a avaliar a demanda na sua área antes de gastar muito dinheiro para alugar um grande estúdio com vestiários, banheiros e equipamentos de última geração.

É importante pensar na concorrência. Há outros cursos de Pilates na área? Pode oferecer alguma coisa que eles não oferecem? Pesquise os preços dos concorrentes e pense em quanto você cobraria. Isso envolverá fazer uma previsão de orçamento que leve em consideração os seus custos para se lançar no negócio e as despesas operacionais permanentes, além de quanto você precisa para viver e para reservar para os impostos. Seja realista. Não parta do princípio que logo terá cem clientes por semana, a não ser que você tenha um bom motivo para pensar dessa maneira. O otimismo radiante é uma encantadora qualidade, mas se tentar dirigir um negócio desse jeito, você estará caminhando em direção a um desapontamento.

Faça uma pesquisa minuciosa A escolha da área certa é crucial para que você forme uma base saudável de clientes. Como dizem os corretores de imóveis: "localização, localização, localização".

O equipamento a ser comprado

Não recomendo que você esbanje dinheiro comprando dezenas de *reformers*, *cadillacs* e outros equipamentos quando começar uma nova atividade. Eles custam muito caro, requerem manutenção regular e precisarão ser substituídos de tempos em tempos devido ao desgaste. É melhor formar primeiro uma clientela que justifique o investimento. Para começar a dar aulas de solo básicas, você precisa apenas de colchonetes e alguns travesseiros ou almofadas. Bolas de academia, halteres de mão e bancos são itens opcionais suplementares.

OS CONCEITOS BÁSICOS ENVOLVIDOS NA ORGANIZAÇÃO DE UM ESTÚDIO

Guia rápido Dar aulas de solo numa academia ou estúdio é uma excelente maneira de começar a sua atividade sem ir à falência.

A escolha do local

Você vai alugar ou comprar o local do estúdio? Alugar possibilita que você faça uma sondagem sem comprometer as economias de uma vida inteira, mas examine as condições da locação com cuidado. Qual o prazo do contrato? Você poderá sublocar parte do espaço, se necessário, para obter uma ajuda com os custos? Há espaço suficiente para o trabalho no solo e o equipamento, de modo que você possa se expandir quando estiver pronto para aumentar a sua renda? O prédio já foi projetado para uma utilização semelhante ou você terá que requerer às autoridades da prefeitura uma mudança na utilização? Há espaço para homens e mulheres terem vestuários e banheiros separados? Como são os vizinhos? Lembre-se de que você precisa de paz e tranquilidade para poder dar as aulas.

Há espaço para os clientes estacionarem o carro, ou o local é de fácil acesso para os usuários do transporte público? Quanto mais perto você estiver da clientela que pretende atrair, melhor. Muitas pessoas se exercitam antes ou depois do trabalho, ou na hora do almoço, de modo que estar numa área onde muitas pessoas trabalham é uma boa ideia.

Se você está planejando usar um aposento na sua casa, consulte primeiro a sua seguradora. Ela provavelmente vai aumentar os seus prêmios de seguro. Consulte também um contador, porque os impostos são afetados quando você usa parte da sua casa para um negócio.

Seguro

A fim de ensinar Pilates, você precisará da cobertura de um seguro profissional para o caso de ocorrer um acidente durante as suas aulas, ou para o caso de um cliente decidir entrar com uma ação contra você, alegando que os seus tratamentos intensificaram ou causaram uma lesão. O seguro de indenização profissional cobre o que você faz dentro das suas aulas. Discuta os termos diretamente com os seus seguradores. O custo poderá variar dependendo de você usar *reformers* ou apenas dar aulas no solo, e poderá ser mais elevado se os seus clientes forem artistas, atletas ou idosos. Você precisa estar coberto para o caso de alguém acusá-lo de erro profissional, por mais injusta que possa ser a acusação, porque custaria muito caro você mesmo se defender. Você também precisará de um seguro de responsabilidade civil para o caso de alguém escorregar e cair ou se machucar enquanto estiver nas suas dependências — e isso se aplica quer você esteja dando aulas na sua casa ou num local público. Se você tiver funcionários, também precisará de um seguro que lhes dê cobertura.

Marketing

Existem muitas maneiras de atrair clientes para o seu negócio de Pilates. Apresento a seguir várias sugestões que você poderá seguir quando julgar apropriado.

Panfletagem

Crie um panfleto interessante que descreva os seus serviços e distribua-o na área próxima às suas dependências. Talvez algumas empresas locais permitam que você afixe o panfleto num quadro de avisos ou o coloque numa vitrine. No entanto, sugiro que você não use fotos de pessoas bonitas e atraentes executando movimentos aparentemente impossíveis, porque você intimidará possíveis clientes. Você deve refletir o mercado que deseja atrair e incluir alguns homens, além de mulheres, para que os clientes em potencial não tenham a impressão de que as suas aulas são apenas para mulheres.

Use a imprensa local

Envie uma divulgação de informações para alguns jornais e revistas locais e pergunte se eles gostariam de escrever a seu respeito. Se você tiver uma boa história para eles, as suas chances serão maiores. Você descobriu Pilates depois de sofrer uma lesão e ficou curado com a ajuda dos exercícios, ou tem algum cliente que alcançou uma recuperação extraordinária depois de uma doença grave e está disposto a falar sobre o assunto? Se você conseguir encontrar um ângulo digno de uma matéria jornalística, é mais provável que a imprensa a publique.

Use a mídia social

Crie um website, uma página no Facebook e comece a enviar tweets. Não use os seus sites apenas para se autopromover: ofereça dicas úteis de maneira divertida e amigável ao usuário e você logo deverá conseguir seguidores.

Busque referências

Entre em contato com os médicos, serviços de saúde, psicoterapeutas, osteopatas e quiropráticos da sua área e pergunte se haveria possibilidade de eles encaminharem clientes para você. Do mesmo modo, se houver companhias de dança ou teatro nas proximidades, eles talvez fiquem encantados ao tomar conhecimento dos seus serviços.

Construa a sua reputação

Verifique se você poderia ganhar dinheiro dando algumas aulas de Pilates por semana numa academia próxima enquanto constrói a sua reputação. Essa é uma boa maneira de fazer novos contatos.

Estabeleça uma rede de contatos

Frequente conferências na área da saúde ou grupos de networking e esteja preparado para se envolver e até mesmo fazer uma demonstração.

Mantenha ativa a sua lista de clientes

Permaneça em contato com os seus clientes atuais. Envie cartões quando você se mudar para um outro local e seduza-os com ofertas especiais! Você poderia, por exemplo, oferecer uma aula extra grátis quando eles marcassem dez aulas e pagassem adiantado.

Telefone Falar a respeito dos seus serviços com as empresas da área é uma excelente maneira de atrair clientes.

Saúde e segurança

O seu objetivo como instrutor de Pilates é desenvolver programas de exercícios adequados às necessidades dos seus clientes e mostrar a eles como executá-los corretamente.

Você deve ser capaz de reconhecer problemas que comprometam a capacidade do cliente de se exercitar em segurança e, neste caso, recomendar que ele procure cuidados médicos adequados. No contexto de uma aula de solo, fique de olho nas pessoas na hora que elas chegam, e se você detectar qualquer peculiaridade, como o fato de uma delas estar mancando ou com um curativo, converse particularmente com a pessoa em questão. Antes de começar a aula, pergunte sempre se alguém tem alguma lesão ou fraqueza, ou se alguma mulher está grávida. Se uma pessoa tiver um problema grave, recomendo que ela tenha sessões particulares em vez de participar de uma aula em grupo, porque poderia correr o risco de sofrer algum dano.

Quando você der aulas particulares no estúdio, faça uma avaliação completa na primeira sessão com o cliente (ver pp. 228-30). Caso necessário, organize um contato com os médicos que estejam tratando do seu cliente e siga as normas de procedimento deles. Peça uma recomendação médica por escrito, com detalhes do problema, em vez de simplesmente bater um papo por telefone, para ter uma evidência do que foi combinado. Nos casos muito graves, você talvez possa achar melhor documentar o progresso e discutir a evolução do cliente com os médicos.

É sua responsabilidade evitar a ocorrência de lesões ou danos ao cliente no estúdio, de modo que você precisa se certificar de que não existem riscos, como partes de equipamentos espalhadas em lugares que alguém poderia tropeçar, e respeite todas as leis e regulamentos no lugar onde você dá as aulas. Insisto em que todos os meus alunos que estão treinando para ser instrutores de Pilates façam um curso bem conceituado de primeiros socorros para aprender técnicas de ressuscitação.

Código de ética

Quando um cliente procura um estúdio de Pilates, ele deve ser capaz de esperar o mesmo padrão de cuidado que ele receberia de um radiologista, um cirurgião, um homeopata ou um fisioterapeuta. O cliente deposita a sua confiança nos professores de Pilates, especialmente quanto tem problemas preexistentes na coluna ou nas articulações, e ao manter uma atmosfera profissional no estúdio, você mostrará a ele que essa confiança está bem depositada. A lista que se segue cobre as regras éticas que eu acredito que devem ser seguidas pelos instrutores num estúdio de Pilates.

1. Não cause nenhum dano.
2. Mantenha limites profissionais, evitando qualquer contato físico inapropriado. Não toque em ninguém sem antes pedir a permissão da pessoa.
3. Abstenha-se de explorar clientes tanto financeira quanto sexualmente.
4. Instrua os clientes a procurarem cuidados médicos quando necessário. Não continue a tratar um cliente que tenha um problema médico que esteja além do seu conhecimento.
5. Não faça nenhum tipo de discriminação sob nenhuma alegação.
6. Mantenha sempre o sigilo do cliente.
7. Trate sempre os clientes e colegas com consideração, honestidade e integridade.
8. Não tente roubar clientes de outro estúdio de Pilates.
9. Vista-se e comporte-se profissionalmente o tempo todo.
10. Nunca descreva de uma maneira enganosa as suas habilidades e o seu treinamento, ou os serviços que você pode oferecer.
11. Respeite todas as leis relacionadas com o emprego, os negócios, a propriedade, a saúde e a segurança.
12. Continue a expandir o seu conhecimento e a aprender novas habilidades.
13. Nunca tente diagnosticar problemas ou prescrever tratamentos, sejam eles dietas, suplementos ou regimes de exercícios.
14. Não afirme que você é capaz de tratar de doenças ou curar lesões.
15. Não se apresente como orientador psicológico ou terapeuta para um cliente.
16. Não continue uma sessão se o cliente sentir dor no peito, tontura prolongada, taquicardia, falta de ar, fraqueza ou perda de consciência, náusea, visão turva, dor prolongada ou crescente, ou uma redução significativa da coordenação.

Exemplo de questionário de informações médicas

Apresento a seguir um exemplo do tipo de formulário que você poderá pedir a um novo cliente para preencher, mas examine os regulamentos locais na área em que você opera para garantir que não haja mais nenhuma pergunta que você deva fazer, e obtenha também a aprovação da sua seguradora. Algumas informações são provenientes de conversas com os clientes, de modo que deve anotá-las se achar que são importantes.

Nome:

Endereço:

Telefones: (Cel)   (Com.)   (Res.)

E-mail: Data de nascimento: /   /

Profissão: Recomendado por:

Histórico médico básico:

Altura: Peso:

Você fuma: Sim [ ]   Não [ ]

Você sofre, ou sofreu, de alguns dos seguintes problemas de saúde?

Pressão alta	Sim [ ] Não [ ]	Problemas cardíacos	Sim [ ] Não [ ]
Epilepsia	Sim [ ] Não [ ]	Dor de cabeça	Sim [ ] Não [ ]
Diabetes	Sim [ ] Não [ ]	Asma/problemas respiratórios	Sim [ ] Não [ ]

Você está tomando algum remédio controlado? Se estiver, forneça detalhes: Sim [ ] Não [ ]

Descreva com detalhes se você sofre, ou sofreu, de algum dos seguintes problemas:

Problemas no pescoço	Sim [ ]	Não [ ]
Problemas nas articulações	Sim [ ]	Não [ ]
Problemas nas costas	Sim [ ]	Não [ ]

Já se submeteu a cirurgias de grande porte?

Relacione outros programas de aptidão física ou de esportes a que você esteja se dedicando no momento:

Se tiver mais de 45 anos:

Você fez recentemente um exame médico?	Sim [ ] Não [ ]
Os resultados foram satisfatórios?	Sim [ ] Não [ ]
Você fez recentemente uma densitometria óssea?	Sim [ ] Não [ ]

Se a resposta for "sim", qual foi o resultado?

Se você não fez uma densitometria óssea, recomendamos fortemente que você faça uma.

O seu médico recomenda que você faça exercícios físicos?   Sim [ ] Não [ ]

AVISO DE ISENÇÃO DE RESPONSABILIDADE

[A empresa/estúdio*] não se responsabilizará por qualquer dano ou perda de bens pessoais trazidos para o estúdio.

[A empresa/estúdio*] não será responsável por lesões pessoais durante a presença do cliente no estúdio, a não ser que possa ser provado que a lesão foi causada por um ato deliberado, negligência ou omissão da [empresa/estúdio*].

É responsabilidade de cada cliente garantir que é capaz de usar o equipamento de Pilates, e ele faz uso desse equipamento por seu próprio risco.

As aulas canceladas com menos de 24 horas de antecedência serão cobradas integralmente.

Assinatura: Data: /   /

Registro de informações

Quer os seus registros consistam de um sistema de fichário escrito à mão ou de arquivos de computador digitados, você deve examiná-los com cuidado e ficar atento às cláusulas das leis que protegem a privacidade das pessoas.

Seria muito demorado manter um registro de cada cliente que frequenta uma aula de solo, mas, no caso de clientes individuais, essa é uma informação inestimável que o ajudará a contornar lesões, definir metas e observar o progresso. Ela também pode ser uma evidência crucial no caso de um acidente ou ação legal, e você também pode usar o registro para acompanhar o pagamento das aulas. As companhias de seguro frequentemente exigem que você mantenha os registros durante nove anos; verifique as exigências da sua seguradora.

Se você anotar as informações em papel, certifique-se de que elas estejam legíveis, atualizadas e guardadas num lugar seguro ao qual ninguém, além de alguns funcionários que trabalhem com os clientes, possa ter acesso. Isso pode parecer trabalhoso, mas decididamente vale a pena ter uma cópia de segurança para o caso de os originais serem destruídos num incêndio ou inundação. Se você guardar as informações eletronicamente num computador, proteja-as com uma senha. Você tem a obrigação legal de manter sigilo com relação a qualquer informação médica que o cliente lhe forneça. É importante lembrar que você não tem permissão para passar adiante informações contidas nos registros dos clientes sem a permissão deles. Quando você jogar fora antigos registros, estes devem ser rasgados ou queimados para que o sigilo do cliente seja mantido; não os atire simplesmente na lixeira.

A comunicação e o relatório de acidentes

Você e quaisquer outros instrutores no estúdio devem ter concluído um curso de primeiros socorros para ter conhecimento básico das técnicas de ressuscitação. Se ocorrer um acidente, tome as medidas apropriadas, telefonando para os serviços de emergência se necessário, e depois preencha um formulário de relatório de acidente como o que se segue:

Data do acidente:

Hora do acidente:

Cliente envolvido:

Professores presentes na ocasião:

O que aconteceu?

Algum equipamento esteve envolvido?   Sim ☐   Não ☐

Alguém mais esteve envolvido?   Sim ☐   Não ☐

Qual foi a natureza da lesão?

Que medidas foram tomadas?

Foi necessário ir ao hospital?   Sim ☐   Não ☐

Arquive cuidadosamente esse relatório junto com os registros do cliente, para o caso de você precisar dele para fins de seguro. Faça isso quer o acidente tenha ocorrido numa aula de solo ou numa sessão particular com o cliente.

Seja sistemático Guarde os registros com cuidado para poder se lembrar dos problemas de saúde dos seus clientes e acompanhar o progresso deles.

Avaliação dos clientes

O encontro inicial com um cliente é importante para formar uma impressão da capacidade e da abordagem dele do exercício – e não se esqueça de que o cliente também estará formando a opinião dele a seu respeito!

Desde que eles não morem muito longe do estúdio, é uma boa ideia convidar os novos clientes para um encontro inicial no qual eles preenchem um questionário de informações médicas, como o da p. 226. Faça perguntas a respeito de qualquer item que eles marquem, para garantir que você estará obtendo um quadro completo da saúde deles. No caso de problemas graves, talvez seja interessante que você seja colocado em contato com o médico especialista do cliente ou dê uma olhada em radiografias que ele tenha tirado.

A avaliação também é uma boa oportunidade para o cliente dar uma olhada no estúdio e ficar sabendo como ele funciona. Se ele foi indicado por um fisioterapeuta, talvez esteja esperando um tratamento interativo, de modo que é aconselhável deixar que o cliente veja se é esse o caso; nos meus estúdios, por exemplo, os clientes trabalham sozinhos, mas membros da equipe estão disponíveis para supervisioná-los. Peça a eles que venham para a primeira sessão com roupas confortáveis, como uma camiseta e leggings ou shorts, e meias porém sem sapatos.

Quando um cliente chegar para a sua primeira sessão, observe-o quando ele entrar no estúdio. Analise a maneira como ele se comporta, como carrega a bolsa ou a mochila, o seu modo de andar, o jeito como ele fica em pé, como se senta numa mesa e depois se levanta, e o modo como ele tira os sapatos. Essas observações iniciais anteriores à avaliação formal da postura podem fornecer algumas pistas interessantes a respeito de fraquezas e assimetrias posturais.

Faça então uma análise formal da postura. No meu estúdio, percorremos a seguinte lista de verificação para diagnosticar assimetrias posturais:

Vista posterior do plano sagital/medial

Verificar a posição e a simetria:
- Cabeça
- Ombros
- Escápulas
- Braços (comprimento, formato e distância do tronco)
- Pelve
- Dobra glútea
- Formato da perna – genu valgum ou genu varum

Verificar:
- Desenvolvimento muscular dos tendões da perna e das panturrilhas
- Tendão Calcâneo – ele forma um ângulo reto?
- Pé – ele é virado para dentro ou para fora?

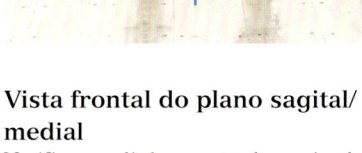

Vista frontal do plano sagital/medial

Verificar o alinhamento do nariz, do esterno e do púbis com relação ao chão
Verificar a posição e a simetria:
- Cabeça
- Clavícula
- Ombros (distância da linha central ao acrômio de cada ombro)
- Costelas
- Pelve

Verificar:
- Desenvolvimento muscular dos quadríceps
- Joelhos
- Formato da perna
- Pés – formato, comprimentos dos dedos, onde o peso é suportado.

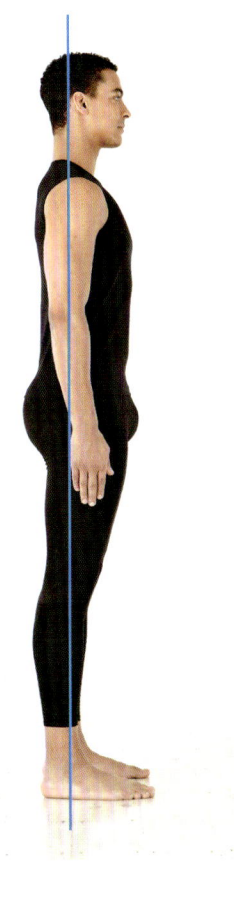

Faça anotações sobre quaisquer singularidades que você detecte, e depois verifique o seguinte:

Mobilidade da coluna

- Fique em pé atrás do cliente e peça a ele que se curve delicadamente para baixo como se fosse tocar o chão. Se ele tiver costas instáveis, peça a ele que flexione os joelhos para restringir a amplitude do movimento. Verifique o formato e o movimento da coluna e o desenvolvimento da musculatura das costas. A coluna se curva num movimento uniforme ou existem áreas rígidas, cujo movimento é restrito? A coluna se inclina para a esquerda ou para a direita? 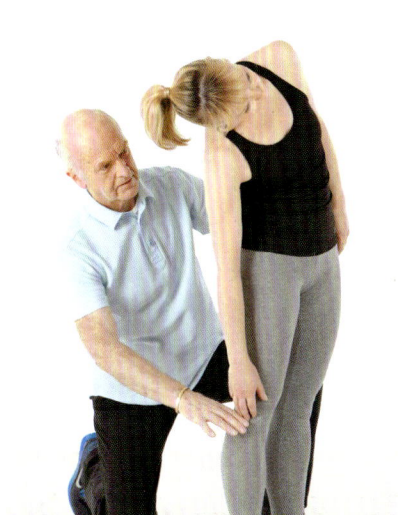
- Peça ao cliente para dobrar os joelhos para voltar novamente à posição ereta, e volte a examinar todos os pontos do item anterior.
- Com o cliente na posição ereta, peça a ele para estabilizar o tronco inferior e estender o tronco superior. Talvez seja necessário que você apoie a cabeça dele. Observe o movimento da coluna torácica.
- Verifique a rotação da coluna em ambas as direções, pedindo ao cliente que se vire enquanto mantém o tronco inferior estabilizado.
- Verifique a flexão lateral nos dois lados pedindo ao cliente que se incline para cada um deles, deslizando a mão pela parte externa da perna, enquanto mantém o quadril nivelado.

> **Nota:** Se o cliente tiver um problema nas costas ou de equilíbrio, faça essas verificações com ele sentado numa cadeira. Talvez valha a pena examinar a coluna numa posição sentada, mesmo na ausência de problemas conhecidos.

Plano frontal/coronal

Verificar o alinhamento do ouvido, ombro, quadril, joelho, frente do calcanhar (um fio de prumo deveria percorrê-los)

Verificar a existência de:
- Cifose (ver p. 49)
- Lordose (ver p. 49)
- Inclinação anterior ou posterior da pelve (ver p. 31).

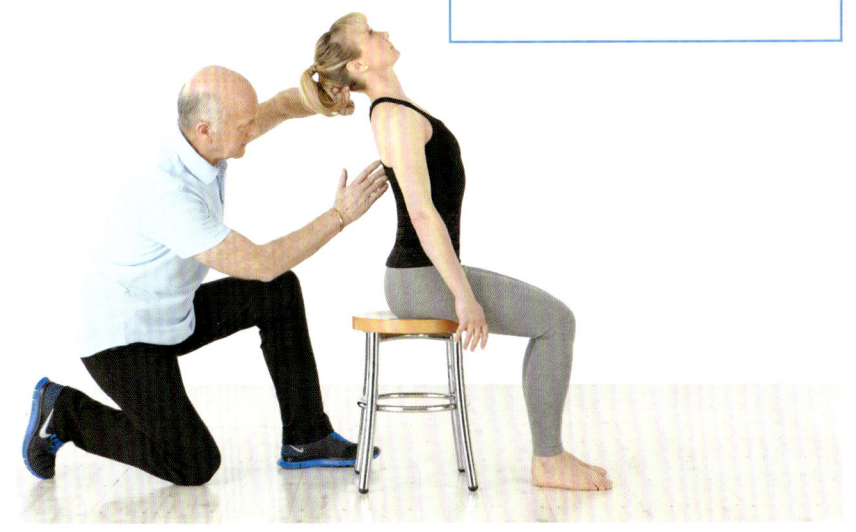

Flexibilidade dos quadris e das pernas

- Verifique a flexibilidade dos tendões da perna (isso pode se tornar visível enquanto a pessoa estiver se curvando para baixo ou você pode pedir a ela que faça um alongamento).
- Verifique a flexibilidade dos flexores dos quadris e dos quadríceps pedindo ao cliente que levante um joelho de cada vez até o nível do quadril, como se estivesse marchando (ele talvez precise se segurar em alguma coisa firme para se equilibrar).
- Determine a amplitude do giro para fora que ele é capaz de alcançar ao fazer a rotação do fêmur na cavidade do quadril.

Análise dos quadris e das pernas Para alongar os quadríceps e os flexores dos quadris, flexione a coxa para trás e depois leve-a lentamente para a frente enquanto empurra o quadril para baixo. Este é um alongamento proveitoso para aqueles que têm os quadris muito rígidos.

Equilíbrio

- Teste o equilíbrio pedindo ao cliente que fique em pé com o peso equilibrado sobre a perna direita e depois sobre a esquerda, e observe quanto eles estão firmes. Eles têm mais facilidade em se equilibrar num dos lados?
- Você também pode pedir ao cliente que ande em linha reta, colocando um pé diretamente na frente do outro, sem olhar para baixo. Ele só conseguirá fazer isso, ou caminhar na barra de ginástica no estúdio, se a pelve e os joelhos estiverem corretamente alinhados e os músculos das pernas forem fortes.

Registre (à mão ou no computador) quaisquer assimetrias ou áreas rígidas que você perceber no mesmo lugar onde você tenha anotado o nome, as informações de contato e os dados médicos do cliente (ver p. 226). Uma vez que você esteja seguro de que entendeu quaisquer problemas físicos, pode começar a primeira aula (ver pp. 234-37).

As diferenças entre a quiroprática, a osteopatia e a fisioterapia

Você pode receber clientes indicados por profissionais de qualquer uma dessas terapias, de modo que vale a pena conhecer as principais diferenças entre elas. Os quiropráticos tendem a se concentrar no alinhamento correto da coluna para corrigir "subluxações", que podem afetar o sistema nervoso. Para muitas pessoas, o tratamento consiste principalmente na manipulação espinal para curar lesões e problemas em outros lugares. Os osteopatas adotam uma abordagem do corpo inteiro e tratam os ossos, os músculos, os ligamentos e as articulações, procurando as causas da dor e do desconforto, e tentando realinhar o corpo para que este cure a si mesmo. Os fisioterapeutas usam a manipulação das áreas rígidas, possivelmente aliada à TENS (neuroestimulação elétrica transcutânea) ou a aparelhos de ultrassom, e podem prescrever exercícios para o paciente fazer em casa.

Como conduzir uma aula no solo

Quer você esteja conduzindo uma aula numa academia local ou numa sala que você tenha alugado, faça-o de maneira organizada e profissional, com o devido cuidado e atenção às necessidades de todos os presentes.

Recomendo que uma aula de solo deve ter entre seis e oito pessoas, e certamente não mais do que dez. Procure organizar as suas aulas de modo que os participantes se inscrevam num curso de seis a dez semanas e você não tenha alunos casuais. Dessa maneira, você pode planejar o curso para que evolua progressivamente, com todo mundo no mesmo estágio.

Certifique-se de que a sala onde você estiver trabalhando esteja bem ventilada e com uma temperatura confortável. Idealmente, todos deverão ter um colchonete e algumas toalhas que possam dobrar. Posicione a turma de maneira que todos os alunos possam vê-lo e ouvi-lo claramente. Peça a um deles que demonstre os movimentos em vez de fazer isso você mesmo, para que você possa ficar de olho no que está acontecendo. Aproxime-se de uma pessoa que pareça razoavelmente apta no início e pergunte em voz baixa se ela se importaria de fazer uma demonstração. Durante a aula, não deixe de corrigir e falar com todos os presentes. Você não será capaz de dar a mesma atenção individual que daria numa aula particular, mas, enquanto estiver trabalhando, permaneça consciente das necessidades de cada pessoa.

Não fique dando atenção o tempo todo para aqueles que conseguem fazer bem os exercícios – e tampouco fique "grudado" naqueles que estão tendo problemas tão intermináveis a ponto de deixar as outras pessoas entediadas. Diga à turma que você estará disponível se alguém quiser discutir qualquer coisa no final da sessão, mas explique que você não pode ficar interrompendo a aula no meio durante muito tempo.

Procure enfatizar os aspectos positivos em vez de dizer às pessoas que elas estão fazendo "errado" alguma coisa. Se um aluno não conseguir executar algum movimento, mostre a ele uma maneira alternativa de alcançar os mesmos resultados, mas sem fazer com que ele se sinta um fracasso. Incentive aqueles que não são muito bons para que todos saiam da aula se sentindo melhores e com a sensação de que conseguiram alguma coisa.

A primeira aula com um grupo novo deve ser de postura, com foco no centro de força e no alongamento; você encontrará nas pp. 234-37 a sugestão de um plano para iniciantes. Se você elaborar uma aula usando cada um dos grupos musculares, todo mundo sentirá uma melhora na postura. Nas aulas subsequentes, acrescente progressivamente exercícios mais difíceis que usam mais de um grupo muscular ao mesmo tempo. Trabalhe em grupos de exercícios que comecem a partir de uma das quatro posições – semissupina, de bruços, a posição deitada de lado e a posição sentada –, para que os clientes não fiquem levantando e abaixando toda hora. Cada exercício deve convergir para o seguinte.

Se você estiver oferecendo um curso progressivo, planeje o que você vai abordar, mas não sinta que precisa aderir religiosamente ao plano. Você talvez precise adaptá-lo se o nível de energia estiver baixo num determinado dia, ou se a maior parte do grupo não conseguir fazer alguma coisa. Certifique-se de que haja variedade em todas as aulas, para que os alunos sempre sintam que estão diante de um desafio e não percam a concentração. E lembre-se de sempre elogiar e incentivar os clientes quando eles estiverem se saindo bem.

Alunos-modelo Na aula de solo, escolha alguém que possa demonstrar os movimentos, para que você possa ficar de olho em como o resto da turma está se saindo.

O seu relacionamento com os clientes

Você deve ser cordial com os clientes e pode optar por conversar com eles a respeito de assuntos pessoais alheios ao estúdio de Pilates (como a família, as férias ou o trabalho), mas é um erro considerar os clientes seus amigos. É preciso haver uma certa distância profissional, a fim de que você possa ensiná-los com eficácia.

Poderá haver ocasiões em que você precise que um cliente o obedeça de imediato, para a sua própria segurança ou de outra pessoa. Você poderá decidir que vai cobrar dele a aula por ele a ter cancelado em cima da hora (ou por ele simplesmente não ter comparecido). Manter uma distância impessoal o ajudará a lidar com essas circunstâncias e também será útil para neutralizar qualquer possível equívoco de ordem sexual. O seu trabalho envolverá tocar nos clientes, e é fundamental que as suas ações nunca sejam encaradas como uma paquera.

Sempre pergunte como o cliente está se sentindo antes de cada aula, para que você possa modificar os exercícios se ele tiver quaisquer problemas específicos naquele dia (como cansaço depois de uma noite sem dormir, cólicas menstruais, enjoo ou tontura, problemas de postura ou músculos doloridos causados por uma atividade excepcionalmente árdua. Se o cliente tiver problemas graves com os quais você não esteja qualificado para lidar, como uma dor no peito, encaminhe-o para o médico dele ou para os serviços de emergência e não deixe que ele se exercite.

À medida que você passar a conhecer um cliente, você será capaz de avaliar a capacidade dele de assimilar informações e poderá ajustar a complexidade das suas instruções da maneira apropriada. Converse com ele a respeito das metas imediatas e de longo prazo das sessões de Pilates. Você deve registrar o progresso de cada cliente, com a finalidade de alcançar certas metas. Discuta o progresso com ele e façam um acordo a respeito dos desafios que ele deseja enfrentar. A cada tantas sessões, reexamine essas metas e avalie o progresso do cliente na direção delas, ponderando se novas metas não seriam mais apropriadas.

À medida que você prosseguir de semana em semana, identifique maus hábitos ou padrões de movimento que possam estar impedindo que um cliente atinja os objetivos que ele se propôs alcançar e explique como ele pode substituir esses hábitos por outros mais saudáveis. Ajuste as condições do estúdio, se necessário, para ajudá-lo a aprender; por exemplo, ele se sairia melhor com mais ou menos luz, menos barulho, numa consulta particular ou em outra situação de aula, ou ele precisa de um programa que possa seguir em casa?

Não deixe que os clientes se tornem comodistas, repetindo a mesma rotina todas as aulas. Todo mundo tem os seus exercícios favoritos, mas é preciso sacudir os clientes para fora de padrões rígidos. Introduza novos exercícios a fim de manter a prática revigorante, e para apresentar um desafio aos seus clientes e tirá-los da zona de conforto. Os clientes precisam aprender a pensar em gerenciar o tempo deles no estúdio de maneira a fazer todos os exercícios que você sugerir no tempo disponível.

Faça sempre uma completa reavaliação nas seguintes circunstâncias, pedindo um novo histórico médico e criando um novo programa de Pilates:
- Depois de uma doença, acidente ou lesão
- Quando um cliente ficou mais de um mês sem comparecer ao estúdio
- Depois de quaisquer mudanças físicas, como uma gestação.

Tudo deve ser discutido com os clientes, e parte do seu papel é ajudá-los a assumir a responsabilidade por seu próprio progresso.

Acima: **Seja profissional** Avise aos clientes que vai tocá-los antes de fazê-lo; mantenha o seu toque firme e profissional e evite quaisquer áreas sensíveis.

Página oposta: **A observação é fundamental** Observe os clientes de perto enquanto eles se exercitam, para poder corrigir quaisquer desvios, e verifique se eles entenderam bem as instruções.

Sinais verbais e táteis

Quando você estiver trabalhando, observe constantemente o cliente para ser capaz de detectar o mais leve desvio. Use um tom de voz caloroso e animador para desafiá-lo a escavar um pouco mais profundamente os músculos abdominais, ou se curvar um pouco mais. Você pode demonstrar novos movimentos e conceitos, mas o cliente precisa experimentar a sensação por si mesmo. Às vezes, a maneira mais eficaz de levá-lo a ativar um grupo muscular é tocar firmemente no ponto. Avise-o primeiro que você está prestes a tocá-lo, explicando por quê. Use um toque direto de dois pontos no músculo em questão para identificá-lo e mostrar ao cliente onde você quer que ele se mexa. Evite áreas sensíveis e não acaricie ou afague. Lembre-se de que você deve dar um bom exemplo o tempo todo na maneira como fica em pé e caminha pelo estúdio – de modo que nada de andar com uma postura relaxada, de se inclinar sobre um dos quadris ou se sentar com as pernas cruzadas!

Programa para iniciantes

Os recém-chegados a Pilates precisam assimilar muitas informações: verificar a postura, aprender o padrão respiratório e encontrar e ativar os grupos musculares apropriados. Proporcionar a eles um simples treinamento postural na primeira sessão possibilitará que assimilem alguns dos conceitos básicos sem se sentir excessivamente oprimidos.

Em vez de dar uma palestra a respeito dos princípios e da filosofia de Joseph Pilates, eu peço logo no início que os iniciantes se deitem de costas e explico a eles a posição semissupina (ver p. 57), deixando que eles sintam a posição correta para os pés, a pelve, a coluna, a cabeça e o pescoço. Este é o estágio no qual decidimos se uma pessoa precisa do apoio de travesseiros quando ela tem algum desvio na coluna (ver pp. 49-50). Em seguida, fazemos um pouco de respiração controlada e peço a eles que respirem no abdome e empurrem o ar para fora usando os músculos abdominais, e depois que respirem nas costelas e, dessa maneira, avançamos para os Abdominais Estáticos (ver p. 58).

Incentive bastante os seus clientes nessa primeira sessão, usando imagens apropriadas e mantendo um tom de voz caloroso. Introduza o conceito do centro de força, e peça a eles que pensem em alongar a coluna. No entanto, você não deve sentir que precisa falar o tempo todo. O silêncio é necessário para que os clientes se concentrem em encontrar sozinhos os movimentos musculares.

Enquanto os clientes estiverem se exercitando, continue a observá-los a partir de todos os ângulos, procurando assimetrias ou tensão no lugar errado. Não use as palavras "errado" ou "incorreto". Mantenha o foco positivo e, se precisar corrigir alguém, estruture a frase de uma maneira positiva; por exemplo, "Muito bem; agora experimente fazer o exercício com os ombros relaxados no chão". Seu comentário deve ser específico e fácil de entender.

Na página ao lado, você encontrará uma lista de exercícios que recomendo para uma sessão inicial. Se você estiver trabalhando com uma turma e não tiver bancos suficientes para que todos se sentem, você poderá fazer o Exercício para o Tríceps na Posição Deitada (ver p. 131) e o Exercício para os Peitorais na Posição Deitada (ver pp. 134-35) em vez dos exercícios para o Tronco Superior na Posição Sentada, porém sem os halteres de mão. Tenha em mente dez repetições lentas e cuidadosas de cada um dos exercícios.

No final da primeira sessão, que não deve ter mais do que uma hora de duração, reitere a mensagem do foco no centro de força e no alongamento e explique que, nas sessões seguintes, você continuará a expandi-los.

Planejamento da segunda aula e das aulas subsequentes para iniciantes

Na segunda sessão, repita exercícios da primeira, mas introduza alguns novos para mobilizar a coluna lombar. Comece com um aquecimento postural básico em cada aula até que isso se torne parte da rotina, e depois procure selecionar exercícios que trabalhem os mesmos músculos da primeira aula, para que os clientes comecem a ficar mais fortes. Se você tiver um número suficiente de bolas de ginástica para a turma, você pode determinar que eles façam o exercício Rolando a Bola Usando os Músculos Abdominais (ver p. 91) e a Rotação dos Quadris com as Pernas Retas (ver p. 92) e a Rotação dos Quadris com as Pernas Flexionadas (ver p. 93), mas se não tiver, diga que eles façam a Pequena Rotação dos Quadris (ver p. 109). A segunda aula também é uma ocasião para introduzir as Inclinações Pélvicas (ver pp. 60-1) e as Flexões Torácicas Oblíquas (ver p. 82). Dez exercícios por aula provavelmente são suficientes para os iniciantes, já que os novatos devem se exercitar devagar e aprender a identificar os movimentos dos músculos.

Em cada sessão, focalize de alguma maneira os músculos abdominais profundos, o movimento sequencial da coluna, a extensão das costas e os exercícios de abertura do peito. Se você estiver trabalhando individualmente com um cliente que tenha uma área particular fraca, escolha dois ou três exercícios que se concentrem especificamente nela, mas mesmo assim inclua exercícios para fortalecer o centro de força. Caso contrário, você pode optar por se concentrar numa área específica em cada aula: a pelve, as pernas, o tronco superior, os músculos abdominais ou as costas.

Clientes fracos, frágeis ou idosos

A sessão de treinamento apresentada aqui é adequada para aqueles que estão se recuperando de uma doença, lesão ou cirurgia, bem como para os que estão fracos ou que se tornaram rígidos com a idade, mas é importante que você leve em conta os problemas individuais. Seria melhor tratar individualmente desses clientes no início em vez de em aulas coletivas. Não obstante, tenho clientes na casa dos 80 anos que estão em melhores condições físicas do que muitos dos meus alunos de 40 e poucos anos!

PROGRAMA PARA INICIANTES **235**

Sessão de treinamento para iniciantes

Abdominais Estáticos (*Static Abs*) (ver p. 58)

Relaxamento do Tronco Superior (*Upper Torso Release*) (ver pp. 62–3)

Flexões Torácicas (*Chest Lifts*) (ver p. 81)

Compressão dos Glúteos (*Gluteal Squeezes*) (ver p. 72)

Flexão dos Tendões da Perna (*Hamstring Curls*) (ver pp. 74–5)

A Flecha (*The Arrow*) (ver pp. 76–7)

Exercício para os Adutores na Posição Sentada (*Sitting Adductors*) (ver p. 138)

Encolhendo os Ombros (*Shoulder Shrugs*) (ver p. 121)

Exercício para os Latíssimos do Dorso na Posição Sentada (*Sitting Lats*) (ver p. 123)

Abertura dos Braços (*Arm Openings*) (ver pp. 124–25)

Segunda aula e aulas subsequentes:

Rolando a Bola Usando os Músculos Abdominais (*Rolling the Ball Using Abdominals*) (ver p. 91)

Rotação dos Quadris com as Pernas Retas (*Straight-leg Hip Rolls*) (ver p. 92)

Rotação dos Quadris com as Pernas Flexionadas (*Bent-Leg Hip Rolls*) (ver p. 93)

Pequena Rotação dos Quadris (*Small Hip Rolls*) (ver p. 109)

Inclinações Pélvicas (*Pelvic Tilts*) (ver pp. 60–1)

Flexões Torácicas Oblíquas (*Oblique Chest Lifts*) (ver p. 82)

Nado Modificado (*Modified Swimming*) (ver p. 73)

(As pp. 80-9 e 136-43 contêm, respectivamente, sugestões de exercícios para os músculos abdominais e as pernas.) Trabalhe grupos musculares opostos, como os bíceps e os tríceps, para introduzir o conceito de agonista e antagonista. Tome nota dos exercícios incluídos em cada aula e a facilidade com que a turma (ou o cliente particular) os executou, de modo que você possa avaliar quando eles estão prontos para progredir para variações ou para exercícios mais avançados.

A decisão a respeito de se um cliente está pronto para usar halteres de mão ou caneleiras, ou se exercitar nos *reformers*, é individual, mas os seus clientes devem ter um vigor suficiente no centro de força para manter a estabilidade pélvica e as curvas naturais da coluna por meio de uma vasta amplitude de movimentos. Sugira que eles pratiquem em casa a fim de progredir mais rápido, e explique que saber como ativar os músculos abdominais na vida diária também acelerará o processo.

Correção dos problemas posturais dos iniciantes

Ao desenvolver um programa para clientes com dificuldades físicas específicas, é extremamente importante avaliar como o problema afetou o resto do corpo deles. Por exemplo, se um cliente tiver um problema no tornozelo, no joelho ou no quadril, e estiver usando uma muleta ou bengala há algumas semanas, o modo de andar dele terá mudado, causando um desequilíbrio na musculatura do corpo inteiro. Embora seja importante lidar com o problema original, você também precisa prestar atenção às outras áreas afetadas. Se o problema foi causado por uma postura incorreta, por padrões de movimento insatisfatórios ou pelo uso excessivo dos músculos que causaram o desequilíbrio destes últimos, você precisa levar todo o quadro em consideração.

Para a maioria dos problemas posturais comuns, você pode usar a série de treinamento para iniciantes apresentada na p. 235, mas modifique-a como sugerido abaixo. Lembre-se de posicionar almofadas para apoiar a coluna nas suas curvas naturais e verifique sempre se a pelve do cliente está neutra antes que ele comece a se movimentar.

Cifose
Trabalhe os extensores da coluna em todas as sessões com A Flecha (ver pp. 76-7), O Gato (ver p. 117) e os Exercícios para o Tronco Superior na Posição Sentada (ver pp. 120-29). Depois de algumas aulas, acrescente O Cachorro (ver pp. 118-19) e A Cobra (ver pp. 78-9) à medida que os músculos abdominais forem ficando mais fortes.

Lordose lombar
Concentre-se nos Exercícios Abdominais na Posição Semissupina (ver pp. 80-9) em todas as sessões para desenvolver a força dos músculos abdominais, e inclua algumas Inclinações Pélvicas (ver pp. 60-1) e qualquer exercício que use a flexão da coluna lombar. Inclua também exercícios para os flexores dos quadris, como o Deslizamento das Pernas (ver pp. 66-7), e sempre insira exercícios para os glúteos, tendões da perna, adutores e latíssimos do dorso.

Lordose cervical
Siga as recomendações dadas para a cifose e inclua alongamentos para as áreas rígidas.

Pernas "sway-back"
Trabalhe os glúteos, tendões da perna, adutores e panturrilhas, bem como todos os músculos do centro de força, por meio de exercícios como a Flexão dos Tendões da Perna (ver pp. 74-5), a Compressão dos Glúteos (ver p. 72), o Exercício para os Adutores na Posição Sentada (ver p. 138) e o Deslizamento das Pernas (ver pp. 66-7). Encerre com um alongamento das panturrilhas (ver p. 149).

Dorso plano
Trabalhe no fortalecimento em geral. A série de treinamento básica para iniciantes é adequada para as pessoas que têm esse problema.

Rigidez nos ombros
Concentre-se em ajudar o cliente a ativar os latíssimos do dorso e o trapézio inferior e médio para manter abaixado o trapézio superior.

Exercícios para a cifose

A Flecha (*The Arrow*) (ver pp. 76–7)

O Gato (*The Cat*) (ver p. 117)

Exercícios para o Tronco Superior na Posição Sentada (ver pp. 120–29)

O Cachorro (*The Dog*) (ver pp. 118–19)

A Cobra (ver pp. 78–9)

PROGRAMA PARA INICIANTES **237**

Percorra os exercícios para o Tronco Superior na Posição Sentada (ver pp. 120-29) e introduza o Moinho de Vento (ver pp. 64-5) e a Abertura do Peito com Círculo com o Braço (ver pp. 100-01). O Exercício para os Peitorais na Posição Deitada (ver pp. 134-35) também é bom para abrir o peito. Encerre com alguns alongamentos, como o Alongamento da Parte de Trás do Ombro na p. 145. Nas páginas que se seguem, incluí séries de exercícios especificamente desenvolvidas para as pessoas que sofrem de dor na região lombar (ver pp. 238-39), problemas nos quadris (ver pp. 240-41) e problemas nos joelhos (ver pp. 242-43).

Exercícios para a lordose lombar

Exercícios Abdominais na Posição Semissupina (*Semi-Supine Abdominal Exercises*) (ver pp. 80-9)

Inclinações Pélvicas (*Pelvic Tilt*) (ver pp. 60-1)

Deslizamento das Pernas (*Leg Slides*) (ver pp. 66-7)

Exercícios para pernas "sway-back"

Flexão dos Tendões da Perna (*Hamstring Curls*) (ver pp. 74-5)

Compressão dos Glúteos (*Gluteal Squeezes*) (ver p. 72)

Exercício para os Adutores na Posição Sentada (*Sitting Adductors*) (ver p. 138)

Deslizamento das Pernas (*Leg Slides*) (ver pp. 66-7)

Alongamento da Panturrilha (*Calf Stretch*) (ver p. 149)

Exercícios para rigidez nos ombros

Exercícios para o Tronco Superior na Posição Sentada (ver pp. 120-29)

O Moinho de Vento (*The Windmill*) (ver pp. 64-5)

Exercício para os Peitorais na Posição Deitada (*Lying Pecs*) (ver pp. 134-35)

Abertura do Peito com Círculo com o Braço (*Chest Opening with Arm Circle*) (ver pp. 100-01)

Alongamento da Parte de Trás do Ombro (*Back of Shoulder Stretch*) (ver p. 145)

Programa para problemas na região lombar

A coluna lombar sustenta o peso de toda a parte superior do corpo, de modo que talvez não seja surpreendente que as estatísticas indiquem que mais de 80% da população mundial irá sentir dor na região lombar em algum momento da vida.

A maior causa de dor na região lombar são maus hábitos de postura ao longo de vários anos. Durante algum tempo você pode conseguir se safar sentando-se sistematicamente numa posição torta, deixando que a coluna faça o esforço quando você levanta cargas pesadas ou usando sapatos de salto alto que inclinam a pelve, mas um dia você vai deixar de escapar impune. Talvez quando você estiver se virando para pegar uma bolsa no assento de trás do carro, passando o aspirador ou tentando manobrar um carrinho de supermercado com as rodas tortas você sinta uma dor aguda e penetrante. Uma vez que você tenha tido algum tipo de problema na região lombar, é bastante provável que ele se repita, a não ser que você cuide bem da área problemática.

Antigamente, os médicos costumavam recomendar que a pessoa ficasse de repouso na cama durante algum tempo para melhorar a dor nas costas, mas hoje eles estão mais bem informados e, na maioria dos casos, recomendam exercícios suaves e (às vezes) medicamentos anti-inflamatórios. Pilates é ideal para isso, porque você pode trabalhar para fortalecer a área prejudicada sem forçá-la.

Para todos os casos de dor na região lombar, verifique se o alinhamento da pelve está correto antes de começar um exercício. Trabalhe na estabilidade do centro de força e no fortalecimento da parede abdominal, e em alongar delicadamente a coluna lombar, como na série de treinamento apresentada na página ao lado. Evite estender demais a coluna lombar, pois os músculos estarão rígidos nessa área.

Ao trabalhar com clientes que tenham hérnia ou deslocamento de disco, evite fazer uma rotação forte da coluna, uma flexão forte ou levantamentos com a perna reta. Mesmo assim, o cliente pode trabalhar os músculos abdominais por meio de uma cuidadosa flexão do tronco superior se ele tiver estabilidade no centro de força. Também é melhor se exercitar deitado e evite as posições sentadas e em pé nas quais a coluna fica sob a pressão da gravidade. Ao se deitar na posição de bruços, apoie sempre as costas com um travesseiro debaixo do estômago.

Na presença de espondilolistese (instabilidade que causa um deslocamento vertebral anterior) ou de estenose (estreitamento do canal vertebral ou dos canais nervosos), evite todos os exercícios que incluam a extensão da coluna, como A Flecha ou A Cobra.

As pessoas que sofrem de osteoporose devem tomar um extremo cuidado ao se exercitarem. Evite a forte flexão da coluna, a rotação e a inclinação lateral da coluna e concentre-se na extensão torácica. Trabalhe para desenvolver a força muscular e o equilíbrio que sustentarão uma flexão controlada cuidadosa.

Se um cliente sofrer de lordose, siga as recomendações da p. 236 e providencie travesseiros para apoiar a coluna durante os exercícios.

Ao experimentar tanto esta quanto qualquer outra série de treinamento, seja observador e seletivo. Descubra a amplitude de movimento que você acha confortável e pare imediatamente se sentir qualquer dor.

Contraindicações para os exercícios

Não tente trabalhar com um cliente que esteja com dor na região lombar se esta resultar de um acidente recente que possa ter causado algum tipo de fratura ou deslocamento de disco. Seja especialmente cuidadoso se o cliente tiver mais de 50 anos. Se ele tiver osteoporose, se submetido a um tratamento contra o câncer ou tiver quaisquer outros sintomas associados, como ciática ou febre, aconselhe-o a procurar um especialista antes de se exercitar. Ele deverá procurar aconselhamento médico se a dor nas costas durar mais de seis semanas sem apresentar nenhuma melhora. Uma vez que um profissional de saúde tenha diagnosticado a causa da dor na região lombar, entre em contato com ele para definir os tipos de exercício que funcionarão melhor no caso do cliente.

PROGRAMA PARA PROBLEMAS NA REGIÃO LOMBAR

Série de treinamento para a região lombar

Abdominais Estáticos (*Static Abs*) (ver p. 58)

Deslizamento das Pernas (*Leg Slides*) (ver pp. 66-7)

O Moinho de Vento (*The Windmill*) (ver pp. 64-5)

Compressão dos Glúteos (*Gluteal Squeezes*) (ver p. 72)

Flexão dos Tendões da Perna (*Hamstring Curls*) (ver pp. 74-5)

Nado Modificado (*Modified Swimming*) (ver p. 73)

Pequena Inclinação Pélvica (*Small Pelvic Tilt*) (ver p. 60)

Abertura dos Braços (*Arm Openings*) (ver pp. 124-25)

Exercício para os Adutores na Posição Sentada (*Sitting Adductors*) (ver p. 138)

O Gato (*The Cat*) (ver p. 117) (quando estiver se sentindo mais forte)

O Cachorro (*The Dog*) (ver pp. 118-19) (quando estiver se sentindo mais forte)

Flexões Torácicas (*Chest Lifts*) (ver p. 81)

Alongamento das Costas (*Back Stretch*) (ver p. 89)

Programa para problemas nos quadris

Os quadris são grandes articulações esferoidais cujas superfícies estão cobertas por cartilagem e conectadas por ligamentos para que não haja fricção entre os ossos. No entanto, com o tempo, o desgaste pode provocar a deterioração das superfícies das articulações, o que também pode ser causado por reumatismo e fraturas acidentais.

Todos nós provavelmente teremos algum grau de desgaste nos quadris por volta dos 50 anos de idade, e aqueles que tomaram parte em atividades de alto impacto, como o balé ou o rúgbi, podem ter mais do que a sua cota justa. Se uma das articulações do quadril ficar dolorida a ponto de interferir na sua vida diária, um cirurgião poderá sugerir o recapeamento do quadril ou a substituição do quadril, a qual é hoje uma cirurgia extremamente comum e bem-sucedida.

Se o seu cliente estiver com uma cirurgia para a substituição do quadril marcada, faz sentido trabalhar de antemão no fortalecimento da estrutura muscular em volta do quadril, e a série de exercícios descrita a seguir será útil. Depois da cirurgia, tão logo o cirurgião dê permissão ao cliente para voltar a se exercitar, trabalhe com uma pequena amplitude de movimento e fique atento ao fato de que o cliente deve:
- Não aduzir as pernas além da linha central.
- Evitar se sentar com as pernas cruzadas, o que poderia causar um deslocamento da articulação.
- Evitar flexionar os quadris num ângulo acima de 90°.
- Evitar fazer uma rotação interna dos quadris – eles podem girar externamente, desde que isso não seja doloroso. Incentive o seu cliente a dar pequenos passos quando se virar em vez de girar sobre a parte inferior frontal do pé.

Nas cirurgias de recapeamento dos quadris, como o nome sugere, a cabeça do fêmur permanece, mas as superfícies das articulações internas são reforçadas. Essa cirurgia geralmente é realizada em pacientes mais jovens, cujos ossos são mais fortes; mesmo assim, no entanto, eles devem seguir as recomendações acima para os pacientes que fazem a cirurgia de substituição do quadril, a não ser que sejam aconselhados de outra maneira pelo profissional de saúde que os estiver acompanhando.

Artrite

A osteoartrite é a degeneração lenta e progressiva das articulações em decorrência do desgaste mecânico. Tipicamente, a rigidez será pior pela manhã, na hora de levantar. As pessoas que têm esse problema devem evitar os exercícios de alto impacto que impõem uma pressão adicional à articulação danificada, mas é aconselhável mobilizá-la pelo menos uma vez por dia, por meio de um movimento delicado, de baixa intensidade, que faça a articulação percorrer a sua amplitude total de movimento. Passe algum tempo alongando a articulação antes e depois do exercício para "aquecê-la" e "esfriá-la". Se alguma dor durar mais de duas horas depois de um exercício, você provavelmente exagerou e deve diminuir a duração da sessão na próxima vez, mas procure manter a amplitude do movimento.

A artrite reumatoide é uma doença sistêmica na qual o tecido conjuntivo entre as articulações fica inflamado. Durante as crises, não alongue uma articulação intumescida até o limite do seu movimento e nem a exercite ao ponto de exaustão. Concentre-se na estabilidade do centro de força e nas áreas não afetadas até que as coisas fiquem mais calmas.

Arqueamento dos pés

Para manter os pés fortes e flexíveis, faça regularmente o seguinte exercício. Sente-se com as solas dos pés apoiadas no chão e o seu peso uniformemente distribuído pela forma triangular (ver o quadro da p. 49). Mantendo os calcanhares na mesma posição, deslize os dedos dos pés para trás fazendo com que o peito do pé se arqueie. Não deixe os dedos dos pés se curvarem para baixo. Sustente a posição durante 5 segundos e depois repita o exercício.

Alongamento em pé do TFL (*Standing TFL Stretch*)

Fique em pé na posição ereta com as mãos nos quadris e cruze o pé direito atrás do esquerdo. Mantendo os quadris nivelados, incline-se para a esquerda e você sentirá um alongamento no quadril direito. Cruze ainda mais o pé direito de modo a se erguer na lateral do pé. Sustente a posição durante 30 segundos, e depois repita o exercício do outro lado.

PROGRAMA PARA PROBLEMAS NOS QUADRIS **241**

Série de treinamento para fortalecer os quadris

Compressão dos Glúteos (*Gluteal Squeezes*) (ver p. 72)

Flexão dos Tendões da Perna (*Hamstring Curls*) (ver pp. 74-5)

Exercício para os Adutores na Posição Sentada (*Sitting Adductors*) (ver p. 138)

Levantamento da Parte Externa da Coxa (*Outer Thigh Lift*) (ver p. 102)

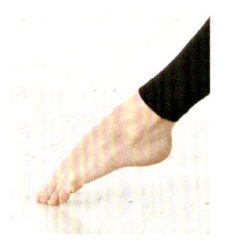

Faça ponta e flexione o pé para trabalhar as panturrilhas

Rotação dos Quadris com as Pernas Retas (*Straight-leg Hip Rolls*) (ver p. 92)

Flexões Torácicas (*Chest Lifts*) (ver p. 81)

Inclinações Pélvicas (*Pelvic Tilts*) (ver pp. 60-1)

A Ponte (*The Bridge*) (ver pp. 68-9) (mas não force muito)

Exercício para os Latíssimos do Dorso na Posição Sentada (*Sitting Lats*) (ver p. 123)

Alongamento dos Dois Quadríceps (*Double Quad Stretch*) (ver p. 148)

Flexão Torácica Oblíqua (*Oblique Chest Lift*) (ver p. 82)

Programa para problemas nos joelhos

Os joelhos são os principais amortecedores de choques do corpo quando corremos ou saltamos, de modo que é bastante compreensível que eles possam estar propensos a sofrer uma vasta gama de lesões, que variam de uma simples distensão depois de uma atividade excessiva ao rompimento de ligamentos ou tendões.

O joelho é a articulação mais complexa do corpo, na qual o fêmur, a tíbia, a fíbula e a patela se encontram e são reunidos em três diferentes articulações: as articulações lateral e medial da articulação tibiofemoral, e a articulação femoropatelar. Essas articulações são sustentadas por fortes ligamentos tanto dentro quanto fora da cápsula da articulação, e meniscos fibrosos estão situados entre os côndilos femorais e tibiais. A flexão e a extensão são os principais movimentos, mas alguma rotação medial e lateral pode ocorrer quando o joelho está flexionado, e os músculos ao redor do joelho são particularmente importantes como estabilizadores.

É fundamental manter equilibrada a força dos músculos ao redor do joelho – particularmente os flexores (os tendões da perna) e os extensores (os quadríceps) – para que eles não imprimam uma força desigual à articulação. Fique atento também aos problemas dos pés, porque equilibrar desigualmente o peso sobre os pés aplicará uma pressão desigual sobre o joelho (ver p. 47).

As lesões nos joelhos geralmente ocorrem por causa de uma torção, talvez quando uma virada desajeitada faz com que o fêmur gire enquanto o pé e a tíbia estão fixos em posição. Isso pode causar danos aos ligamentos do joelho (particularmente o ligamento cruciforme e o ligamento colateral medial) e ao menisco medial. Os jogadores de futebol podem estar particularmente sujeitos a sofrer lesões nos joelhos por causa dos seus movimentos de correr, girar e chutar.

Uma articulação do joelho que esteja gravemente prejudicada ou desgastada pode ser cirurgicamente substituída por uma articulação artificial. Uma cartilagem do joelho que esteja rompida ou deslocada pode ser submetida a uma cirurgia por laparoscopia para ser desbastada. Tanto no pré quanto no pós-operatório, siga as recomendações do cirurgião do cliente. Certifique-se de que os músculos do joelho sejam reabilitados uniformemente para que o equilíbrio seja mantido.

Entre os movimentos com os quais você deve ter cautela estão:
- Qualquer um que seja executado na posição de cócoras
- Trabalhar com os pés presos com tiras
- Usar caneleiras
- Trabalhar contra a resistência de molas num *reformer*
- Qualquer movimento que desvie o joelho do seu alinhamento correto.

Avise aos clientes com problemas nos joelhos que eles não devem:
- Se sentar com as pernas cruzadas
- Se ajoelhar em superfícies duras
- Se ajoelhar com as pernas abertas para os lados
- Se agachar e ficar em pé de repente
- Correr sobre superfícies irregulares
- Usar tênis com travas nas solas
- Usar salto alto.

Verifique se há desequilíbrios nos quadríceps e nos glúteos e faça mais repetições dos exercícios no lado mais fraco, para que a força deles se iguale com o tempo. Com frequência, o vasto medial está fraco e os quadríceps externos (o reto femoral e o vasto lateral) estão rígidos, de modo que você deve fazer alguns alongamentos onde houver a sensação de rigidez (ver pp. 148-49). Outra dica é descer pela parte externa da perna com um rolo de pastel ou uma vara. Você rapidamente descobrirá onde os músculos estão mais rígidos, porque essa área estará dolorida. Vá devagar e você poderá ajudar a suavizar os músculos.

Tenha consciência de que se um cliente estiver mancando ou usando muletas ou uma bengala, haverá efeitos indiretos no corpo inteiro. Oriente-os ao longo de uma série suave de exercícios posturais voltados para o fortalecimento do tronco e o nivelamento de qualquer unilateralidade que possa estar se desenvolvendo.

Contraindicações dos exercícios

Se um cliente estiver sentindo muita dor no joelho e não conseguir ficar em pé e colocar peso sobre ele, ele deverá procurar imediatamente um diagnóstico médico. O cliente também deverá procurar ajuda se o joelho dele estalar e ele sentir dor (estalos sem dor são aceitáveis), ficar cedendo ao peso dele ou ficar travado numa posição. Aconselhe o cliente a ir ao médico se o joelho parecer deformado ou estiver vermelho, muito inchado e quente ao toque. Se uma dor no joelho persistir por mais de três dias, a pessoa também deverá buscar uma opinião profissional. Não deixe que ela se exercite em nenhuma dessas circunstâncias, a não ser que você tenha autorização do especialista que estiver acompanhando o caso.

Série de treinamento para fortalecer os joelhos

Compressão dos Glúteos (*Gluteal Squeezes*) (ver p. 72)

Flexão dos Tendões da Perna (*Hamstring Curls*) (ver pp. 74-5)

A Flecha (*The Arrow*) (ver pp. 76-7)

Exercício para os Adutores na Posição Sentada (*Sitting Adductors*) (ver p. 138)

Quadríceps (ver p. 139)

Flexões Torácicas (*Chest Lifts*) (ver p. 81)

Flexões Torácicas Oblíquas (*Oblique Chest Lifts*) (ver p. 82)

Inclinações Pélvicas (*Pelvic Tilts*) (ver pp. 60-1)

A Concha (*The Shell*) (ver p. 99)

Alongamento das Nádegas na Posição Sentada (*Sitting Buttock Stretch*) (ver p. 149)

Alongamento dos Tendões da Perna e dos Adutores na Posição em Pé (*Standing Hamstring and Adductor Stretch*) (ver p. 149)

Alongamento dos Adutores na Posição Sentada (*Seated Adductor Stretch*) (ver p. 149)

Alongamento da Panturrilha (*Calf Stretch*) (ver p. 149)

Aula de abdominais

Esta série de treinamento foi desenvolvida para pessoas que já vêm praticando Pilates há várias semanas e que têm um centro de força razoavelmente vigoroso. A série as estimulará a elevar o nível dos exercícios...

Antes de trabalhar nesses exercícios mais avançados, os alunos deverão ter desenvolvido um vigoroso centro de força e ser capazes de ativar com precisão e fluidez os grupos musculares requeridos. Nesse estágio, eles precisarão aplicar todos os princípios de Pilates. Antes de iniciar a parte avançada da sessão, um cuidadoso aquecimento é essencial.

Nos exercícios mais avançados, sempre constato que algum passo não está funcionando bem. Analise o que está acontecendo, desmembrando o exercício em partes. A causa pode ser uma parte fraca do corpo – ou apenas falta de concentração. Trabalhar especificamente a área problemática deverá dar resultados, bem como uma sensação de realização.

Trabalhando com clientes com excesso de peso

Pode ser mais difícil para os clientes com excesso de peso aprender Pilates do que para aqueles com um peso saudável, porque os músculos flácidos não respondem tão bem quanto os que estão tonificados, e é difícil sentir as fibras trabalhando através de camadas de gordura. Os clientes com excesso de peso estão propensos a ter um certo grau de lordose lombar caso os seus músculos abdominais fracos estejam puxando a coluna para a frente. A solução? Simplesmente trabalhe arduamente os músculos abdominais em todas as sessões e peça ao cliente que faça exercícios abdominais em casa nos dias em que não for ao estúdio. Discuta também os tipos de exercícios aeróbicos que eles poderiam fazer para queimar a gordura. O aspecto bom é que eles deverão sentir uma diferença com bastante rapidez. Joseph Pilates dizia que qualquer pessoa que começasse o seu regime de exercícios deveria sentir uma diferença depois de dez sessões, ver uma diferença depois de vinte e ter um corpo completamente novo depois de trinta sessões. Essa citação deve ser tratada com um certo ceticismo: na minha experiência, algumas pessoas levam mais sessões do que isso, e outras levam menos.

Centro de força
Comece com 5 repetições de cada um dos exercícios abdominais e vá aumentando até chegar a 10, e você verá bem rápido uma diferença.

AULA DE ABDOMINAIS 245

Série de treinamento com exercícios abdominais

Flexões Torácicas (*Chest Lifts*) (ver p. 81)

Flexões Torácicas Oblíquas (*Oblique Chest Lifts*) (ver p. 82)

Pequena Rotação dos Quadris (*Small Hip Rolls*) (ver p. 109)

Grande Rotação dos Quadris (*Large Hip Rolls*) (ver p. 110)

Levantamentos com a Perna Reta na Posição Deitada de Lado (*Side-Lying Straight Leg Lifts*) (ver pp. 104-05)

Rolar para Cima (*The Roll-Up*) (ver pp. 154-55)

Alongamento de uma Perna (*Single Leg Stretch*) (ver pp. 172-75)

Alongamento das Duas Pernas (*Double Leg Stretch*) (ver pp. 176-77)

Rolar por Cima do Corpo (*Roll-Over*) (ver pp. 162-63)

The Hundred (ver pp. 152-53)

Crisscross (ver p. 88)

Alongamento dos Dois Quadríceps (*Double Quad Stretch*) (ver p. 148)

Alongamento das Costas e dos Músculos Abdominais (*Back and Abdominals Stretch*) (ver p. 147)

Série de treinamento para as pernas

As pernas carregam o nosso peso quando andamos, corremos e pulamos na vida diária, de modo que é possível ter pernas fortes embora tudo o mais esteja fraco. No entanto, é crucial que as pernas sejam igualmente fortalecidas, porque qualquer desequilíbrio transmitirá tensão para a pelve e a coluna.

Vejo com frequência clientes que acham que estão em excelente forma, porque correm alguns quilômetros nos fins de semana, jogam futebol ou squash, ou andam 15 km de bicicleta até o trabalho todos os dias – mas quando eu lhes peço que curvem o corpo para a frente na direção do chão, eles não conseguem levar a ponta dos dedos das mãos além dos joelhos. Se eu peço a eles que façam um alongamento dos tendões da perna, como o Alongamento dos Tendões da Perna e dos Adutores na Posição em Pé (ver p. 149), eles não conseguem chegar nem perto dos dedos dos pés. É comum as pessoas que trabalham os quadríceps em excesso terem tendões da perna rígidos, o que causa os mais diferentes tipos de problemas, pois elas inclinam posteriormente a pelve, aplanando a região inferior da coluna, e exercem pressão sobre os joelhos e quadris. As lesões na virilha também são comuns quando os quadríceps trabalham em excesso, mas os tendões da perna e os adutores não trabalham o suficiente. O fato de as pernas serem excessivamente desenvolvidas geralmente significa que os tendões da perna e os flexores dos quadris estão rígidos, que a coluna lombar está afetada e que a pelve está fora de alinhamento.

Os exercícios desta Série de Treinamento para as Pernas foram concebidos para trabalhar igualmente as pernas para que fiquem fortes de um modo geral, mas com mais ênfase nos adutores e nos tendões da perna do que nos quadríceps. Vale a pena fazer uma série de treinamento que se concentre nas pernas pelo menos uma vez por mês, e com mais frequência se você achar que os seus clientes apresentam algum desequilíbrio nessa área. Os instrutores devem verificar cuidadosamente se o movimento está simétrico, com cada perna trabalhando tanto quanto a outra, e devem sempre incluir alongamentos no final da sessão.

A corrida

A corrida, que é provavelmente o exercício aeróbico mais popular porque não requer que a pessoa seja sócia de algum clube ou que tenha equipamentos especiais, faz bem para o coração e os pulmões, mas não tão bem para as articulações. Se você tiver quaisquer problemas de postura, correr irá exacerbá-los, de modo que se você notar que geralmente fica dolorido depois da corrida, peça a um instrutor de Pilates ou a um fisioterapeuta para examiná-lo. Também pode ser uma boa ideia pedir a um especialista em corrida que observe a sua técnica. Comprimentos desiguais das pernas, pronação dos pés, tendões da perna rígidos e lordose afetarão o seu estilo de corrida. Certifique-se de que você sempre faz um alongamento adequado dos tendões da perna, do quadríceps, do tensor da fáscia lata (TFL) e da região lombar antes e depois de correr.

Série de treinamento para reequilibrar as pernas

Flexões Torácicas (*Chest Lifts*) (ver p. 81)

Flexões Torácicas Oblíquas (*Oblique Chest Lifts*) (ver p. 82)

Inclinações Pélvicas (*Pelvic Tilts*) (ver pp. 60-1)

SÉRIE DE TREINAMENTO PARA AS PERNAS

Compressão dos Glúteos (*Gluteal Squeezes*) (ver p. 72)

Flexão dos Tendões da Perna (*Hamstring Curls*) (ver pp. 74-5)

A Flecha (*The Arrow*) (ver pp. 76-7)

Nado Modificado (*Modified Swimming*) (ver p. 73)

Exercício para os Adutores na Posição Sentada (*Sitting Adductors*) (ver p. 138)

Développé (ver pp. 140-43)

Alongamento de uma Perna Estendida (*Single Straight Leg Stretch*) (ver pp. 174-75)

Elevação da Perna com Apoio Frontal (*The Leg Pull Front*) (ver pp. 202-03)

Elevação da Perna com Apoio Posterior (*The Leg Pull Back*) (ver pp. 204-05)

Alongamento de um Quadríceps (*Single Quad Stretch*) (ver p. 148)

Alongamento dos Dois Quadríceps (*Double Quad Stretch*) (ver p. 148)

Alongamento dos Quadris na Posição Sentada (*Sitting Hip Stretch*) (ver p. 148)

Alongamento dos Quadris, das Nádegas e do Psoas (*Hips, Buttocks and Psoas Stretch*) (ver p. 148)

Alongamento dos Tendões da Perna e dos Adutores na Posição em Pé (*Standing Hamstring and Adductor Stretch*) (ver p. 149)

Alongamento da Panturrilha (*Calf Stretch*) (ver p. 149)

Pilates durante a gravidez

Diferentes normas de procedimento se aplicam a cada trimestre da gravidez e ao período pós-natal, mas Pilates é seguro e benéfico para a maioria das mulheres, possibilitando que elas conservem o tônus muscular, tornando mais fácil para elas recuperar a forma depois do parto. No meu curso de treinamento, seguimos o protocolo que Carolyne Anthony explica no livro *The Pilates Way to Birth*. Caso esteja em dúvida, entre em contato com a parteira ou o médico da cliente. Segue-se um resumo do protocolo:

Primeiro trimestre

Se uma cliente já vem fazendo Pilates há algum tempo e tem uma boa estabilidade no centro de força, ela pode continuar a executar os exercícios em segurança durante as primeiras 12 semanas de gestação, mas aconselho que você só aceite uma nova cliente quando ela já estiver no segundo trimestre. Evite os exercícios que envolvam a flexão ou extensão completa das articulações, o alongamento profundo ou a resistência que use pesos. A cliente deve parar de se deitar de bruços tão logo a barriga comece a aparecer ou assim que ela sentir algum desconforto. Concentre-se nas Inclinações Pélvicas e nas Flexões Torácicas, em exercícios que estimulem a rotação e a retração da parte superior do corpo, em exercícios que mantenham o equilíbrio postural e em exercícios para as pernas, para ajudar a evitar os tornozelos inchados e as varizes.

Segundo trimestre

À medida que o peso da mulher aumenta, o seu centro de gravidade se desloca para a frente e para cima, forçando os grupos musculares posturais. O aumento do peso das mamas podem causar a protração e o encurtamento muscular, o que provoca a lordose cervical. À medida que a gestação vai estendendo os músculos abdominais, o músculo reto abdominal pode se separar (diástase do reto abdominal), fazendo com que as costas e a pelve deixem de ter um bom apoio, o que causa um maior grau de lordose lombar. A sínfise pubiana e as articulações sacroilíacas se afrouxam e se tornam mais móveis; na presença de dor na sínfise pubiana, evite os exercícios na posição deitada de lado, os alongamentos dos adutores e os exercícios na posição de cócoras.

Concentre-se nos exercícios que fortalecem os músculos abdominais. As suas clientes podem continuar a fazer exercícios na posição semissupina ou supina até a trigésima semana de gestação, mas elas podem preferir as inclinações pélvicas na posição ereta, os exercícios para a parte superior do corpo numa cadeira, ou alongamentos na posição "de quatro". Elas podem fazer alongamentos dos tendões da perna na posição sentada com uma toalha ou faixa em volta do pé.

Terceiro trimestre

Depois da trigésima semana, a sua cliente deverá evitar quaisquer movimentos que abduzam os quadris. Ela também deve evitar se deitar de costas, já que existe um pequeno risco de que essa posição comprima a veia cava inferior. Concentre-se nos exercícios respiratórios, técnicas de relaxamento, exercícios posturais na posição ereta, exercícios para os pés, inclinações pélvicas na posição ereta, alongamentos do tendão da perna na posição sentada, e exercícios para a parte superior do corpo ou para as pernas executados numa cadeira.

Pós-natal

Os ligamentos flexíveis levam até seis meses para voltar ao normal (ou mais tempo se a mãe estiver amamentando). As articulações permanecem vulneráveis durante esse período, de modo que você deve evitar os exercícios de alongamento e resistência. As mulheres que se submeteram a uma cesariana devem evitar ficar de quatro até seis semanas depois da cirurgia devido ao remoto risco de uma embolia. Todas as novas mães devem evitar carregar peso ou fazer esforço nas primeiras 12 semanas após o parto por causa do risco do prolapso vaginal, e devem continuar a fazer regularmente exercícios para o assoalho pélvico.

As novas mães podem fazer delicadamente Abdominais Estáticos em diferentes posições (ver pp. 58, 98 e 116) desde o primeiro dia, e as Pequenas Inclinações Pélvicas (ver p. 60) estimulam a estabilidade pélvica. Concentre-se nos exercícios posturais para ajudar a sua cliente a manter uma boa postura quando estiver amamentando, levantando e carregando o bebê.

Contraindicações do exercício

As mulheres devem evitar se exercitar durante a gravidez se tiverem: problemas nos rins, no coração ou nos pulmões; diabetes; problemas na tireoide; um histórico de abortos espontâneos, parto prematuro ou incompetência cervical; sangramento vaginal ou perda de fluido; pressão alta; gravidez múltipla; placenta anormal; anemia ou distúrbios do sangue; dores repentinas; diminuição dos movimentos do feto; ou se o bebê estiver na posição invertida depois de 28 semanas. Pare imediatamente se a cliente apresentar taquicardia, palpitações, falta de ar, tontura, perda de fluido vaginal ou sangramento. As sessões deverão ser de no máximo uma hora, e você deve se certificar de que não está quente demais no estúdio.

Série de treinamento avançada para os muito aptos

Qualquer sistema de exercícios precisa ter variedade e um sentimento de progressão para que possamos permanecer interessados a longo prazo. Os nossos músculos se acostumam a um nível particular de atividade e precisam de novos desafios para continuar a ficar mais fortes.

No estúdio, os meus clientes mais experientes têm um programa básico que eles seguem sozinhos, enquanto os instrutores os supervisionam e corrigem. No entanto, a cada duas ou três semanas, introduzimos um novo exercício, ou mostramos a eles um novo movimento a ser incluído num exercício existente. Eles continuam a fazer alguns dos mesmos exercícios no solo que os iniciantes completos, mas eu estou sempre aprimorando-os e modificando-os para que esses clientes não caiam na rotina – seja esta física ou mental. Ninguém deve vir para o estúdio e fazer um conjunto de exercícios que considere fácil enquanto devaneiam a respeito de uma coisa completamente diferente. Quero que todos os clientes, sejam eles alunos iniciantes ou avançados, concentrem os seus pensamentos inteiramente no exercício que estiverem fazendo.

As recompensas de Pilates são óbvias nos primeiros meses enquanto você observa a sua barriga diminuir e todos os músculos começarem a parecer mais tonificados. As pequenas dores e incômodos desaparecem à medida que a postura é corrigida e os músculos do centro de força ficam mais resistentes. No entanto, depois de algum tempo, se você não introduzir a progressão na rotina, atingirá um patamar no qual você não mais verá ou sentirá melhoras acentuadas no seu físico. Todos os instrutores de Pilates devem visar introduzir novos desafios antes que esse patamar se instale. Isso pode ser difícil no caso de uma aula de solo com clientes que têm habilidades diferentes, de modo que realmente seria interessante que você tivesse aulas separadas para alunos iniciantes, intermediários e avançados, se isso for possível.

Se os seus clientes estiverem fazendo Pilates há mais de um ano e conseguirem completar com segurança todos os exercícios básicos da seção Pré-Pilates deste livro, se eles tiverem um centro de força vigoroso e estiverem livres de lesões, sugiro que você experimente a seguinte série de exercícios.

Série de treinamento avançada

Escolha 12 dos 34 exercícios originais de solo (ver pp. 150-219), certificando-se de que eles incluam a flexão, a extensão e a rotação. Eles devem fluir facilmente de um para o outro num ritmo contínuo. Concentre-se no padrão respiratório enquanto fizer cada exercício e execute o maior número possível deles. Ao terminar os 12, escolha alongamentos das pp. 144-49 para as partes do corpo que você trabalhou mais intensamente.

Quando os seus clientes conseguirem fazer 12 exercícios com confiança, adicione alguns outros. É importante que eles tenham foco e se concentrem em vez de fazer correndo os exercícios. Incentive-os a não deixar que influências externas atrapalhem o foco e a concentração deles, e a tratar cada exercício como um movimento do corpo inteiro.

Variando o seu regime de exercícios

Recomendo uma sessão de exercícios de uma hora de duração de Pilates ou de exercícios aeróbicos dia sim, dia não, ou uma sessão mais curta de 20 a 30 minutos todos os dias. Se você se ativer sempre à mesma série fixa de exercícios, não apenas ficará entediado como também deixará de progredir, porque os seus músculos se acostumarão ao que você está exigindo deles. Se você fizer Pilates durante uma hora duas vezes por semana, sugiro que você faça uma série de exercícios completamente diferente em cada sessão, talvez se concentrando nos músculos abdominais e das costas num dos dias e nas pernas e nos braços em outro. Você também deve misturar os tipos de exercícios aeróbicos que você faz, de modo que não vá simplesmente correr no parque todas as vezes. Jogar tênis ou algum tipo de esporte com bola com pessoas que estejam mais ou menos no mesmo nível de habilidade que você poderá ajudar a manter as coisas interessantes. Procure trabalhar o corpo inteiro e não apenas parte dele, e você terá mais chances de permanecer jovem e saudável na velhice.

Série de treinamento adiantada – escolha uma seleção entre os 34 exercícios originais

1. *The Hundred* (ver pp. 152-53)

2. Rolar para cima (*The Roll-Up*) (ver pp. 154-55)

3. Tração do Pescoço (*The Neck Pull*) (ver pp. 156-57)

4. Rotação da Coluna (*The Spine Twist*) (ver pp. 158-59)

5. O Serrote (*The Saw*) (ver pp. 160-61)

6. Rolar por Cima do Corpo (*Roll-Over*) (ver pp. 162-63)

7. Rolar como uma Bola (*Rolling like a Ball*) (ver pp. 164-65)

8. Balanço com as Pernas Separadas (*The Open-Leg Rocker*) (ver pp. 166-67)

9. Desafiador (*The Teaser*) (ver pp. 168-69)

10. Círculo com a Perna (*The Leg Circle*) (ver pp. 170-71)

11. Alongamento de uma Perna (*Single Leg Stretch*) (ver pp. 172-73)

12. Alongamento das Duas Pernas (*Double Leg Stretch*) (ver pp. 176-77)

13. Alongamento da Coluna para a Frente (*Spine Stretch Forward*) (ver pp. 178-79)

14. O Saca-Rolhas (*The Corkscrew*) (ver pp. 180-81)

15. O Nado (*Swimming*) (ver pp. 182-83)

16. Mergulho do Cisne Modificado (*Modified Swan Dive*) (ver pp. 184-85)

SÉRIE DE TREINAMENTO AVANÇADA PARA OS MUITO APTOS 251

17. Chute com uma Perna (*Single Leg Kick*) (ver pp. 186-87)

18. Chute com as Duas Pernas (*Double Leg Kick*) (ver pp. 188-89)

19. A Tesoura (*The Scissors*) (ver pp. 190-91)

20. A Bicicleta (*The Bicycle*) (ver pp. 192-93)

21. Ponte de Ombros (*The Shoulder Bridge*) (ver pp. 194-95)

22. O Canivete (*The Jackknife*) (ver pp. 196-97)

23. Chute Lateral (*The Side Kick*) (ver pp. 198-99)

24. Rotação dos Quadris com os Braços Estendidos (*The Hip Twist with Stretched Arms*) (ver pp. 200-01)

25. Elevação da Perna com Apoio Frontal (*The Leg Pull Front*) (ver pp. 202-03)

26. Elevação da Perna com Apoio Posterior (*The Leg Pull Back*) (ver pp. 204-05)

27. Chute Lateral de Joelhos (*Kneeling Side Kick*) (ver pp. 206-07)

28. Flexão Lateral (*The Side Bend*) (ver pp. 208-09)

29. O Bumerangue (*The Boomerang*) (ver pp. 210-11)

30. A Foca (*The Seal*) (ver pp. 212-13)

31. Controle do Equilíbrio (*Control Balance*) (ver pp. 214-15)

32. Flexão dos Braços (*Push-Up*) (ver pp. 216-17)

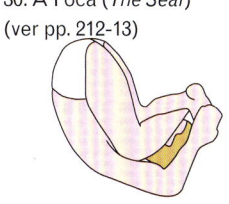

33. O Caranguejo (*The Crab*) (ver p. 218)

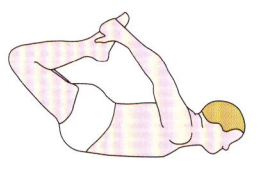

34. O Balanço (*The Rocking*) (ver p. 219)

O futuro do Pilates

O Pilates está continuamente mudando e se desenvolvendo, e você encontrará o método praticado de maneiras bem diferentes – algumas suaves e voltadas para a reabilitação, outras vigorosas e desafiadoras. Há sempre mais coisas para aprender, e você certamente não deve partir do princípio de que, uma vez que obteve um certificado para ensinar Pilates, pode relaxar e repousar sobre os louros da sua conquista pelo restante da sua carreira.

Expliquei anteriormente que peguei os exercícios que Joseph Pilates desenvolveu durante a primeira metade do século XX e os adaptei para os tipos de físico e problemas mecânicos que os meus clientes apresentam no século XXI. Estou certo de que Joseph Pilates teria feito o mesmo se ainda estivesse por aqui. Mantenho a integridade da técnica, porém modifico-a de maneira a adequá-la às necessidades do cliente, em vez de tentar modificar o cliente para que se adapte aos princípios de Pilates!

Sempre há espaço para melhora e, nos meus estúdios, incentivo os estagiários e instrutores a investigar novos métodos de trabalhar os músculos e fazer pequenos ajustes nos exercícios existentes para torná-los mais eficazes. Quando alguém tem uma nova ideia, nós nos reunimos para experimentá-la, e se ela funcionar para nós, tentaremos com os clientes. Adoro a maneira como o Pilates é uma investigação progressiva, com espaço para todos os tipos de abordagens.

Ao longo das décadas, eu me inspirei em várias outras escolas de movimento, em particular na Técnica Alexander e no tai chi, e sugiro que você experimente algumas outras para ver como o ensinamento delas é ao mesmo tempo diferente e complementar ao Pilates. Eis algumas breves descrições de algumas das minhas favoritas.

Técnica Alexander

Durante a década de 1890, um ator chamado Frederick Matthias Alexander desenvolveu esta técnica depois de constatar que estava persistentemente se tornando rouco no palco. Ele compreendeu que a postura incorreta estava distorcendo as curvas da sua coluna e fazendo com que os músculos da parte superior do seu corpo encurtassem e ficassem rígidos. Ele observou a maneira pela qual as crianças correm livremente, de um lado para o outro, com flexibilidade e vitalidade, e argumentou que perdemos essa capacidade quando adultos devido ao uso inadequado do corpo ao longo dos anos. Ele argumentou que, ao corrigir as maneiras pelas quais o corpo é mantido e usado na vida diária, podemos aliviar a dor nas costas e nas articulações, as dores de cabeça, doenças digestivas, problemas respiratórios e todos os tipos de indisposições crônicas.

Quando você aprende hoje a Técnica Alexander, você começa do zero e aprende a alinhar o corpo quando está sentado, em pé, deitado e andando. Os maus hábitos serão identificados e corrigidos, e você será incentivado a aplicar o ensinamento à vida diária, tanto no trabalho quanto em casa. Gosto particularmente do Descanso de Alexander, no qual você se deita na posição semissupina com um livro debaixo da base do crânio e faz minúsculos ajustes até que a sua coluna fique perfeitamente alinhada.

A Técnica Alexander, que ainda é muito popular entre atores e intérpretes, é um complemento ideal para o Pilates.

Feldenkrais

Moshe Feldenkrais foi um físico, engenheiro e instrutor de judô que se viu cada vez mais incapacitado por uma lesão no joelho que ele havia sofrido na juventude – a ponto de, na década de 1940, os médicos lhe dizerem que ele talvez nunca mais conseguisse andar novamente. Eles recomendaram uma cirurgia, mas a perspectiva de sucesso era incerta, de modo que Feldenkrais, em vez de se submeter a ela, optou por aplicar o seu conhecimento de anatomia, fisiologia e engenharia para resolver o problema do seu próprio jeito. A sua resposta foi um sistema holístico e analítico, no qual o aluno aprende a se conscientizar dos seus movimentos repetitivos habituais. Durante as aulas de "Consciência pelo Movimento", os alunos aprendem a executar movimentos precisos pensando e imaginando o processo exato. Os movimentos inicialmente são simples, tornando-se aos poucos fisicamente mais desafiantes. Nas sessões individuais, os profissionais também podem usar uma técnica interativa chamada "Integração Funcional" para ajudar o cliente a aprender como se mover com mais liberdade.

Feldenkrais é eficaz para tratar a dor crônica causada por uma gama de problemas mecânicos, e a ênfase da técnica na consciência dos movimentos e na concentração nestes últimos está bastante em sincronia com o que ensinamos em Pilates.

Tai chi

O T'ai chi é uma arte marcial chinesa, e consta que foi inventada por um monge há mais de 5 mil anos como uma disciplina mental e física completa para promover a saúde e o bem-estar. Ela compreende uma série de 128 posturas que devem ser executadas de uma maneira bem lenta e deliberada, desbloqueando assim o fluxo do *chi* (uma força de energia vital) ao redor do corpo. Considero o Tai chi extremamente proveitoso para a força e o equilíbrio, pois você alonga e trabalha os músculos contra a gravidade. A execução correta das posturas (cada uma das quais leva cerca de meia hora) envolve a respiração profunda, o perfeito alinhamento, a lenta repetição e a meditação concentrada. Assim como em Pilates, no tai chi você não pode pensar em nada além daquilo que o seu corpo está fazendo.

Yoga

Yoga é uma antiga terapia indiana e se baseia em exercícios estáticos (ou "poses"), na respiração profunda e no relaxamento, com o objetivo de fortalecer e alongar os músculos e equilibrar todo o corpo mental, físico e espiritual. Existem vários tipos de yoga: alguns são muito vigorosos e aeróbicos, enquanto outros são suaves e meditativos. A prática é particularmente benéfica para aqueles que estão sofrendo os efeitos colaterais do estresse e pode ser útil para a asma, a depressão e a ansiedade. Às vezes, eu tomo emprestados exercícios de Yoga: A Cobra (ver pp. 78-9) era originalmente uma postura de Yoga que eu adaptei para usar a respiração e o controle muscular no estilo de Pilates.

Incentivo os meus funcionários e estagiários e também os clientes a tentarem diferentes tipos de sistemas de movimento e técnicas variadas. Pilates não é exclusivo e as colaborações e comparações são benéficas para todos. Nenhum sistema terapêutico pode se permitir ficar parado, já que novas pesquisas médicas surgem o tempo todo a respeito das causas e efeitos das doenças e lesões. Precisamos continuar a empurrar os limites e descobrir melhores maneiras de fortalecer o nosso corpo e mantê-lo flexível e livre de danos na velhice. Espero que você se junte a nós nessa busca!

Continue a observar e aprender O ensino de Pilates lança novos desafios todos os dias, o que significa que você precisa permanecer alerta!

Leitura complementar

Anthony, Carolynne. *The Pilates Way to Birth Book*, 2008
Isacowitz, Rael. *Pilates*, 2006
Isacowitz, Rael e Clippinger, Karen. *Pilates Anatomy*, 2011
Jarmey, Chris. *The Concise Book of Muscles*, 2003
Jarmey, Chris. *The Concise Book of the Moving Body*, 2006
Johnson, Jane. *Postural Assessment*, 2012
Johnson, Jane. *Therapeutic Stretching*, 2012
Pilates, Joseph. *Your Health*, 1934
Pilates, Joseph. *Return to Life Through Contrology*, 1945
Siler, Brooke. *The Pilates Body*, 2000

Websites interessantes

O meu próprio website, www.alanherdmanpilates.co.uk, fornece informações sobre o programa de treinamento de professores que eu ofereço, bem como a localização dos meus estúdios em Londres.

Carolynne Anthony idealizou um programa e séries de treinamento para Pilates nos períodos pré-natal e pós-natal. Você encontrará mais informações em: http://thecenterforwomensfitness.com/

Também posso recomendar o website www.pilatesanytime.com, no qual você encontrará centenas de exercícios de Pilates elaborados por especialistas, os quais você pode experimentar por si mesmo por uma pequena taxa mensal. Há exercícios com diferentes durações, alguns usam equipamentos enquanto outros não utilizam, e há três níveis. As aulas podem ser genéricas ou se concentrar em áreas específicas.

Há também alguns interessantes websites de anatomia na internet:
www.innerbody.com/htm/body.html
www.instantanatomy.net/

E quanto aos equipamentos, recomendo bastante a Balanced Body em www.pilates.com/BBAPP/V/index.html

Para os cursos de primeiros socorros da St John Ambulance, consulte www.sja.org.uk/sja/training-courses.aspx

Índice remissivo

A
Abdução 23
Abordagem da vida integral 16-7
adução 23
adutores
  Alongamentos 149
  Compressão dos (*Adductor Squeeze*) 137
  Exercício para os Adutores na Posição Sentada (*Sitting Adductors*) 15, 138
ajustes no estilo de vida 52-3
Alongamento(s) 144-49
  da Cintura (*Waist Stretch*) 146
  da Cintura e da Região Lombar (*Waist and Lower-Back Stretch*) 146
  da Panturrilha (*Calf Stretch*), 149
  da Parte da Frente dos Ombros e do Tórax (*Front of Shoulder and Chest Stretch*) 145
  da Parte de Trás do Ombro (*Back of Shoulder Stretch*) 145
  da Região Lombar (*Lower-Back Stretch*) 147
  das Costas e dos Músculos Abdominais (*Back and Abdominals Stretch*) 147
  das nádegas 148-49
  das Nádegas na Posição Sentada (*Sitting Buttock Stretch*) 149
  de um Quadríceps (*Single Quad Stretch*) 74, 148
  Descansando as Costas (*Back rest*) 119
  do Flexor do Pulso (*Wrist Flexor Stretch*) 146
  do Pescoço (*Neck Stretches*) 144
  do Psoas (*Psoas Stretch*) 74, 147
  dos Adutores na Posição Sentada (*Seated Adductor Stretch*) 149
  dos Dois Quadríceps (*Double Quad Stretch*) 148
  dos Latíssimos do Dorso na Posição Sentada (*Seated Lats Stretch*) 147
  dos Músculos Rotadores (*Rotator Muscles Stretch*) 146
  dos Quadris na Posição Sentada (*Sitting Hip Stretch*) 148
  dos Quadris, das Nádegas e do Psoas (*Hips, Buttocks and Psoas stretch*) 148
  dos Tendões da Perna e dos Adutores na Posição em Pé (*Standing Hamstring and Adductor Stretch*) 149
  em Pé do TFL (*Standing TFL Stretch*) 240
  Tríceps 145
articulações entre as vértebras 30
artrite 240
avaliação do cliente 228
  clientes com excesso de peso 16, 46, 244
  clientes fracos, frágeis ou idosos 234
  equilíbrio 230
  flexibilidade dos quadris e das pernas 230
  mobilidade da coluna 229
  planos do corpo 228-29

B
Balanced Body 19
Balanço (*Rocking*) 215
Balanço com as Pernas Separadas (*Open-Leg Rocker*) 166-67
Bicicleta (A) (*The Bicycle*) 192-93
Braços de Cossaco (*Cossack Arms*) 129
Braços
  Abertura dos (*Arm Openings*) 124-26
  Exercício para o Bíceps na Posição Sentada (*Sitting Biceps*) 132
  músculos 40-1
Bumerangue (O) (*The Boomerang*) 15, 210-11

C
cabeça 38-9
Cadillac, 19
Canivete (O) (*The Jackknife*) 15, 196-97
  articulações 27, 46
Caranguejo (O) (*The Crab*) 214
carregando volumes 46-7, 53
centro de força 12, 244
  Levantamento Lateral com o Cotovelo Flexionado (*Side Lift on Bent Elbow*) 103
  Rotação (*Twist*) 106-07
Chute Lateral (*Side Kick*) 198-99
  de Joelhos (*Kneeling Side Kick*) 206-07
cifose 46, 49, 236
circundução 23
clientes com excesso de peso 16, 46, 244
Cobra 78-9, 147
coluna vertebral 29
  Alongamento da Coluna para a Frente (*Spine Stretch Forward*) 178-79
  EIAS (espinha ilíaca anterossuperior) 31
  Cachorro (*Dog*) 118-19
  como as ações diárias afetam a coluna 51
  Gato (O) (*The Cat*) 117
  mobilidade da coluna 229
  músculos 36-7
  Ponte (A) (*The Bridge*) 68-9
  Rotação da Coluna (*The Spine Twist*) 158-59
como gerenciar um estúdio de Pilates 221-22
  a escolha do local 223
  código de ética 225
  como conduzir uma aula no solo 231
  comunicação e relatório de acidentes 227
  equipamento a ser comprado 222
  marketing 224
  questionário de informações médicas 226
  registro de informações 227
  saúde e segurança 225
  seguro 223
Compressão do Travesseiro (*Pillow Squeeze*) 122, 137
Concha (A) (*The Shell*) 99
Controle do Equilíbrio (*Control Balance*) 216-17
corrida 246
costas 36
  Alongamento da Cintura e da Região Lombar (*Waist and Lower-Back Stretch*) 146
  Alongamento da Região Lombar (*Lower-Back Stretch*) 147
  Alongamento das (*Back Stretch*) 89
  Alongamento das Costas e dos Músculos Abdominais (*Back and Abdominals Stretch*) 147

ÍNDICE REMISSIVO

contraindicações dos exercícios 108, 110, 238
Descansando as (*Back Rest*) 119
dor nas 30, 46, 47
Flecha (A) (*The Arrow*) 76-7
Nado Modificado (*Modified Swimming*) 73
programa para problemas na região lombar 238-39
respirando nas 45
coxas
Extensão Torácica (*Thoracic Extension*) 126-27
Levantamento da Parte Externa da Coxa (*Outer Thigh Lift*) 102, 138
Ponte em uma Bola (*Bridge on a Ball*) 94-5
Crisscross 88

D
dança 9-10
Desafiador (*The Teaser*) 168-69
Developpé 140-41
na Posição Deitada de Lado (*Side-lying Développé*) 141-42
para a frente, 143
para trás, 143
dorso plano 50, 236

E
equipamento 19, *222*
escoliose 47, 50-1
espelhos 13
esporte 47
esqueleto apendicular 26, 28
esqueleto axial 26, 28
estresse 42
exercícios abdominais na posição semissupina 80-9
exercícios aeróbicos 16-7
exercícios com a bola de academia 90
Ponte em uma Bola (*Bridge on a Ball*) 94-5
Rolando a Bola Usando os Músculos Abdominais (*Rolling the Ball Using Abdominals*) 91
Rotação dos Quadris com as Pernas Flexionadas (*Bent-Leg Hip Rolls*) 93
com as Pernas Retas (*Straight-leg Hip Rolls*) 92
exercícios de Pilates 11, 15, 18-9, 55, 151
Alongamento da Coluna para a Frente (*Spine Stretch Forward*) 178-79
das Duas Pernas (*Double Leg Stretch*) 176-77
de uma Perna (*Single Leg Stretch*) 88, 172-75
Balanço (*Rocking*) 215
com as Pernas Separadas (*Open-Leg Rocker*) 166-67
Bicicleta (*Bicycle*) 192-93
Bumerangue (O) (*The Boomerang*) 15, 210-11
Canivete (O) (*The Jackknife*) 15, 196-97
Caranguejo (O) (*The Crab*) 214
Chute com as Duas Pernas (*Double Leg Kick*) 188-89
com uma Perna (*Single Leg Kick*) 186-87
Lateral (*Side Kick*) 198-99
Lateral de Joelhos (*Kneeling Side Kick*) 206-07
Círculo com a Perna (*Leg Circle*) 86, 170-71
Controle do Equilíbrio (*Control Balance*) 216-17
Desafiador (*The Teaser*) 168-69
Elevação da Perna com Apoio Frontal (*Leg Pull Front*) 202-03
da Perna com Apoio Posterior (*Leg Pull Back*) 204-05
Flexão dos Braços (*Push-Up*) 216-17
Lateral (*Side Bend*) 103, 208-09
Foca (A) (*The Seal*) 212-13
Hundred 152-53
Mergulho do Cisne Modificado (*Modified Swan Dive*) 15, 184-85
Nado (*Swimming*) 182-83
Ponte de Ombros (*The Shoulder Bridge*) 194-95
princípios fundamentais 12-3
Rolar como uma Bola (*Rolling like a Ball*) 164-65
para Cima (*Roll-Up*) 154-55
por Cima do Corpo (*Roll-Over*) 162-63
Rotação da Coluna (*The Spine Twist*) 158-59
dos Quadris com os Braços Estendidos (*The Hip Twist with Stretched Arms*) 200-01
Saca-Rolhas (O) (*The Corkscrew*) 180-81
Serrote (O) (*The Saw*) 160-61
Tesoura (A) (*The Scissors*) 15, 190-91
Tração do Pescoço (*Neck Pull*) 156-57
exercícios de rotação dos quadris 108
Grande Rotação dos Quadris (*Large Hip Rolls*) 110
Pequena Rotação dos Quadris (*Small Hip Rolls*) 109
Rotação dos Quadris com uma Perna (*Single Leg Hip Rolls*)112-13, 148
Rotação Elevada dos Quadris (*Raised Hip Rolls*) 111, 146
exercícios na posição de bruços 70-7
exercícios na posição de quatro 114–19
Abdominais Estáticos na Posição de Quatro (*Quadruped Static Abs*) 116
exercícios na posição deitada de lado 96-107
na posição semissupina 56-69
para o período pós-natal 248
para o tronco superior na posição sentada 76, 120-29
extensão 22

F
Feldenkrais 253
fisioterapia 230
Flecha (A) (*The Arrow*) 76-7
Fletcher, Ron 10-1
flexão 22
dos Braços (*Push-Up*) 216-17
Inversa (*Reverse Curl*) 81, 83
Lateral (*The Side Bend*) 22, 103, 208-09
Torácica Lateral (*Thoracic Side Bend*) 128
Flexões Torácicas (*Chest Lifts*) 81, 152
Abertura do Peito com Círculo com o Braço (*Chest Opening with Arm Circle*) 100-01
Torácicas Oblíquas (*Oblique Chest Lifts*) 15, 82, 88
Foca (A) (*The Seal*) 212-13
futuro do Pilates 252-53

G
Gato (O) (*The Cat*) 117
ginástica 9-10
Glúteos
Compressão dos (*Gluteal Squeezes*) 15, 50, 72
Concha (A) (*The Shell*) 99
Frontal (*Leg Pull Front*) 202-03
da Perna com Apoio Posterior (*Leg Pull Back*) 204-05
Flexão dos Braços (*Push-Up*) 216-17
Lateral (*Side Bend*) 103, 208-09
Foca (A) (*The Seal*) 212-13
Hundred 152-53
Mergulho do Cisne Modificado (*Modified Swan Dive*) 15, 184-85
Nado (*Swimming*) 182-83
Ponte de Ombros (*The Shoulder Bridge*) 194-95
princípios fundamentais 12-3
Rolar como uma Bola (*Rolling like a Ball*) 164-65
para Cima (*Roll-Up*) 154-55
por Cima do Corpo (*Roll-Over*) 162-63
Rotação da Coluna (*The Spine Twist*) 158-59
dos Quadris com os Braços Estendidos (*The Hip Twist with Stretched Arms*) 200-01
Saca-Rolhas (O) (*The Corkscrew*) 180-81
Serrote (O) (*The Saw*) 160-61
Tesoura (A) (*The Scissors*) 15, 190-91
Tração do Pescoço (*Neck Pull*) 156-57

gravidez (gestação) 248

H
Hundred (*The*) 152-53

J
Joelho(s)
contraindicações do exercício 242
músculos do(s) 35
problemas no(s) 242-43

L
Ladder Barrel (Barril Escada) 19
Levantamento Lateral com o Cotovelo Flexionado (*Side Lift on Bent Elbow*) 103
levantando peso 46-7, 53
lordose 47, 49, 108, 236-37

M
Mãos
entrelaçando as 53
músculos 41
pronação 25
supinação 25
medula espinal 30
Mergulho do Cisne (*Swan Dive*) 15, 184-85
Mesa Trapézio (*Trapeze Table*) 19
mobilização do pulso 53
Moinho de Vento (*Windmill*) 64-5
músculos 15, 32-33
assoalho pélvico 36
como os músculos funcionam 33
ligações musculares 33
ombro, braço e mão 40-1
quadril, perna e pé 34-5
tronco inferior e a coluna 36-7
tronco superior, pescoço, cabeça 38-9
músculos abdominais 36
Abdominais Estáticos (*Static Abs*) 58-9, 116
na Posição de Quatro (*Quadruped Static Abs*) 116
na Posição Deitada de Lado (*Side-lying Abs*) 98
Alongamento das Costas (*Back Stretch*) 89
e dos Músculos Abdominais (*Back and Abdominals Stretch*) 147
ativando os músculos abdominais 59
aula de abdominais 244-45
Cobra 78-9, 147
Crisscross 88
Flexão Inversa (*Reverse Curl*) 81, 83
Flexões Torácicas (*Chest Lifts*) 81, 152
Flexões Torácicas Oblíquas (*Oblique Chest Lifts*) 15, 82, 88
Levantamentos Retos (*Straight Lifts*) 84-5
Pequenos Círculos com as Pernas (*Small Leg Circles*) 86-7, 170
Ponte em uma Bola (*Bridge on a Ball*) 94-5
Rolando a Bola Usando os Músculos Abdominais (*Rolling the Ball Using Abdominals*) 91

N
Nado (*Swimming*) 182-83
Modificado (*Modified Swimming*) 73

O
ombros 46, 236-37
Abertura do Peito com Círculo com o Braço (*Chest Opening with Arm Circle*) 100-01
Alongamento da Parte da Frente dos Ombros e do Tórax (*Front of Shoulder and Chest Stretch*) 145
Alongamento da Parte de Trás do Ombro (*Back of Shoulder Stretch*) 145
Compressão do Travesseiro (*Pillow Squeeze*) 122, 137
depressão 24
elevação 24
Encolhendo os Ombros (*Shoulder Shrugs*) 121
Exercício para os Deltoides na Posição Sentada (*Sitting Deltoids*) 133
para os Latíssimos do Dorso na Posição Sentada (*Sitting Lats*) 123
para os Peitorais na Posição Deitada (*Lying Pecs*) 134-35
Extensão Torácica (*Thoracic Extension*) 126-27
músculos 40-1
Ponte de Ombros (*The Shoulder Bridge*) 194-95
protração 24
retração 24
um dos ombros mais alto do que o outro 51
ossos 26
osteopatia 230

P
pelve 31
assoalho pélvico 36
Grande Rotação dos Quadris (*Large Hip Rolls*) 110
inclinação anterior 31, 46
posterior 31
Inclinações Pélvicas (*Pelvic Tilts*) 60-1
Pequena Rotação dos Quadris (*Small Hip Rolls*) 109
Ponte (A) (*The Bridge*) 68-9
posição neutra 31
Rotação dos Quadris com Uma Perna (*Single Leg Hip Rolls*)112-13, 148
Rotação Elevada dos Quadris (*Raised Hip Rolls*) 111, 146
Pequenos Círculos com as Pernas (*Small Leg Circles*) 86-7, 170
pernas "sway-back" 49, 236-37
pernas 136
Alongamento das Duas Pernas (*Double Leg Stretch*) 176-77
de uma Perna (*Single Leg Stretch*) 88, 172-75
Chute com as Duas Pernas (*Double Leg Kick*) 188-89
com uma Perna (*Single Leg Kick*) 186-87
Círculo com a Perna (*Leg Circle*) 86, 170-71
comprimento desigual das pernas 50
Deslizamento das pernas (*Leg Slides*) 59, 66-7
Developpé 140-43
Elevação da Perna com Apoio Frontal (*Leg Pull Front*) 202-03
da Perna com Apoio Posterior (*Leg Pull Back*) 204-05
Flexão dos Tendões da Perna (*Hamstring Curls*) 74-5
Levantamentos com a Perna Reta na Posição Deitada de Lado

(Side-lying Straight Leg Lifts) 104-05
Retos (Straight Lifts) 84-5
músculos da perna 34-5
Pequenos Círculos com as Pernas (Small Leg Circles) 86-7, 170
Quadríceps 139
série de exercícios para as pernas 246-47
"sway-back" 49, 236-37
pés 47
arqueamento dos pés 240
flexão 25
músculos dos 35
peso desigualmente equilibrado 51
ponta 25
pronação 25
supinação 25
pescoço 38-9, 46
Alongamentos do Pescoço (Neck Stretches) 144
Tração do Pescoço (Neck Pull) 156-57
pesos 130
Exercício para o Bíceps na Posição Sentada (Sitting Biceps) 132
para o Tríceps na Posição Deitada (Lying Triceps) 131
para os Deltoides na Posição Sentada (Sitting Deltoids) 133
para os Peitorais na Posição Deitada (Lying Pecs) 134-35
Pilates, Joseph 8–9, 38, 44, 88
anos do pós-guerra 9-10
mudança para os Estados Unidos 10-1
Primeira Guerra Mundial (1914–1918) 9
Return to Life Through Contrology 11
Your Health 10-1, 16
planos do corpo 20-1, 228-29
Ponte (A) (The Bridge) 68-9
em uma Bola (Bridge on a Ball) 94-5

posição anatômica 21
semissupina 57-9
postura 46-7
ajustes no estilo de vida 52-3
como as ações diárias afetam a coluna 51
em pé 48
problemas posturais 49-51
problemas posturais dos iniciantes 236-37
sentada 52
programa para iniciantes 234-36
correção de problemas posturais 236-37

Q
Quadríceps 139
Alongamento de um Quadríceps (Single Quad Stretch) 74, 148
dos Dois Quadríceps (Double Quad Stretch) 148
quadris
Alongamento dos Quadris na Posição Sentada (Sitting Hip Stretch) 148
Alongamento dos Quadris, das Nádegas e do Psoas (Hips, Buttocks and Psoas Stretch) 148
músculos dos 34-5
programa para problemas nos 240-41
Rotação dos Quadris com as Pernas Flexionadas (Bent-Leg Hip Rolls) 93
Rotação dos Quadris com as Pernas Retas (Straight-leg Hip Rolls) 92
Rotação dos Quadris com os Braços Estendidos (Hip Twist with Stretched Arms) 200-01
quiroprática 230

R
relacionamentos com os clientes 232-33
sinais verbais e táteis 233
repouso e relaxamento 17

Respiração 13, 16, 42-3
aprendendo a respirar 45
e o estresse 42
estilos de 44
lateral em um lenço de pescoço 45
músculos da 39
no método Pilates 44
respirando nas costas 45
Rolando a Bola Usando os Músculos Abdominais (Rolling the Ball Using Abdominals) 91
Rolar como uma Bola (Rolling like a Ball) 164-65
para Cima (The Roll-Up) 154-55
por Cima do Corpo (Roll-Over) 162-63
Rotação (Twist) 106-07
rotação, externa e interna 24
roupas 16, 19

S
Saca-Rolhas (O) (The Corkscrew) 180-81
salto alto 46, 51
Schmelling, Max 9-10
série avançada de exercícios 249-51
Serrote (O) (The Saw) 160-61
sistema esquelético 26-31
sistema respiratório 42-3
sono 17

T
tai chi 253
Técnica Alexander 253
tendão da perna 34
Alongamento dos Tendões da Perna e dos Adutores na Posição em Pé (Standing Hamstring and Adductor Stretch) 149
Flexão dos Tendões da Perna (Hamstring Curls) 74-5
Ponte em uma Bola (Bridge on a Ball) 94-5
terminologia 20-1
Tesoura (A) (The Scissors) 15, 190-91

tipos de movimento 22-4
mãos 25
movimentos fluentes 13
ombros 24
pés 25
trabalho no escritório 52-3
trabalho no solo 19, 151, 231
tríceps
Alongamento do Tríceps (Triceps Stretch) 145
Exercício para o Tríceps na Posição Deitada (Lying Triceps) 131
tronco superior 38, 76, 120
Abertura do Peito com Círculo com o Braço (Chest Opening with Arm Circle) 100-01
dos Braços (Arm Openings) 124-26
Braços de Cossaco (Cossack Arms) 129
Compressão do Travesseiro (Pillow Squeeze) 122, 137
Encolhendo os Ombros (Shoulder Shrugs) 121
Exercício para os Latíssimos do Dorso na Posição Sentada (Sitting Lats) 123
Extensão Torácica (Thoracic Extension) 126-27
Flecha (A) (The Arrow) 76-7
Flexão Torácica Lateral (Thoracic Side Bend) 128
Moinho de Vento (Windmill) 64-5
Relaxamento do Tronco Superior (Upper Torso Release) 62-3

U
Universal Reformer de Pilates 19

V
vértebras 29
articulações entre as vértebras 30

Y
yoga 253

Agradecimentos

Sou muito grato a Gill Paul por ter colocado as minhas ideias e rabiscos numa linguagem correta, e à fisioterapeuta Shirley Hancock por verificar a seção sobre anatomia deste livro e por me dar um importante apoio no meu estúdio durante muitos anos. Agradeço a Sara Gallie pelas suas cuidadosas notas sobre os Exercícios Pré-Pilates, bem como pelo trabalho dela sobre o meu curso de treinamento; a Mauro Ossola por verificar a seção sobre o trabalho com pesos e por ser um assistente extremamente competente; e a Verity Fry e Brian Allen por ler e comentar o texto dos exercícios.

Sou grato aos modelos (Sara Gallie, Arran Knight, Wade Lewin, Mauro Ossola, Elaine Stringfellow e Chikako Tsuge), ao fotógrafo Russell Sadur, à designer Sally Bond e aos membros extremamente solidários do Octopus Publishing Group, Liz Dean, Leanne Bryan e Yasia Williams.

Créditos das fotos

Todas as fotografias são de Russel Sadur da Octopus Publishing com exceção das seguintes:

8 esquerda Michael Rougier/Time & Life/Getty Images; 8 direita I C Rapoport; 9 Gamma-Keystone via Getty Images; 10 Conde Nast Archive/Corbis; 16 Michael Keller/Corbis; 17 esquerda e direita iStockphoto/Thinkstock; 18 esquerda Joan Glase/Corbis; 18 direita Jupiter Images/Thinkstock; 30 embaixo Ocean/Corbis; 33 stihii/Shutterstock; 42 TongRo Images/Thinkstock; 44 direita iStockphoto/Thinkstock; 47 embaixo George Doyle/Thinkstock; 51 Creatas Images/Thinkstock; 222 Jupiter Images/Thinkstock; 231 Westend61 GmbH/Alamy

As ilustrações da pp. 218-19 e 251 são de Grace Heimer. Todas as outras ilustrações © Octopus Publishing Group.